NORA ROBERTS

Cousins O'Dwyer Trilogy

Смуглая ведьма

•

Родовое проклятие

•

Орудие ведьмы — любовь

НОРА

№1 NEW YORK TIMES — BESTSELLING AUTHOR

РОБЕРТС

ОРУДИЕ ВЕДЬМЫ — ЛЮБОВЬ

Москва 2015

УДК 821.111-31(73)
ББК 84(7Сое)-44
  Р 58

Nora Roberts

BLOOD MAGICK

Copyright © Nora Roberts, 2014. This edition published by
arrangement with Writers House LLC and Synopsis Literary Agency

Перевод с английского *С. Володиной*

Художественное оформление *Д. Сазонова*

Робертс, Нора.

Р 58   Орудие ведьмы — любовь : [роман] / Нора Робертс ; [пер. с англ. С. Б. Володиной]. — Москва :
Эксмо, 2015. — 416 с. — (Нора Робертс. Мега-звезда
современной прозы).

ISBN 978-5-699-81241-7

У потомственной ведьмы Брэнны О'Двайер есть все: лю-
бящие брат и сестра, собственный магазин, верные друзья. Но
есть одно недостающее звено в ее жизненной цепи: любовь...
Короткая интрижка с Фином, потомком их злейшего врага,
обернулась мучительной болью и разбитым сердцем. Чтобы
заполнить пропасть, оставленную после расставания, Брэнна
отдает все силы на осуществление плана, который положит
конец злу, преследующему их семьи в течение многих веков.
Справится ли Брэнна со своей миссией? Ведь против нее враг
использует самое опасное оружие — любовь...

УДК 821.111-31(73)
ББК 84(7Сое)-44

ISBN 978-5-699-81241-7

Посвящаю Кэт. Ты свет в моем оконце.

Как звезды далеки от нас,
И как далек наш первый поцелуй,
Ах, сердце, сколько ж лет!

Уильям Батлер Йейтс

Он жаждет мести, прольется
кровь — за кровь.

У. Шекспир[1]

1

Лето 1276

Стоял солнечный день на исходе лета. Брэнног собирала душистые травы, цветы и ли-
стья — она готовила из них снадобья и отвары. Люди
тянулись к ней — соседи и путники, движимые надеждой на исцеление. Как когда-то шли к ее матери, они
шли к ней, Смуглой Ведьме, со своими болями в теле,
в сердце, в душе и расплачивались монетой, услугами
либо товаром.

Вышло так, что они с братом и сестрой обустрои-
лись в Клэре, далеко-далеко от родного Мейо. От домика в лесу, где жили прежде. И где умерла их мать.

Им удалось наладить здесь свою жизнь, да что там
наладить — жизнь эта оказалась куда более спокойной
и счастливой, чем она могла себе вообразить после всего, что случилось в тот страшный день. День, когда их
мать отдала им всю свою чародейственную силу, остаo-
вив себе самые крохи, и, принеся себя в жертву, ото-
слала подальше от дома и родных мест, туда, где они
будут в безопасности.

---

[1] «Макбет», акт III, сцена 4.

Вспоминая тот день, Брэнног теперь понимала, что тогда ею руководило ощущение непоправимой беды, чувство долга и неизбывный страх. Вот почему она исполнила то, о чем просила мать, — увела братишку с сестренкой подальше.

Любовь, детство, невинность — теперь все позади.

С тех пор прошли долгие годы. Первые несколько лет, как наказала им мать, они провели в семье близких, а точнее — в доме их тетки, в спокойствии и безопасности, окруженные вниманием и заботой. Но, как это бывает в жизни, настало время — и они покинули это гнездо, чтобы стать тем, кем было написано им на роду и кем они останутся до конца своих дней.

Смуглой Ведьмой. Тремя ее составляющими.

В чем их удел? Их высшее предназначение? Уничтожить злодея Кэвона, черного колдуна, погубившего их отца, Бесстрашного Дайти, и мать, Сорку. Кэвона, который неведомым образом уцелел, несмотря на проклятье Сорки.

Но сегодня, в этот ясный день последнего месяца лета, все казалось таким далеким — и та жуткая последняя зима, и пришедшая ей на смену весна, принесшая с собой кровь и смерть.

Здесь, в обихоженном ею доме, воздух был напоен благоуханием розмарина из ее корзины, роз, посаженных ее мужем по случаю рождения их первенца. На синем небе, как на лугу, белыми барашками паслись облака, а леса и расчищенные ими для пахоты поля были зелеными, как изумруд.

Сынишка, ему еще не исполнилось и трех лет, сидел на солнце и колотил в барабан — его смастерил для него отец. Малыш барабанил с таким сосредоточенным упоением, что от любви у Брэнног защипало глаза.

Годовалая дочка спала, крепко сжимая любимую тряпичную куклу, под неусыпной охраной верного пса Катла.

А во чреве Брэнног уже ворочался и толкался ножками третий. Тоже сын, она это знала.

С места, где сейчас стояла она, ей было видно поле и небольшая хижина, которую без малого восемь лет тому назад они поставили здесь с Тейган и Эймоном, своими сестрой и братом. Дети, подумалось ей, мы были всего лишь дети, лишенные детства.

А теперь они живут поврозь, но все друг от друга неподалеку. Эймон Верный, такой сильный и такой настоящий. Тейган, сама доброта и справедливость. Сейчас она вся лучится счастьем, без ума от любви к человеку, чьей женой стала этой весной.

Какой здесь покой, подумала Брэнног, и барабанный грохот ее малыша не нарушает его. Дом, деревья, зеленые холмы с крапинками овец, сад и чистое голубое небо... Везде разлит этот покой.

И всему этому должен прийти конец. Всему этому скоро должен прийти конец.

Время подходит. Она ощущала это так же явственно, как уверенные толчки ребенка у себя во чреве. Ясные дни уступят место мраку. На место мира придет кровь и война.

Она потрогала на шее свой амулет с фигуркой собаки. Его сделала для нее мать как оберег, и теперь магия крови Сорки хранила Брэнног в трудные для нее дни. Скоро, подумалось ей, очень скоро ей вновь понадобится эта защита.

Почувствовав легкую боль в пояснице, Брэнног потерла ее рукой, а к дому уже скакал Ойн — ее мужчина.

Ойн. Такой красивый и такой родной. Зеленые, как холмы, глаза, черные, как вороново крыло, волосы, локонами спадающие на плечи. Высокий и прямой, он непринужденно держался в седле гнедой кобылы, и по округе летел его голос — он по обыкновению пел.

Видит бог, при одном взгляде на мужа Брэнног всегда испытывала прилив счастья — вот и сейчас губы ее разошлись в улыбке, а сердце взмыло вверх, как подхваченная ветром птица. Она, никогда не верившая, что для нее тоже существует любовь, убежденная, что ее семья — это брат и сестра, что она живет с одной целью — исполнить свое предначертание, влюбилась в Ойна из Клэра без памяти.

Брин подскочил, отбросив в сторону барабан, и со всех маленьких крепеньких ножек помчался навстречу отцу, повторяя:

— Пап! Пап! Пап!

Ойн нагнулся, подхватил сынишку и усадил к себе в седло. До Брэнног долетел смех — мужа и сына. И снова ей защипало глаза. В этот момент она чувствовала, что готова отдать все, всю свою силу, все свое дарование до последней капли, только чтобы уберечь их от трагического грядущего.

Малышка, названная в честь бабушки Соркой, захныкала. Катл зашевелился и негромко зарычал.

— Слышу, слышу. — Брэнног поставила корзину, подошла к проснувшейся девочке, взяла ее на руки и поцеловала. Ойн был уже тут как тут.

— Глянь, кого я подобрал на дороге! Какого-то потеряшку-цыганенка... Не знаешь, откуда здесь взялся такой?..

— Пожалуй, оставим его себе. Может статься, если его отмыть как следует, так и продать выгодно удастся.

— Да, за этого могут дать неплохую цену! — И Ойн поцеловал сынишку в макушку. Тот захихикал, довольный. — Ну, а теперь ступай, парень.

— Кататься, пап! — Брин повернул к отцу умоляющие черные глазищи. — Пожалуйста! Кататься!

— Ну давай, только недолго. А потом я рассчитываю получить свой чай. — Он подмигнул жене и пустил коня галопом. Мальчуган восторженно вскрикнул.

Брэнног подняла корзину, поправила малышку Сорку на бедре.

— Идем, дружище, — позвала она Катла. — Пора тебе пить твой отвар — для укрепления, ты ведь уж немолод, сам знаешь!

И она зашагала к дому, который Ойн, сильный и мастеровитый, выстроил своими руками — прекрасный дом. Поворошила кочергой огонь в очаге, усадила дочурку и поставила чай.

Поглаживая собаку, напоила ее свежим оздоровительным снадобьем. При должном уходе, считала она, жизнь Катлу еще можно продлить на несколько лет. Она почувствует, когда пора будет его отпустить.

Но не сейчас. Пока еще не время, нет.

Когда, держась за руки, в дом вошли ее муж и их сын, на столе у нее уже стояли медовые кексы и варенье и был готов чай.

— Хорошо-то как... — Ойн нагнулся поцеловать жену и, как всегда, не спешил отрываться от ее губ.

— Ты рано сегодня, — начала было она, но тут ее материнский глаз углядел, что детская ручонка уже тянется к сладкому. — Давай-ка, мальчик мой, ты сперва ручки помоешь, а потом сядешь за стол, как положено, и выпьешь свой чай.

— Мам, они не грязные! — Малыш показал ей ладошки.

Брэнног бросила взгляд на чумазые пальцы и сдвинула брови.

— Сейчас же мыть руки! Обоим!

— С женщинами лучше не спорить, — заговорщицки улыбнулся сынишке Ойн. — Эту науку тебе еще предстоит постичь... Достроил сарай для вдовы О'Брайан, — сказал он жене. — Ну и бездарный же у нее сын, доложу я тебе. Толку от него — как от козла молока. Впрочем, он мне не мешал, ушел куда-то сразу по своим каким-то делам. Да без него оно и ловчее было.

Он помогал малышу вытирать руки и рассказывал, как прошел день, потом подхватил на руки и подбросил вверх дочку, заговорив уже о предстоящих делах. Девчушка от восторга визжала.

— Ты — радость этого дома, — прошептала на ухо мужу Брэнног. — От тебя в нем светло.

Он спокойно взглянул на нее и посадил малышку.

— А ты его сердце. Присядь ненадолго, дай отдых ногам. Чаю выпей.

Он ждал. О, она знала: терпеливее мужчины не сыскать. Или упрямее — как посмотреть, ибо часто это две стороны одного характера, во всяком случае, у ее Ойна это так.

Когда дневные заботы остались позади, ужин приготовлен и съеден и дети уложены, он взял ее за руку.

— Не прогуляешься со мной, милая Брэнног? Вечер сегодня чудесный.

Сколько раз он говорил ей эти слова, пока ухаживал за ней — когда она пыталась лишь отмахнуться от него с легкой досадой, как от докучливого комара?

Сейчас же она только взяла шаль, свою любимую, подарок Тейган, и накинула себе на плечи. И бросила взгляд на лежащего у очага Катла.

«Пригляди вместо меня за детьми», — мысленно попросила она и уверенно вышла вслед за Ойном в сырую прохладу ночи.

— Будет дождь, — проговорила она. — Ближе к утру.

— Тогда, считай, нам повезло: у нас вся ночь впереди. — Он положил ладонь ей на живот. — Все хорошо?

— Да, все чудесно. Он такой непоседа, все время ворочается. Весь в отца.

— Брэнног, мы вроде неплохо устроены. Может, нам стоит нанять прислугу? Денег хватит.

Она бросила на него быстрый тревожный взгляд.

— Что, какой-нибудь непорядок в доме? Что-то не так у детей? Еда не так приготовлена или мало ее?

— Да нет. Просто я видел, как моя мать горбатилась до последних дней. — Он говорил и легонько массировал ей поясницу, отлично зная про эту ее ноющую боль. — Я не допущу, чтобы ты тоже не щадила себя, моя дорогая.

— Я себя замечательно чувствую, честное слово.

— А тогда почему ты грустишь?

— Я не грущу. — Это ложь, поняла она, а ведь она никогда ему не врала. — Разве самую малость. Женщина, когда носит ребенка, сходит с ума, тебе ли не знать? Забыл, как я то и дело рыдала, когда была беременна Брином? А ты молча сделал и принес в дом колыбельку... Я же рыдала так, будто наступил конец света!

— То было от радости. А сейчас тебе грустно.

— И радостно тоже. Как раз сегодня я стояла и смотрела на наших детей и думала о тебе, о том, как мы живем. Это радость, Ойн. Сколько раз я тебе отказывала, когда ты просил меня стать твоей, а?

— Для меня и одного было много.

Она рассмеялась, и к горлу ее подступили слезы.

— А ты все просил и просил, помнишь? Обхаживал меня то песнями, то увлекательными историями, то полевыми цветами. А я все твердила, что никому не буду принадлежать.

— Никому, кроме меня.

— Никому, кроме тебя.

Она вдыхала в себя эту ночь, благоухание сада, леса, холмов... Вдыхала то, что стало для нее домом, понимая, что однажды ей придется все здесь оставить, чтобы вернуться в дом своего детства. Вернуться к своему предназначению.

— Ты знал, кто я такая. Знал, кто я есть. И все равно хотел меня: не моей колдовской силы — меня.

Вот что оказалось для нее дороже всего на свете, вот что распахнуло ее сердце, которое она зареклась держать на замке.

— А когда я больше была не в силах противиться этой любви, я рассказала тебе все, все без утайки, и вновь отказала. Но ты попросил опять. Помнишь, что ты говорил мне тогда?

— Я и теперь тебе это скажу. — Он повернулся к ней и, как в тот далекий день, взял ее руки в свои. — Ты моя, а я — твой. Я возьму все, что есть в тебе, и отдам все, что есть во мне. И я буду с тобой, Брэнног, Смуглая Ведьма Мейо, и в огне и в воде, и в горе и в радости, и в бою и в мире. Загляни в мое сердце, ведь ты это можешь! Загляни в меня и познай любовь.

— А я так и сделала. И делаю до сих пор. Ойн! — Она прижалась к нему, зарылась лицом у него на груди. — Это такое счастье!

И все-таки она не удержалась от слез.

Муж принялся ее гладить и утешать, потом легонько отстранил от себя, чтобы видеть ее лицо в бледном свете луны.

— Что, пора сниматься с места? Возвращаться в Мейо? — догадался он.

— Да, и скоро. Совсем скоро. Прости меня!

— Нет. — Поцелуем он заставил ее замолчать. — Никогда больше не говори мне так! Ты разве не слышала, что я сказал тогда? Забыла мои слова?

— Могла ли я знать? Когда ты произносил эти слова, а я чувствовала, что они проникают мне в самое сердце, могла ли я знать, что когда-нибудь мне будет так горько? Как бы мне хотелось остаться, просто остаться здесь! Быть здесь, с тобой, а все остальное оставить в прошлом и где-то далеко-далеко. Но я не могу. Не могу дать эту малость ни нам с тобой, Ойн, ни нашим детям.

— Им ничто не грозит. — Он снова положил руку ей на живот. — Ничто и никто. Я об этом позабочусь, клянусь тебе!

— Ты должен в этом поклясться, ибо, когда придет время, мне придется оставить их и вместе с братом и сестрой сразиться с Кэвоном.

— Не забудь и меня! — Он взял ее за плечи, и в глазах его вспыхнул огонь и праведный гнев. — Что уготовано тебе, то и мне.

— Ты должен поклясться. — Она мягко взяла его руки и положила себе на живот, туда, где толкался их сын. — Наши дети, Ойн. Поклянись, что в первую очередь будешь защищать их. Ты и муж Тейган должны будете уберечь их от Кэвона. Если я не буду уверена в том, что они под защитой отца и дяди, мне ни за что не исполнить то, что мне предначертано. Если любишь меня, Ойн, поклянись!

— За тебя я готов отдать жизнь. — Он прижал лоб к ее лбу, и она ощутила его внутреннюю борьбу — борьбу мужчины, мужа, отца. — Клянусь тебе, я жизнь отдам за наших детей! Обещаю, что всегда их защищу.

— Какое счастье, что у меня есть ты! — Брэнног поднесла его руки к своим губам. — Какое счастье. Не станешь просить, чтобы не уезжали?

— Забыла? Я же взял тебя такой, какая ты есть, — напомнил он ей. — Раз ты принесла обет — считай, что и я тоже. Я с тобой, любовь моя.

— Ты свет в моей душе. — Брэнног вздохнула и положила голову ему на грудь. — И этот свет горит в наших детях.

И чтобы защитить этот свет и все, что от него проистекает, она употребит все свои силы. Чтобы в конце концов одолеть мрак.

Она ждала, наслаждаясь каждым отпущенным днем, бережно его лелея. Когда затихали дети, в том числе и тот, что еще сидел у нее в животе, она садилась с маминой книгой заклятий. Изучала их, дополняла своими — своими словами и мыслями. Когда-то, знала она, ей предстоит передать это дальше, как и амулет. Передать своим детям и в первую очередь — тому из них, кто продолжит дело Смуглой Ведьмы и выполнит ее миссию, если их с братом и сестрой ждет неудача.

Их мать обещала, что они — или их потомки — покончат с Кэвоном. Брэнног своими глазами видела, как один из их рода, живущий в другом времени, с ним говорил. А во сне ей являлась женщина, носящая ее имя и ее амулет — тот самый, что сейчас у нее на шее, — и эта женщина, как и она, была одной из *трех*.

У троих детей Сорки будут дети, а у тех — свои. Так будет продолжен род, сохранится его предназначение, пока не будет исполнено. И она не станет — не может — от этого отворачиваться.

И она не станет — не сможет — игнорировать беспокойство в своей душе, которое ощущалось все сильнее по мере того, как лето катилось к закату.

Ведь у нее есть дети, о которых надо заботиться. Дом, требующий, в свою очередь, внимания и заботы. Скотина, которую надо кормить и за которой надо ухаживать, сад, где созрел урожай, коза, которую надо доить. Соседи и странники, которых надо исцелять и поддерживать.

И магия. Яркая, ослепительная магия света, которую надо сберечь.

Сейчас, уложив детей на дневной сон — а Брин, негодник, устроил целое сражение, никак не желая закрывать глазки, — Брэнног вышла на улицу подышать.

И увидела, что по дорожке с корзиной в руке идет сестра. Ее блестящие волосы были заплетены в косы за спиной.

— Ты будто прочла мои мысли: мне захотелось поговорить, пообщаться с кем-то старше двух лет от роду.

— Я тебе черного хлеба несу — напекла больше, чем нужно. И я тоже по тебе соскучилась.

— Вот хорошо! Сейчас и поедим. Я, кажется, готова жевать беспрерывно. — Брэнног со смехом обняла сестру.

Тейган. Какая хорошенькая! Волосы как солнце, глаза как колокольчики — мамины глаза.

Брэнног притянула к себе сестру и тут же отпустила.

— Да ты ждешь ребенка!

— Не могла подождать, чтобы я тебе сама рассказала! — Тейган вся так и лучилась. С улыбкой до ушей она снова бросилась сестре в объятия. — Я только сегодня утром узнала. Проснулась и чувствую — во мне новая жизнь. Даже Гелвону еще не говорила, сначала хотела сказать тебе. И убедиться, что я не ошиблась, что все точно. Теперь убедилась. Ой, я трещу как сорока. Остановиться не могу.

— Тейган! — Брэнног расцеловала сестренку, и глаза ее увлажнились. Ей вспомнилась маленькая девочка, которая так горько плакала тем далеким печальным утром. — Храни тебя господь, сестренка. Идем в дом. Приготовлю тебе чай — и тебе будет полезно, и малышу.

Тейган проследовала за сестрой и скинула с плеч шаль.

— Надо все-таки сказать Гелвону, — решила она. — Я хочу это сделать возле того места у ручья, где он меня впервые поцеловал. И еще надо сообщить Эймону, что он снова станет дядей. Хочу, чтобы играла музыка и было весело. Может, вы с Ойном приведете сегодня к нам детей?

— Конечно. Обязательно! Будем веселиться.

— Как же мне мамы недостает! Я понимаю, это глупо, но мне хочется ей тоже сказать. И папе. У меня внутри зародилась новая жизнь! И эта жизнь произошла от них. Тебя тоже одолевали подобные чувства?

— Да, каждый раз так. Когда родился Брин, а потом маленькая Сорка, я видела маму, правда, всего какое-то мгновение. Я ее чувствовала. И отца тоже. Я ощущала их присутствие, когда мои дети издавали свой первый в жизни крик. Это было радостно и очень грустно. А потом...

Она замолчала.

— Ну, что? Говори!

Глаза у Брэнног затуманились от счастья пополам с горем. Она обхватила руками живот.

— Потом тебя захлестывает любовь, такая жгучая, такая бескрайняя! Ты держишь на руках крохотную новую жизнь — она уже не внутри тебя, а здесь, в твоих руках. А эта любовь, что тебя переполняет... Ты думаешь, ты знаешь, как это будет, но когда оно случается, ты понимаешь, что представляла себе лишь намек на то чувство, какое в тебе отныне поселилось. Теперь я знаю, что испытывала к нам мама. И отец. Ты это скоро узнаешь.

— Неужели можно любить сильнее? Мне кажется, я уже целиком растворилась в нем. — Тейган прижала ладонь к животу.

— Можно. Вот увидишь. — Брэнног обвела взором лес, пышно цветущий сад. И глаза ее заволокло дымкой.

— Этот твой сын... не он примет у тебя эстафету. Хотя он будет сильный и властный. И тот, кто появится у тебя после него, — тоже. Третьей будет дочка — вот она-то и унаследует наш дар. Она станет одной из *трех* с твоей стороны. Белокурая, как и ты, с таким же добрым сердцем и смекалкой. Ты назовешь ее Кира. Однажды ты наденешь ей амулет, который сделала тебе мама.

У Брэнног вдруг закружилась голова, и она села. Тейган кинулась к ней.

— Не волнуйся, со мной все в порядке! Это просто видение... Все так быстро — я даже не успела подготовиться. Я в последние дни какая-то заторможенная. — Она потрепала сестру по руке.

— А я даже не догадалась заглянуть в будущее.

— Да зачем тебе? Ты имеешь право просто быть счастливой. Жаль, что я его тебе омрачила.

— Ничего ты не омрачила! Как можно что-то испортить сообщением о том, что у меня будет сын, затем еще один, а потом и дочка? Нет-нет, сиди, не вставай. Я еще чай не допила.

Отворилась дверь, сестры обернулись.

— Ох уж этот Эймон... У него точно нюх на свежий хлеб, — засмеялась Тейган при виде брата. Невероятно красивое лицо юноши обрамляли взлохмаченные — по обыкновению — каштановые волосы.

Он с улыбкой, по-собачьи повел носом.

— С нюхом у меня точно полный порядок, но меня сюда привел не он. Вокруг вас такой столб света стоит — будто луна взошла. Затеяли ворожить, а меня не позвали?

— Да нет, мы не ворожили, просто разговаривали. Сегодня вечером у нас дома небольшое кейли[1]. Ты пока можешь побыть с Брэнног, а я пойду сообщу Гелвону, что он станет отцом.

— Поскольку тут у вас свежий хлебушек, я не против... Как ты сказала? Отцом? — Ярко-синие глаза Эймона радостно засияли. — Вот это новость! — Он оторвал Тейган от пола, покружил разок, а когда она засмеялась, повторил трюк. Усадил сестренку в кресло и расцеловал, после чего улыбнулся старшей сестре. — Я бы и тебя покружил, да боюсь надорваться, ты же вон какая необъятная стала. Как гора.

— Не рассчитывай, что после этих слов ты получишь от меня варенья к хлебу.

— Это очень красивая гора. Которая уже подарила мне прекрасного племянника и очаровательную племянницу.

— А вот за эти слова ты получишь здоровенную порцию варенья, хитрец.

— Гелвон будет на седьмом небе. — Он нежно провел пальцем по щеке Тейган — он всегда был с ней очень ласковым. — Так, значит, у тебя все хорошо, Тейган?

— Чувствую я себя прекрасно. Собираюсь закатить пир, ты как?

---

[1] Праздник с традиционными ирландскими песнями и танцами.

— Я-то? Двумя руками за! Меня это очень даже устроит.

— Тебе, кстати, пора найти себе подходящую женщину, — прибавила Тейган. — Из тебя выйдет превосходный отец.

— Меня вполне устраивает, что вы обе рожаете детишек и делаете меня счастливым дядькой.

Брэнног снова уперлась взором в пустоту.

— У нее огненные волосы, глаза — как бурлящее море, и в ней угадывается ведовская сила. — Брэнног откинулась на спинку стула и потерла живот. — В последние дни на меня что-то находит. Наверное, не без его участия — чувствую, он уже в нетерпении. — Она улыбнулась. — А знаешь, меня радует облик женщины, которая тебя завоюет, Эймон. Не чтобы покувыркаться, а чтобы полюбить.

— Я за женщинами не гоняюсь. Во всяком случае — ни за какой конкретной.

Тейган провела ладонью по его руке.

— Ты вбил себе в голову, и уже довольно давно, что тебе не суждено иметь женщину, жену, поскольку у тебя есть сестры, которых ты обязан защищать. Но это заблуждение, Эймон, от начала и до конца. Нас трое, и мы с Брэнног не слабее тебя. Когда полюбишь, тебя никто и спрашивать не станет.

— И не спорь с женщиной, которая носит ребенка, тем более если она ведьма, — улыбнулась Брэнног. — Я вот никогда не искала любви — она сама меня нашла. Тейган ее ждала — и любовь ее тоже нашла. Ты можешь от нее бегать, братишка, но она все равно тебя отыщет. Отыщет, как только мы вернемся домой. — Ей опять пришлось сдерживать слезы. — Проклятье, у меня сегодня глаза на мокром месте. Ты к этому тоже готовься, Тейган: настроение меняется как ему заблагорассудится.

— Значит, ты тоже почувствовала? — Теперь Эймон положил свою руку поверх руки Брэнног, так что они втроем замкнули круг. — Мы отправимся домой, причем скоро.

— В следующую луну. Мы должны выезжать в следующее полнолуние.

— А я надеялась, что можно будет еще немного обождать, — прошептала Тейган. — Думала, дождемся, пока ты родишь. Хотя... умом и сердцем я понимала, что это ждать не может.

— Этого сына я рожу в Мейо. Этот ребенок появится на свет дома. Хотя... Здесь ведь тоже дом. Правда, не для тебя, — повернулась она к Эймону. — Ты ждал, ты был терпелив, ты жил здесь, но сердце твое, разум, душа — все оставалось там.

— Нам было сказано, что мы вернемся домой. Потому я и ждал. И еще не забывайте про *троих*. Тех *троих*, что произошли от нас — они ведь тоже ждут. — Эймон провел пальцами по голубому камню на шее. — Мы с ними еще свидимся.

— Я их вижу во сне, — сказала Брэнног. — Ту, что носит мое имя, и двух других. Они сражались и потерпели поражение.

— Они сразятся снова, — сказала Тейган.

— Они его потрепали. — В глазах Эймона сверкнул злой огонек. — Он пролил кровь — как тогда, когда его пронзила мечом женщина по имени Мира, та, что приходила с Коннором, который из *трех*.

— Он пролил кровь, — согласилась Брэнног. — Но он исцелился. И вновь собрался с силами. Он черпает силу из тьмы. Не могу разглядеть, где и как, но чувствую. Я не вижу, удастся ли нам изменить грядущее, сумеем ли мы прикончить его. Но их я вижу. И знаю, что если не мы, то они сразятся с ним вновь.

— Значит, мы отправимся домой и отыщем способ, как принять в этом участие. Чтобы тем, кто произошел от нас, не пришлось сражаться одним.

Брэнног подумала о спящих наверху детях. Они под надежной защитой, пока еще совсем невинные. И о детях ее детей и внуков, живущих в другое время, в Мейо. Взрослых детях. Незащищенных и не невинных.

— Мы найдем способ. Мы вернемся домой. Но сегодня, в такой особенный вечер, мы закатим пир. Пусть играет музыка. И пусть мы трое воздадим благодарность тем, кто сражался ради света до нас. Ради света и ради жизни.

— А завтра, — поднялся Эймон, — мы начнем действовать, чтобы до конца угробить того, кто отнял жизнь у наших родителей.

— Побудешь пока с Брэнног? Я хочу поговорить с Гелвоном.

— Сегодня сообщи ему только счастливую новость. — Брэнног поднялась вместе с сестрой. — Завтра расскажешь все остальное. Пусть сегодня будет только радость, ведь время столь быстротечно!

— Хорошо. — Тейган расцеловала брата с сестрой. — И Ойн пусть непременно захватит свою арфу!

— Захватит, будь уверена. Мы наполним лес музыкой и отправим ее лететь над холмами.

Когда Тейган ушла, Брэнног снова присела. Эймон пододвинул ей чай.

— Что-то ты бледная.

— Устала немного. Ойн уже знает. Я с ним говорила, и он готов ехать. Уехать и бросить все, что здесь построил. Вот уж не думала, что возвращаться будет тяжело, что стану разрываться меж двух огней.

— Ничего, братья Гелвона будут возделывать землю — и за вас, и за Тейган.

— Хоть какое-то утешение. Ты правильно сказал: за нас с Ойном и за Тейган с Гелвоном — но не за тебя, здешняя земля никогда не была твоей. — И снова это была радость пополам с грустью. — Что бы ни случилось, ты останешься в Мейо. За себя с Ойном и детьми пока ничего не скажу — не вижу. А вот Тейган вернется сюда, это я вижу ясно. Теперь ее дом здесь.

— Верно, — согласился Эймон. — Смуглой Ведьмой Мейо она останется, но ее дом здесь, и сердце ее принадлежит земле Клэра.

— Как же мы станем жить, Эймон, все врозь? Ведь мы всю жизнь были вместе!

Она поймала взгляд его темно-синих глаза — таких же, как были у их отца.

— Что для нас расстояние? Ничто. Мы всегда будем вместе.

— Я стала слезливой и глупой, и мне это совсем не нравится. Надеюсь, такое настроение быстро пройдет, в противном случае придется себя лечить.

— Вспомни: ты до самого рождения малышки Сорки была такой взвинченной, что на людей бросалась. По мне, так уж лучше лей слезы.

— А по мне — нет! — Брэнног выпила чаю, зная, что это ее успокоит. — С учетом предстоящей дороги надо добавить кое-чего в отвар, который я даю Катлу и Аластару. Ройбирду он вроде пока не требуется, он еще силен.

— Сейчас на охоту полетел. С каждым разом улетает все дальше. Теперь его тянет на север, что ни день — то на север. Он тоже знает, что нам скоро в путь.

— Мы предупредим о нашем возвращении. Нас с распростертыми объятиями встретят в замке Эшфорд.

Дети Сорки и Дайти. Смуглая Ведьма в трех лицах. Нам будут рады.

— Я сделаю. — Откинувшись к спинке стула, Эймон пил чай и с улыбкой поглядывал на сестру. — Говоришь, волосы — как огонь?

Как он и рассчитывал, Брэнног рассмеялась.

— Да, и обещаю тебе: когда вы встретитесь, ты лишишься дара речи.

— Только не я, радость моя. Это не про меня.

2

Для детей это было настоящее приключение. Услышав, что их ждет долгое путешествие, переезд на другое место, а в конце пути — всамделишный замок, если они будут хорошо себя вести и не шалить, Брин обрадовался больше всех и начал с нетерпением собираться в дорогу.

Брэнног укладывала вещи. Сами собой наплывали воспоминания. Она вновь и вновь как сейчас видела то далекое печальное утро, когда она, выполняя тревожный мамин наказ, второпях собирала все, что ей было велено взять с собой. Тогда она суетилась как в лихорадке, они уезжали — точнее, спасались бегством, — и сборы происходили наспех и впопыхах, даром что уезжали они насовсем, и ей эта спешка запомнилась. Как и то, что на прощанье она оглянулась на маму, стоявшую возле их дома в лесу, и колдовская сила, горящая в ней, иссякала...

Сейчас Брэнног собирала вещи взвешенно и осмысленно, чтобы ехать назад, чтобы вернуться к собственному предназначению. Она искренне стремилась к его выполнению — пока не появился на свет их первый ребенок, пока ее не затопила эта бескрайняя любовь к малышу, который бегает сейчас вокруг в возбуждении от предстоящего путешествия.

Но ей еще необходимо кое-что выполнить здесь.

Она приготовила все, что могло понадобиться: котел, свечу, книгу, травы, камни. Взглянула на сынишку и ощутила прилив гордости, смешанной с жалостью.

— Пришла его пора, — сказала она мужу.

Тот взглянул с пониманием и поцеловал ее в лоб.

— Пойду отнесу Сорку наверх. Ей пора спать.

Она кивнула, нашла глазами Брина и окликнула его.

— Я не устал! Почему мы не можем выехать сейчас и ночевать под звездами?

— Мы выезжаем завтра утром, а пока у нас с тобой есть одно дело.

Брэнног села и раскрыла объятия.

— Во-первых, подойти и сядь со мной. Мой мальчик, — прошептала она, когда малыш забрался к ней на колени. — Душа моя. Ты же знаешь, кто я?

— Ты моя мама, — отозвался Брин и прижался к матери.

— Это правильно. Но не только — и ты должен знать это, тем более что я от тебя никогда этого не скрывала. Я Смуглая Ведьма, хранительница колдовского умения, дочь Сорки и Дайти. Это мой род. Он и твой род. Видишь эту свечу?

— Это ты ее сделала. Мама делает свечки и печет пирожки, а папа ездит верхом.

— Ах, вот оно что! — Она рассмеялась и решила оставить его при этом заблуждении еще на какое-то время. — Это правда, эту свечку сделала я. Видишь фитилек, Брин? Он холодный и не горит. Смотри на свечу, Брин, и на фитиль. Попробуй увидеть свет и огонь, маленький огонек, светлый и горячий, каким вспыхнет свеча. Этот свет у тебя внутри, и огонь у тебя внутри. Смотри на фитиль, Брин, почувствуй его.

Она снова и снова тихонько нараспев повторяла ему эти слова и чувствовала, как в нем формируется энергия, как его и ее сознание сливаются воедино.

— Свет — это сила. Сила — это свет. Он в тебе, он исходит из тебя, проходит через тебя. Твоя кровь, моя кровь, наша кровь, твой свет, мой свет, наш свет. Почувствуй то, что живет в тебе, что ждет своего часа. Взгляни на фитилек свечи, он ждет твоего света. Ждет твоей силы. Почувствуй ее! Позволь ей подняться, медленно, очень медленно. Почувствуй, какая она легкая и чистая. Возьми ее, ибо она твоя. Возьми, потрогай, подними ее. Зажги свет!

Фитилек вспыхнул, погас, вспыхнул снова и теперь уже загорелся ровно.

Брэнног поцеловала малыша в макушку. Ну вот, подумала она, первый навык уже усвоен. Отныне ее сынок больше никогда не будет обычным ребенком.

Радость и грусть всегда идут рядом.

— Молодец!

Он повернулся к матери и улыбнулся.

— А еще? Я могу еще что-нибудь?

— Можешь, — ответила она и опять поцеловала мальчика. — Теперь следи за мной, и очень внимательно, потому что тебе предстоит многое узнать и многому научиться. И первое, что ты должен знать, должен запомнить и неукоснительно соблюдать: ты никогда и никому не причинишь зла тем, что есть в тебе, тем, что ты есть. Это твой особый дар, Брин, ты понял меня? И он никому не должен вредить. Поклянись в этом мне, себе и всем, кто был до нас и будет после нас!

Она подняла ритуальный нож, атам, и сделала надрез на своей ладони.

— Мы скрепим нашу клятву кровью — сын поклянется матери, мать — сыну, два колдуна — друг другу.

Малыш с серьезным выражением протянул ей ручонку и лишь зажмурился от боли, когда она легонько полоснула по ней ножом.

— Мы никому не делаем зла, — проговорила она, соединяя две ладони, смешивая свою кровь с кровью сына.

— Мы никому не делаем зла, — повторила она, прижала малыша к себе, поцеловала ранку и пошептала над нею. — Теперь ты можешь зажечь еще одну свечку. А потом мы вместе сделаем защитные амулеты — для тебя, для твоей сестренки и для папы.

— Мам, а тебе?

Она коснулась подвески.

— У меня уже есть.

Утро выдалось туманным. Брэнног забралась в кибитку. Дочурку взяла себе под бок. Посмотрела на разрумянившегося от восторга сына, устроившегося в седле впереди отца. Обернулась на преисполненную серьезности и спокойствия сестру верхом на Аластаре; на брата, высокого, с прямой спиной сидящего на своей лошади по имени Митра, с дедовым мечом на боку. И на Гелвона верхом на прелестной лошадке, зачатой Аластаром три года назад.

Брэнног хлестнула коня — это был старый ломовой жеребец Гелвона. Брин гикнул, и поездка началась. Она оглянулась лишь один раз, всего однажды посмотрела на дом, который успела полюбить. Увидит ли она его еще когда-нибудь?

Больше она не оборачивалась.

Целитель всюду желанный гость — как и арфист. Хотя ей и доставлял хлопот беспокойный малыш в животе, на всем протяжении их пути семейству удавалось без труда найти еду и приют.

Ойн играл на арфе, Брэнног или Тейган, или Эймон лечили раненых и хворых мазями и отварами. Гелвон с готовностью предлагал помощь там, где требовались сила и мастеровитые руки.

Как-то они устроились на ночлег прямо под звездами — о чем так мечтал Брин, — и Брэнног было хорошо от сознания того, что их надежно стерегут их пес, ястреб и конь. Их верные советчики.

Никаких неожиданностей в дороге они не встретили, правда, она понимала, что слух об их переезде давно разнесся. Три Смуглых Ведьмы проехали весь Клэр и вступили в Гэлоуэй.

— До Кэвона слухи тоже дойдут, — проговорил однажды Эймон, когда они сделали очередной привал, чтобы дать коням отдохнуть, а детям немного побегать.

Брэнног сидела между братом и сестрой, Гелвон с Ойном поили коней, а Эймон закинул удочку.

— Мы теперь сильнее, чем были, — возразила Тейган. — На юг мы уезжали детьми. Теперь возвращаемся на север взрослыми людьми.

— Эймон тревожится. — Брэнног погладила себя по животу. — Ответственности-то у нас прибавилось!

— В вашей силе или воле я не сомневаюсь.

— И все равно тебе тревожно.

— Я просто не уверен, что это надо делать сейчас, — признал Эймон. — Хотя тоже чувствую, что время пришло. Чувствую не хуже вашего, и все же, по-моему, было бы легче, если бы обе вы сперва как положено разрешились от бремени, прежде чем мы встретимся лицом к лицу с неизбежным.

— Чему быть, того не миновать, но, по правде говоря, я рада, что мы хоть на пару дней прервем свой путь, чтобы погостить у родни. Честное слово, мне эта кибитка изрядно надоела.

— А я мечтаю о пряниках, какие печет Айлиш. Только у нее такие получаются, — заметил Эймон.

— Он мечтает желудком, каков, а? — усмехнулась Тейган.

— Мужчина должен питаться. Ага, есть! — Эймон дернул удочку и вытащил бьющуюся на леске рыбину. — Вот как раз и поедим.

— Одной не хватит, — заметила Брэнног, и всем на память пришел тот далекий счастливый солнечный день, когда мама сказала рыбачившему Эймону именно эти слова.

Они оставили позади дикие просторы Клэра, подстегиваемые суровыми ветрами и внезапно налетающими ливнями. Миновали зеленые холмы Гэлоуэя, луга, полные блеющих овец, селения, где из каждой трубы вился дым. Ройбирд летел впереди, взмывая под самые облака, делающие небо похожим на серое море, только мягкое.

Дети спали в кибитке, приткнувшись между тюков, а Катл сидел подле Брэнног, неся неусыпную вахту.

— Не помню, чтобы здесь было столько жилья. — Тейган ехала рядом с кибиткой на неутомимом Аластаре.

— Так ведь сколько лет прошло!

— Земля здесь плодородная. Я буквально слышу, как про себя рассуждает об этом Гелвон.

— Так, может, здесь и осядете? Лежит у тебя душа к здешним местам?

— А знаешь, лежит. Но и к нашему домику в лесах Клэра тоже. И все же чем ближе мы к родительскому дому, тем сильнее я по нему тоскую. Долго же мы терпели разлуку, мы все! Зато теперь... А ты это чувствуешь, Брэнног? Тебя тянет домой?

— Еще как!

— А страшно тебе?

— Да. Меня страшит то, что нас ждет, а больше всего — что мы можем потерпеть неудачу.

— С чего бы? — Сестра остановила на ней вопросительный взгляд, но Тейган покачала головой: — Нет, видения у меня не было, есть только уверенность. И чем ближе мы к дому, тем она крепче. Мы не проиграем, ибо свет всегда побеждает тьму, даже если на это уйдет тысяча лет.

— Ты говоришь, как она, — прошептала Брэнног. — Как мама.

— Она живет в нас всех, и поэтому мы не проиграем. Ой, Брэнног, смотри! Дерево с корявыми сучьями — это же про него Эймон говорил сестренке Мов, что оно в каждое полнолуние оживает, а она, дурочка, пугалась! Мы уже совсем рядом с хутором Айлиш. Почти приехали.

— Скачи вперед.

Лицо Тейган озарилось детской улыбкой, она тряхнула волосами и рассмеялась.

— И поскачу!

Она подъехала к мужу, опять засмеялась и пустилась галопом. Катл рядом с Брэнног заскулил и отряхнулся.

— Ну, беги и ты. — Брэнног погладила пса.

Тот спрыгнул с повозки и пустился вслед за всадницей, а над ними кружил ястреб.

Это тоже было возвращением домой, ведь на теткином хуторе они прожили целых пять лет. Здесь по-прежнему царил идеальный порядок, но появились новые надворные постройки и новый выгон, где гарцевали жеребцы.

Брэнног увидела, как белокурый мальчик бросился обнимать Катла, а когда он с улыбкой повернулся к ней, догадалась, что это Люэд — младший и последний сын тети Айлиш.

Сама Айлиш уже бежала к кибитке. Она немного округлилась, в светлых волосах появились седые прядки. Но глаза остались такими же молодыми и задорными.

— Брэнног! Вы только посмотрите на нашу Брэнног! А ну-ка, Сеймус, подойди и помоги сестре спуститься с повозки.

— Да я справлюсь. — Брэнног спустилась сама и бросилась тетке в объятия. — Ох, до чего же я рада тебя видеть!

— А я — тебя. А ты все такая же красавица. Вся в мать. А вот и наш Эймон, и тоже красавчик. Трое моих племянников, как и обещали, возвращаются домой. Я послала близнецов в поле за Барданом, а ты, Сеймус, беги-ка к Мов, скажи ей, что двоюродные приехали!

Расчувствовавшись до слез, она снова обняла Брэнног.

— Мов с мужем живут в своем доме, вон там, через дорогу. Она вот-вот родит первого, и я стану бабкой, представляешь? Ой, что это я разболталась, никак остановиться не могу. А это Ойн, да? И Гелвон? Добро пожаловать, проходите, пожалуйста. А дети-то где?

— Спят в кибитке.

Айлиш не успокоилась, пока всех не подняла и не накормила своими знаменитыми медовыми пряниками, о которых Эймон так мечтательно вспоминал. После этогоКонолл, которого Брэнног помнила младенцем на руках, повел ребятню смотреть недавно народившихся щенят.

— За малышей не волнуйся, все будет в порядке, уж поверь мне, — произнесла Айлиш, разливая чай. — Он хороший парень, наш Конолл, тот, кому ты помогла появиться на свет. Мужчины пускай займутся лошадьми и прочими мужскими делами, а вы обе передохните маленько.

— Господи, до чего хорошо! — Брэнног пила чай, чувствовала, как благодаря горячему напитку и огню очага у нее внутри разливается тепло и покой. — Поверить не могу: сижу на стуле, и он не колышется.

— Ты давай ешь-ка. У тебя внутри еще один, тебе надо питаться за двоих.

— Да уж, на аппетит не жалуюсь: есть могу весь день и полночи. Тейган пока голода не ощущает, но у нее все еще впереди.

— Как, ты тоже беременна? — Лицо Айлиш вспыхнуло радостью, она бросила хлопотать над чаем и поднесла обе руки к сердцу. — Моя малышка Тейган — и станет матерью... Годы-годы, куда вы так летите? Ты же сама была дитя. Вы ведь останетесь? Поживете у нас, пока не родите? — повернулась она к Брэнног. — До Мейо еще ехать и ехать, а тебе совсем скоро рожать. Я вижу, что срок совсем близко.

— Ехать нам каких-нибудь пару дней, но все равно спасибо. Этот ребенок родится в Мейо, так предначертано. Это предопределено — значит, так тому и быть.

— Так ли уж все это обязательно? — Айлиш схватила за руку Брэнног, а затем и Тейган. — Обязательно? — повторила она. — Вы обжились в Клэре. Вы женщины, матери. Так ли вам необходимо соваться туда, где вас ждут не дождутся черные силы?

— Мы женщины, матери — но не только. И мы не можем этого игнорировать. Но ты, главное, не бойся, Айлиш. Не думай об этом. Думай о сегодняшнем дне: мы все вместе, пьем чай с твоими дивными пряниками...

— Мы еще вернемся, — пообещала Тейган и, когда все повернулись к ней, прижала руку к груди. — Я это чувствую, очень сильно. Мы вернемся! Верь в нас. Мне кажется, вера — это то, что делает нас только сильнее.

— Если это так, считай, я верю в вас всем сердцем.

Они устроили семейный праздник, с музыкой и угощением. И провели спокойный вечер и спокойный день. И все же Брэнног не находила себе места. Муж давно спал на кровати, которую им выделила Айлиш, а она все сидела у очага.

Вошла Айлиш, на ней была ночная сорочка и толстая шаль.

— Тебе надо пить тот чай, что ты мне всегда заваривала, когда я была на сносях и ребенок мешал мне спать, уж больно тяжел был.

— Я не потому не сплю, — шепотом ответила Брэнног. — Я все пытаюсь увидеть ее в огне или в дыму. Ничего не могу с собой поделать — мне ее так не хватает! И чем ближе к дому, тем сильнее. И по отцу я скучаю, это такая боль! Но тоска по маме, мне кажется, не оставит меня вовек.

— Я тебя понимаю. — Айлиш присела рядом. — Она к тебе является?

— Разве что во сне. Такое бывает, но очень мимолетно. А мне так не хватает ее голоса, мне нужно слышать от нее, что я все делаю правильно. Делаю то, чего она от меня ждет.

— Милая моя, конечно, ты все делаешь так, как она бы хотела. В этом даже не сомневайся! Помнишь тот день, когда вы от нас уехали?

— Помню. Я тебя тогда обидела этим решением.

— Расставание всегда тяжело дается. Но это было правильно, теперь я это понимаю. Перед тем как уйти, ты сказала мне про Люэда — я тогда носила его. Ты сказала, что он должен стать последним, ибо следующих родов не переживу ни я, ни ребенок. И ты дала мне зелье, чтобы пить на каждую луну, пока не выпью весь флакон. Чтобы у меня больше не было детей. Как же я тогда горевала!

— Я знаю. — Теперь, когда у нее были свои дети, Брэнног чувствовала это еще острее. — Ты лучшая из матерей! Для меня ведь ты тоже была матерью.

— Но если бы я тебя ослушалась, — продолжала Айлиш, — я бы умерла и не смогла бы видеть, как растут мои дети, видеть, как вынашивает ребенка моя старшая дочь. Не увидела бы, до чего умный и добрый у меня Люэд — как ты и пророчила, не услышала бы, какой у него дивный голос. Ангельский — так ты мне сказала тогда.

Айлиш покачивала головой и тоже смотрела на огонь, как будто видела в языках пламени тот давний день их разговора.

— Ты уберегла меня и мою семью, подарила мне годы, которых у меня могло и не быть. Ты такая, какой хотела бы тебя видеть твоя мама. И хотя мне очень жаль, что вы должны уехать и сразиться с Кэвоном, я знаю, что это ваш долг. Ты не сомневайся, Брэнног, мама тобой гордится. Никогда в этом не сомневайся!

— Айлиш, ты меня утешила.

— Я буду в вас верить, как просила Тейган. Каждый вечер буду зажигать свечу. Зажигать с помощью той слабенькой магии, которой владею, и пусть она горит для тебя, для Тейган, для Эймона.

— Ты же боишься колдовства, я знаю!

— Но мы ведь одной крови. Вы — мои, как когда-то были Соркины. Я стану это делать с каждым закатом, и в этот маленький огонь буду вкладывать всю свою веру. Знай, что он горит для тебя и твоих близких. Помни это — и все будет хорошо.

— Мы вернемся. В это я точно буду верить. Мы вернемся, и ты еще понянчишь малыша, который сейчас живет у меня под сердцем.

Они клятвенно обещали нанести продолжительный визит позже, затем детям был торжественно вручен ценный подарок в виде пятнистого щенка, после чего путешествие возобновилось.

Похолодало. Поднялся пронизывающий ветер.

В этом ветре ей не раз слышался голос Кэвона, коварный и искушающий.

— *Я жду,* — шептал он. — *Приходи.*

Она видела, что Тейган всматривается в горы, замечала, как Эймон поглаживает свой талисман, и понимала, что и они этот голос слышат.

Ройбирд сменил курс, и тут же вдогонку припустил Аластар, а за ним и Катл соскочил с повозки и побежал, свернув на развилке.

— Мы неправильно едем. — Ойн поравнялся с кибиткой. — Мы уже завтра были бы в Эшфорде, но сейчас мы не туда свернули. Это не та дорога.

— Не та, если бы нам нужно было в Эшфорд. Но мы должны двигаться по этой. Доверься нашим проводникам, Ойн. Сперва нам надо кое-что сделать, я это чувствую.

С другой стороны к кибитке подъехал Эймон.

— Мы почти дома, — проговорил он. — Я ощущаю его вкус. Но нас зовут.

— Да, зовут. И мы откликнемся. — Она подалась вперед и тронула мужа за руку. — Иначе нельзя.

— Нельзя так нельзя. Значит, откликнемся.

Брэнног не знала дороги — и в то же время знала. Мысленно слившись с сознанием своего верного Катла, она легко узнавала колею, и каждый изгиб дороги, и эти горы. И чувствовала, как *он* тянет к ней свои руки, ощущала эту тьму, голодную и жаждущую отнять то, чем она владеет, и не только это.

Подернутое дымкой солнце уже сваливалось к западным холмам, но они продолжали путь. Спина у нее ныла от долгих часов в повозке. Во рту пересохло. Но они продолжали путь.

В наступающей темноте она увидела тень, возвышающуюся посреди поля. Подумалось, что здесь — место поклонения, это ощущалось явственно.

Поклонения и магической силы.

Она остановила кибитку, втянула воздух.

— Он не может пробиться. У него не хватает сил.

— Что-то чувствуется, — прошептал Эймон.

— Что-то светлое, — подхватила Тейган. — Сильное и светлое. И старинное.

— Это существовало до нас. — Брэнног с благодарностью приняла помощь мужа и спустилась на землю. — И до нашей мамы. С незапамятных времен.

— Здесь церковь. — Гелвон протянул руки и снял Тейган с седла. — Но там никого нет.

— Они не там, они здесь. — Тейган устало прислонилась к нему. — Те, кто был до нас, кто освятил эту землю. И они не дадут ему пройти. Это место святое.

— И сегодня оно принадлежит нам. — Брэнног шагнула вперед, воздела руки. — О боги света, о богини доброты, взываем к вам из этой темноты. Той силою, что наделили нас, судьбой своей, ведущей нас, о милости взываем в этот час. Прежде чем встретим мы долю свою, в этой обители, силу свою, чтоб подкрепить, на ночлег разместимся. Смуглая Ведьма этих краев домой воротилась. Мы, Соркиных трое детей, явились навстречу доле своей, чтоб судьба наша осуществилась. Да сбудется наша доля! Такова наша воля, да будет так!

В окна и двери, распахнувшиеся с порывом ветра — будто старинное строение вдруг ожило и задышало, — хлынул свет. И тепло.

— Смотрите-ка, мы здесь желанные гости. — С улыбкой Брэнног подняла дочку, и усталость от долгой дороги как рукой сняло. — Нас ждут.

Она устроила детей на ночлег на импровизированных постелях, прямо на полу. И была рада видеть, что оба настолько устали, что у них нет сил ныть или спорить, потому что сил кого-то уговаривать у нее сейчас тоже не было.

— Ты их слышишь? — шепнул Эймон.

— Их даже я слышу. — Ойн обследовал церковь, каждый камень в стенной кладке, каждое деревянное сиденье. — Они поют.

— Верно. — Гелвон взял на руки щенка, чтобы успокоить. — Тихонько и нежно. Как, наверное, поют ангелы на небесах или боги. Это святое место.

— Да, и это место предоставляет нам нечто большее, чем убежище на ночь. — Держась рукой за поясницу, Брэнног поднялась. — Оно дарует благодать. И свет. Нас призвали те, кто был до нас. Позвали сюда, в это место, чтобы мы провели здесь эту ночь.

Тейган осторожно, с великим почтением коснулась алтаря.

— Этот храм построен каким-то правителем в ознаменование чьего-то доброго поступка. В знак верности данному слову. Построен рядом с дорогой, которой шли паломники. Это аббатство под названием Бэллинтаббер.

Она подняла руки и улыбнулась.

— Это то, что я вижу. — Она повернулась к мужу. — Да, это место святое, и мы попросим благословения у тех, кто нас сюда призвал.

— Как и тот правитель, что выстроил аббатство, — сказала Брэнног, — мы должны сдержать свой обет. Ойн, любимый, не принесешь мне мамину книгу?

— Принесу, только ты сядь. Сядь и посиди, Брэн-ног. Ты очень бледна.

— Я действительно устала, но, поверь мне, это надо сделать, нам всем это пойдет на пользу. Тейган...

— Я знаю, что нам нужно. Я сейчас...

— Сядь! — приказал брат. — Я сам принесу все, что нужно, а вы обе передохните минутку. Гелвон, закли-наю тебя, если они сейчас же не угомонятся — усади обеих силой!

Гелвону стоило лишь коснуться щеки Брэнног, взять ее за руку — и обе послушались.

— Что вы собираетесь сделать? — обратился он к Тейган.

— Мы должны сделать подношение. Вознести мо-литву. Собраться с силами. *Ему* сюда путь заказан. Кэ-вон не может сюда проникнуть. Не может видеть, что тут происходит. Сюда *его* власть не распространяется. А у нас есть возможность собраться с силами.

— Что вам потребуется?

— Ты лучше всех! — С благодарностью она расцело-вала его в обе щеки. — Если ты поможешь Эймону, мы с Брэнног, обещаю, останемся здесь и переведем дух.

Когда он вышел, она быстро повернулась к сестре:

— Тебе больно.

— Это еще не схватки. Иногда бывает, что ребенок будто хочет тебя подготовить к тому, что будет, словно дает тебе заранее почувствовать эту боль. Ты скоро сама узнаешь. Это пройдет. Но отдых нам не повредит. То, что нам надо здесь сделать, потребует сил.

На отдых они отвели себе час. И на подготовку.

— Надо очертить круг, — сказала она мужу. — И сделать приношение. За меня не переживай.

— А меня ты попросишь не дышать?

— Нам понадобится твоя любовь, твоя вера. Твоя и Гелвона.

— Тогда считай, она у вас есть.

Они сотворили магический круг, зажгли огонь, и сразу же над ним в воздухе повис котел. Брэнног кинула в него травы, Эймон — растертые в порошок волшебные камни.

— Это все из дома, что мы себе построили.

— И вот еще. — Тейган открыла мешочек, всыпала в котелок горсть его бесценного содержимого. — А это — из дома, к которому мы стремимся. Разные мелочи — засушенный цветок, галька, кусочек коры.

— Это дороже серебра и золота. И все это мы подносим вам. А вот еще прядь волос моего первенца.

— И перо от моего верного ястреба. — Эймон внес свою лепту в уже бурлящий котелок.

— И этот амулет, что сделала мне мама.

— Ой, Тейган... — испугалась Брэнног.

— Она бы этого хотела. — Тейган бросила амулет в котелок.

— Мы вам даруем, что всего дороже, и слезы этой ведьмы — тоже. Отвар скрепим мы кровью под конец, покажем чистоту своих сердец.

Каждый процарапал себе ладонь ритуальным ножом, и от капель их крови тихо побулькивавший до этого котел бурно вскипел, и от него повалил дым.

— Отец и мать, от крови кровь, от плоти плоть! Без вас мы делу вашему верны. В священном этом месте, в этот час могущества и силы ждем от вас. Коль укрепите нас, не страшен нам Кэвон, и с вами нас не одолеет он. Три ведьмы будут как одна, и ваша сила нам нужна. Да будет так!

Пока произносилось заклинание, внутри стен поднялся ветер. Свечи вспыхнули ярче. А на последних словах ветер превратился в циклон и свет сделался ослепительным.

Шептавшие до этого голоса грянули колоколами.

Брэнног взялась за руки с братом и сестрой, и все трое преклонили колени.

Этот свет, голоса, этот ветер пронзили ее душу, потрясли ее. И еще в нее вошла сила. Неодолимая сила.

Потом все стихло.

Она поднялась, и все трое повернулись.

— Вы все светились! — воскликнул пораженный Ойн. — Горели, как живые свечи.

— Мы — *трое*. Трое детей Смуглой Ведьмы. — Голос Тейган окреп и эхом раздавался в звенящей тишине. — Но мы не единственные. Многие были до нас, многие придут после нас.

— Их свет — это наш свет; а наш свет — их. — Эймон воздел руки, потянув кверху руки сестер. — Нас трое, и мы — одно целое.

Напоенная светом, не чувствуя никакой усталости, Брэнног улыбнулась.

— Мы — *трое*. Мы рассекаем светом тьму, изгоняем ее из теней. И мы одолеем.

— По праву крови, — хором произнесли они, — мы одолеем.

Поутру, едва забрезжил рассвет, они продолжили путь. Этот путь пролегал по зеленым холмам, мимо сверкающих на солнце синих озер. К массивным серым камням Эшфорда, где навстречу им распахнули ворота и опустили мост, а солнце яркими лучами заливало озеро и землю, где они родились.

Дети Сорки вернулись домой.

3

Зима 2013

Брэнна О'Дуайер проснулась от шума серого, промозглого, неумолчного дождя. Ее единственным желанием было свернуться калачиком под одеялом и продолжить спать. У нее всегда было ощущение, что утро наступает слишком быстро. Но как бы то ни было, сон остался позади, уступив место неторопливому, но настойчивому желанию выпить кофе.

В раздражении, какое она часто испытывала по утрам, Брэнна поднялась, натянула на ноги теплые носки, а поверх легкой футболки, в которой спала, — толстый свитер.

По привычке и в силу природной опрятности — во всем должен быть порядок! — она поворошила огонь в камине, и от заплясавших в нем языков пламени в спальне сделалось веселее. Ее пес Катл потягивался на прикаминном коврике, а она застелила постель и набросала сверху целую кучу очаровательных подушечек, которые ей так нравились.

Пройдя в ванную, Брэнна расчесала щеткой длинные черные волосы, потом забрала их наверх в узел. Ее ждала работа, много работы — но только после кофе.

Нахмурившись, она оглядела себя в зеркале и подумала, а не навести ли чуточку глянца, — беспокойная ночь оставила на ее лице свой малоприглядный след. «Но зачем?» — тут же спросила она себя.

Не найдя веского повода прихорошиться, она вернулась в спальню и потрепала Катла между ушами. Пес зевнул, аппетитно пискнув в конце зевка, и приветливо мотнул ей хвостом. Потом встал и, гибким движением прогнув спину, вытянул подальше передние лапы, положив на них морду. Затем быстро покрутил головой, шлепая себя по морде ушами. В этом состоял его утренний ритуал пробуждения к дневной активности.

— Тоже плохо спал, да? Я слышала, ты ворчал во сне. Ты слышал голоса, мой мальчик?

Вместе они спустились на первый этаж, стараясь не производить шума, так как в доме, как это часто случалось в последнее время, было полно гостей. Брат с Мирой разместились в его комнате, а сестренка Айона приютила у себя Бойла.

Все — ее друзья и родные. Она любила их и нуждалась в них. Но, видит бог, она бы охотно побыла какое-то время одна.

— Остаются ночевать ради меня, — проворчала она, обращаясь к Катлу, когда они спускались по лестнице ее уютного домика. — Как будто я сама о себе позаботиться не в состоянии. Да я такую защиту возвела вокруг себя — и их, кстати, тоже, — что ее и десяти Кэвонам не прорвать.

Надо положить этому конец, честное слово, решила она, шагая к своей любимой — и еще какой любимой! — кофеварке. Такому здоровенному мужику, как Бойл Макграт, едва ли удобно в маленькой кроватке

Айоны. Надо их растолкать. В любом случае с самого Сауина[1] ни Кэвона, ни тени его заметно не было.

— Мы его почти прикончили. Черт побери, еще бы чуть-чуть — и дело было бы сделано.

И заклятие, и зелье были сильнее некуда, подумала она, загружая кофемашину. Разве они мало трудились над тем и над другим? И энергия... Господи, да в ту ночь энергия вокруг старого дома Сорки просто зашкаливала!

Он пролил кровь и с воем унес ноги — волк и человек. И все же...

Дело не сделано. Он ускользнул и теперь зализывает раны и копит силы.

Дело не сделано, и порой она уже начинала сомневаться, что вообще когда-либо будет сделано.

Она открыла дверь, и Катл стремглав выскочил на улицу. Дождь ли, сухо ли — собаке в любую погоду нужна утренняя прогулка. Брэнна осталась стоять в дверях, на холодном декабрьском воздухе, устремив взор в темноту леса.

Она знала, он выжидает, затаившись в какой-нибудь глухомани. И непременно явится — в это время или в другое, этого она сказать не могла. Но явится обязательно, и они должны быть готовы.

Но в это утро он не придет.

Брэнна затворила дверь, пошевелила дрова в кухонном очаге, подбросила пару торфяных брикетов, от которых сразу пошел запах, несший успокоение. Налила себе кофе, посмаковала первый глоток и стала наслаждаться кратким моментом одиночества и тишины. И как по волшебству кофе прояснил ее мысли и выровнял настроение.

---

[1] Иначе С а м а й н — один из четырех сезонных праздников ирландцев, выпадающий на 31 октября — 1 ноября.

Мы одолеем.

Голоса, припомнила она. Их было много, и они звучали громко, отдаваясь эхом. Свет и сила. Удел. Во сне она все это явственно ощущала. И тот единственный голос, такой ясный и убежденный.

Мы одолеем.

— Мы будем молиться, чтобы вы все сделали правильно.

Она обернулась.

Перед ней стояла женщина, ее рука лежала на выпуклости живота, а поверх длинного темно-синего платья она была закутана в толстую шаль.

«Как две капли воды, — подумала Брэнна. — Все равно что смотреться в зеркало. Волосы, глаза, овал лица...»

— Ты — дочь Сорки. Брэнног. Я знаю тебя из своих сновидений.

— Да. А ты — Брэнна из клана О'Дуайеров. Я тебя знаю по своим. Ты — из моего рода.

— Верно. Я — одна из *тройки.* — Брэнна коснулась амулета с изображением собаки, с которым не расставалась, в точности как ее нынешняя гостья.

— Однажды ночью к нам в Клэр приходил твой брат со своей женщиной.

— Коннор. А ее звать Мирой. Она мне как сестра. Не родная, а здесь. — Брэнна поднесла руку к груди. — По духу. Ты понимаешь.

— Она спасла моего брата, пролила ради него кровь. Мне она тоже как сестра. — Дочь Сорки с некоторым недоумением обвела взором кухню. — А что это за дом?

— Это мой дом. Он и твой тоже, ты здесь желанная гостья. Не присядешь? Я заварю тебе чай. Кофе, который я пью, ребенку не на пользу.

— А пахнет он чудесно. Но и ты посиди со мной, сестра. Присядь рядом. Совсем ненадолго. Какое удивительное место!

Брэнна оглядела свою кухню — аккуратную и уютную, ведь она сама в ней все придумывала. И, наверное, женщине из тринадцатого века она действительно кажется удивительной.

— Прогресс, — пояснила она и присела рядом с гостьей за кухонный стол. — Все эти штуки облегчают домашнюю работу. Ты себя хорошо чувствуешь?

— Да, очень хорошо. Скоро мне рожать. Это сын. Он у меня уже третий. — Она протянула руку, Брэнна ее взяла в свою.

Жар и свет. Слияние двух энергий, двух очень мощных источников силы.

— Ты назовешь его Руарк, потому что он будет воителем[1].

Гостья из прошлого заулыбалась.

— Я так и сделаю.

— На Сауин мы — мы трое и еще трое наших друзей — дали бой Кэвону. Мы его серьезно потрепали, он истекал кровью и даже горел, и все равно мы его не прикончили. Я вас там видела. Твой брат был с мечом, сестра — с жезлом, а ты — с луком. Но ты тогда не была беременна.

— В нашем времени до Сауина еще пол-луны. Так мы приходили к вам?

— Да, к домику Сорки, куда мы его заманили. И это было в вашу эпоху, мы специально туда переместились, чтобы подстроить ему ловушку. Мы были близки к цели, но этого оказалось недостаточно. Моя книга — то есть книга Сорки... — я могу показать тебе,

---

[1] Один из средневековых королей ирландского графства Лейнстер.

какое я выбрала заклинание и какое составила зелье. Ты можешь...

Брэнног остановила ее жестом, другую руку прижала к боку.

— Сынок просится. Я должна возвращаться. Но послушай, есть одно место. Священное место. Аббатство. Оно стоит в поле, в одном дне пути на юг отсюда.

— Бэллинтаббер. Там весной будет свадьба Айоны с Бойлом. Это святое место, с мощной энергетикой.

— Туда он не может проникнуть. Не может там обосноваться. Оно святое, и те, кто его основал, его охраняют. Они передали нам, трем детям Сорки, свой свет, свою надежду и силу. Когда в следующий раз вы сразитесь с Кэвоном, мы будем с вами. Мы придумаем, как это сделать. И мы его одолеем. Если вам троим это не суждено, будут другие трое. Ты должна верить, Брэнна из рода О'Дуайеров. Ищи способ.

— Ничего другого мне и не остается.

— Любовь. — Она крепко сжала Брэнне руку. — Я теперь знаю, что любовь — еще один верный советчик. Доверься своим инстинктам. Ой, какой нетерпеливый! Сегодня он родится. Ты тоже должна этому радоваться, ибо это еще один яркий огонек, противостоящий тьме. Ты должна верить! — повторила она напоследок и исчезла.

Брэнна встала. У нее мелькнула одна мысль, и она зажгла свечу — в честь новой жизни, нового яркого огонька.

И вздохнула, понимая, что ее блаженному одиночеству вот-вот придет конец.

Она занялась завтраком. Надо будет рассказать ребятам, что произошло, а на пустой желудок кто ж ее станет слушать? Должна верить, мысленно повторила она... Что ж, пока что она верит в то, что ей суждено чуть не каждый день готовить еду на целую ораву.

Брэнна пообещала себе, что, когда они отправят Кэвона в ад, она устроит себе отпуск, поедет куда-нибудь в теплые края, где будет много солнца и где она много дней подряд и близко не подойдет к кастрюле, сковороде или сотейнику.

Она принялась замешивать тесто для оладий — захотелось опробовать один новый рецепт, — и тут вошла Мира.

Подруга уже приготовилась ехать на свою конюшню и была в рабочей одежде — в толстых брюках, теплом свитере, крепких сапогах. Темно-каштановые волосы она заплела сзади в косы.

Мира недоверчиво взглянула на подругу.

— Я обещала, что сегодня я готовлю завтрак.

— Я рано поднялась — ночь была беспокойной. И у меня уже побывали гости.

— Здесь кто-то есть?

— Был. Буди остальных, и я вам всем все расскажу. — Она замялась. — И лучше, чтобы Коннор или Бойл позвонили Фину и попросили тоже приехать.

— Значит, Кэвон. Неужели вернулся?

— Он вернется, это точно, но сегодня это был не он.

— Позову остальных. Все уже на ногах, так что мы быстро.

Брэнна кивнула и начала жарить бекон.

Первым явился Коннор и по-собачьи втянул носом воздух.

— Сделай что-нибудь полезное, — велела она. — Накрой на стол.

— Будет немедленно исполнено. Мира сказала, что-то случилось, но Кэвон ни при чем.

— Неужели ты думаешь, что я стала бы возиться с этими оладьями, если бы у меня вышла стычка с Кэвоном?

— Нет, конечно. — Коннор принес из буфета тарелки. — Он держится в тени. Он стал сильнее, чем был, но еще не совсем залечил свои раны. Я его пока почти не чувствую, но Фин так говорит.

Кому уж лучше знать, как не Фину Бэрку, подумала Брэнна, ведь он одной с колдуном крови и даже носит клеймо Соркиного проклятья.

— Он уже едет, — добавил Коннор.

Сестра лишь кивнула. Коннор прошел к двери и впустил Катла.

— Вы на него только посмотрите! Мокрый, как морской котик.

— А ты его обсуши, — начала было Брэнна, но со вздохом осеклась, видя, как Коннор решил задачу, только поведя ладонями над мокрой шерстью собаки. — Для этой цели у нас в постирочной лежат полотенца.

Коннор лишь усмехнулся — улыбка мгновенно озарила его красивое лицо, а в зеленых, как мох, глазах сверкнули искорки.

— Он уже сухой, это куда быстрее, да и полотенце стирать не придется.

Вошли, держась за руку, Айона и Бойл. «Парочка голубков», — мелькнуло у Брэнны. Скажи ей кто-нибудь год назад, что этот немногословный, подчас грубый буян будет похож на влюбленного голубка, — она бы живот надорвала от смеха. Но вот он стоит, крупный, широкоплечий, с взлохмаченной шевелюрой, и его рыжевато-карие глаза мечтательно смотрят на воздушное создание — их американскую кузину.

— Мира сейчас спустится, — объявила Айона. — Ей сестра позвонила.

— Что-то случилось? — мгновенно встревожился Коннор. — С их мамой?

— Да нет, они какие-то детали Рождества обсуждают. — Без всяких просьб и подсказок Айона прошла к шкафу и принесла на стол приборы, завершая начатое Коннором, а Бойл поставил чайник.

И кухня Брэнны наполнилась голосами, суетой и теплом родных людей — сейчас, после порции кофе, она готова была это признать. Ко всему этому прибавилось возбуждение влетевшей в двери Миры, подхватившей по пути Коннора и пустившейся с ним в пляс.

— Мне велено упаковать оставшиеся мамины вещи. — Она исполнила быстрое па, притянула к себе Коннора и наградила его жарким поцелуем. — Она решила подольше пожить у Морин. Хвала небесам, и особенно младенцу Иисусу в его яслях!

Коннор рассмеялся, а она вдруг остановилась и закрыла лицо руками.

— Боже мой, какая я ужасная дочь! И вообще я плохой человек. Пляшу от радости, потому что родная мать уехала жить к сестре в Гэлоуэй и мне не придется изо дня в день с ней общаться.

— Ты не ужасная дочь и не плохой человек, — возразил ей Коннор. — Ты ведь радуешься тому, что твоя мама довольна?

— Ну конечно, только...

— А почему бы и не порадоваться? Она нашла дом, где ей хорошо, где она может баловать внуков. И почему бы тебе не плясать от радости, что теперь она не будет по два раза на дню тебе названивать, когда у нее не получается выкрутить лампочку?

— Или когда она спалит в духовке баранью ногу, — напомнил Бойл.

— Так в этом причина моего веселья, да? — обрадовалась поддержке Мира и исполнила еще одно па. — Я за нее рада, правда — рада. А за себя рада до безумия.

Явился Фин, и Мира принялась за него, тем самым дав Брэннс возможность собраться с мыслями, что ей всегда требовалось, когда он входил в ее дом.

— Финбар, ты лишился арендатора. Моя мама перебирается к моей сестрице навсегда. — Мира и его крепко расцеловала, чем сильно рассмешила. — Это в благодарность тебе — только не говори, что ты ее не заслужил! — за все те годы, что ты брал с меня копейки за свой очаровательный домик, и за то, что придержал его свободным, пока она не приняла окончательного решения.

— Твоя мама была чудесным арендатором. Дом содержала в идеальной чистоте.

— Сейчас дом действительно в отличном состоянии, после того как мы его подремонтировали. — Воспользовавшись тем, что Айона приняла у него эстафету по накрыванию на стол, Коннор первым схватил себе кофе. — Думаю, Фину не придется долго ждать нового жильца, только свистни.

— Я этим займусь. — Но глаза его были прикованы к Брэнне, так, словно он пытался заглянуть ей в самую душу. Потом он молча выхватил у Коннора кружку.

Брэнна же занималась своим делом и кляла себя, что не навела красоту. На его-то лице никаких следов бессонной ночи! На этом прекрасно вылепленном лице... В этих дерзких зеленых глазах...

Он выглядел безупречно, этот мужчина и колдун, — с мокрыми от дождя, черными, как вороново крыло, волосами, с рослой поджарой фигурой. Фин скинул черную кожаную куртку и повесил ее на крючок.

Она любила его всю жизнь, понимала, принимала таким, каков он есть, и так будет всегда. Но в тот первый и единственный раз, когда они отдались друг другу — тогда еще такие юные и такие невинные, — на нем проявилось это пятно.

Знак Кэвона.

А Смуглая Ведьма Мейо никогда не будет вместе с тем, в ком течет кровь Кэвона.

Она могла работать с ним — и работала, и будет работать впредь, — потому что он не один раз доказал, что не меньше нее жаждет конца Кэвона. Но этим все и ограничится.

Примиряло ли ее с этим сознание того, что ему так же больно, как ей? Возможно, отчасти — да, это она готова была признать. Но только отчасти.

Она выложила на блюдо последнюю партию оладий, которых напекла уже приличную горку.

— Давайте-ка рассаживайтесь, и поедим. Айона, это по рецепту твоей бабули. Посмотрим, удалось ли мне не уронить фамильную честь.

Она собралась нести оладьи на стол, но Фин подскочил и взялся помочь. В тот момент, как он взял у нее из рук блюдо, их глаза встретились.

— Насколько я понял, к оладьям прилагается какая-то история.

— Верно. — Она принесла на стол полную тарелку жареного бекона и сосисок. И села. — Меньше часа назад я сидела тут и беседовала с дочерью Сорки, Брэнног.

— Она была здесь? — Коннор замер, как был, занеся вилку с подцепленной оладышкой над тарелкой. — На нашей кухне?

— Да. Я сегодня плохо спала, все видела какие-то сны, слышала голоса. И среди других — ее голос. Где это все происходило, я толком не разобрала, все было сумбурно и спутанно, как часто бывает во сне. — Себе она положила единственную оладью. — Я была здесь, пила кофе, а потом обернулась — и увидела ее. Она — вылитая я. Точнее, я — вылитая она. Я очень удивилась, сходство просто поразительное. Хотя она была на сносях. Ее сын должен родиться сегодня. А может быть, и не сегодня — в их времени до Сауина еще две недели.

— Перемещение во времени, — негромко прокомментировала Айона.

— Да. Оно самое. По пути сюда они заехали в аббатство Бэллинтаббер. Вот там как раз я во сне и была.

— Бэллинтаббер. — Айона прильнула к Бойлу. — Помнишь, я там их чувствовала? Когда ты меня возил посмотреть, я почувствовала их, я знала, что они были там. Это такое энергетически мощное место!

— Угу, — потупив взгляд, кивнула Брэнна. — Но я там была много раз, и Коннор был. И никогда их там не ощущала.

— После приезда Айоны вы ни разу там не были, — напомнил ей Фин. — То есть с того момента, как вы трое соединились. Вот с этого момента вы туда и не ездили.

— Это правда. — Что ж, упрек справедлив, нехотя мысленно признала она. — Но я съезжу. *Мы* туда съездим. Уж на вашу-то свадьбу, Айона, непременно, а может, и раньше. Брэнног сказала, что другие, те, что были до нас, это место стерегут, и Кэвону туда ход заказан. Он не может туда войти, не может заглянуть, что там делается. Это настоящее святилище — если мы поймем, что оно нам требуется. Те, что приходили туда раньше, передали этим *трем* свет и силу. И надежду — думаю, в этом Брэнног больше всего нуждалась.

— И ты тоже, — вставила Айона. — И все мы. Нам всем надежда бы не повредила.

— Я предпочитаю не надеяться, а действовать, но она получила там то, что было ей необходимо. Я это видела. Она сказала — и во сне, и здесь, — что *мы одолеем*. И чтобы мы в это верили, а они будут с нами, когда мы вновь сразимся с Кэвоном. И чтобы мы нашли способ. И чтобы знали, что, если нам не суждено с ним покончить, это сделают другие *трое*, которые придут после нас. *Мы одолеем*.

— Даже если на это уйдет тысяча лет, — добавил Коннор. — Ну что ж, я и надеяться не прочь, и действовать тоже. Но будь я проклят, если мне придется ждать конца Кэвона тысячу лет!

— Значит, мы найдем способ это ускорить — здесь и немедленно, — вступил в разговор Фин. — Слушайте, я, когда ездил в Монтану — это на западе Штатов, — однажды ел оладьи. Они их как-то по-другому называли...

— Пышками, наверное, — хмыкнула Айона.

— Ага, пышками. Ох и вкусные были! Но эти еще вкуснее.

— Ты немало поездил, — с прохладцей заметила Брэнна.

— Было такое дело. Но сейчас с путешествиями покончено — пока не сделаем дело. Так что, как и Коннора, тысяча лет меня никоим образом не устраивает. Следовательно, мы найдем способ одолеть злодея.

«Так просто?» — подумала Брэнна и с трудом подавила раздражение.

— Она сказала, в следующий раз, как мы с ним схлестнемся, они будут с нами. Но ведь они были рядом и на Сауин, однако же ему удалось уйти.

— Были, да не совсем, — напомнил Коннор. — Как тени, помнишь? Но как привлечь их по-настоящему? — Коннор принялся рассуждать. — Может быть, как часть нашего заговора на сон? Это возможно. Но как нам использовать их помощь в полном объеме? Да и вообще, реально ли это? Если бы нам удалось найти *этот* способ, ему бы, уж будьте спокойны, от нас не уйти. Первые трое, мы трое. И еще трое с нами.

— Время — вот в чем проблема. — Фин откинулся назад с кофе в руке. — Эти переносы. Мы были возле дома Сорки на Сауин, но из того, что ты, Брэнна, говоришь, я заключаю, что их там не было. То есть они были только в виде теней и участвовать ни в чем не могли. Нам надо сделать так, чтобы наше и их время сошлось. Неважно, в нашу эпоху или в их, — главное, чтобы одновременно. Это интересно! Задачка увлекательная.

— Но какое это должно быть время? И когда конкретно? — спросила Брэнна. — Я уже намечала два момента, и каждый должен был сработать. Сначала солнцестояние, потом Сауин. Время должно быть такое, чтобы свет преобладал над тьмой. И придуманное нами заклятие, и зелье, которое мы составили, — все делалось с расчетом на это конкретное время и место.

— И оба раза мы его ранили, — напомнил Бойл. — Оба раза он истекал кровью и едва уносил ноги. А в последний раз? Он вообще не должен был выжить!

— Его сила столь же черна, сколь наша — светла, — заметила Айона. — И для него исцеление — в источнике этой черной силы. Но на этот раз он приходит в себя дольше. Ему потребовалось больше времени.

— Вот бы его логово отыскать... — Коннор нахмурился. — Если бы можно было напасть, пока он еще слаб...

— Я не могу его найти. Нам даже вдвоем это не удалось, — вздохнул Фин. — Что-что, а прятаться он умеет. Или это заслуга той силы, что его питает. Пока он опять не выползет и пока я — или кто-то другой из нас — его не почувствует, нам придется ждать.

— Я рассчитывала, это произойдет до Йоля[1], но Йоль уже совсем скоро. — Брэнна покачала головой. — Я думала, к этому моменту с ним уже будет покончено, хотя это предположении жило во мне скорее от желания завершить дело, чем от уверенности, что это правильный момент. В звездах я этого не нашла. По крайней мере пока.

— В таком случае вот как будто и ясно, что нужно делать, — сказал Бойл. — Надо определить день и время. Найти способ вовлечь во все это первых трех, если это на самом деле возможно.

— Уверен, возможно. — Фин посмотрел на Брэнну.

— Мы еще пораскинем мозгами....

— У меня, кстати, сегодня утро не занято, — задумчиво протянул Фин.

— Да, только мне надо сгонять в лавку, завезти товар. Время предпраздничное, только успевай поворачиваться.

— Могу завтра тебе помочь — у меня будет выходной, — вызвалась Айона.

— Не откажусь.

— Мне и самой надо кое-какие покупки сделать, — добавила Айона. — Как-никак мое первое Рождество в Ирландии. И бабуля приезжает. Жду не дождусь, когда ее увижу. И дом не терпится ей показать — ну... если это уже можно назвать домом. — Она прижалась к Бойлу. — Мы же строим себе дом в лесу...

— Она опять передумала насчет кафеля в большой ванной, — картинно пожаловался Бойл. Но, кажется, ему нравилась такая разборчивость.

---

[1] В викканском «Колесе года» — праздник зимнего солнцестояния, самый короткий день в году и самая длинная ночь (21—22 декабря). Знаменует «рождение Солнца».

— Да невозможно выбрать! Я же никогда раньше дом не строила. — Айона посмотрела на Брэнну. — Помоги мне, а?

— Я тебе уже говорила, что сделаю это с превеликим удовольствием, я это люблю. Вот завтра мне поможешь, тогда в конце дня можно будет посвятить час-другой созерцанию образцов плитки, краски и так далее. За стаканчиком вина.

— Мы с Коннором уже тоже обсуждаем, каким бы мы хотели видеть наш дом, — призналась Мира. — Садимся на поле за вашим домом и мечтаем. Но должна сказать, от этих разговоров у меня мозги в момент разжижаются. — Она обмакнула оладью в сироп. — Не могу заставить себя думать о строительстве дома, не говоря уж о таких тонкостях, как цвет стен в комнатах.

— Тогда ты тоже приходи завтра к вечеру, выпьешь с нами бокальчик, а заодно и твои проблемы обсудим. А кстати, раз уж речь зашла о домах, — оживилась Брэнна, воспользовавшись удобным поворотом в разговоре, — у вас у всех есть жилье — у Бойла, у Миры. Нет никакой необходимости набиваться вам всем сюда каждую ночь.

— Нам лучше держаться вместе, — быстро возразил ей Коннор.

— И тебя не привлекает даже перспектива каждое утро есть на завтрак овсянку, которую варила бы тебе Мира?

Он расплылся.

— Это могло бы сыграть свою роль.

— Я отлично варю овсянку. — Мира ткнула его в бок.

— Не спорю, дорогая, но ты эти оладьи попробовала?

— Признаю: даже самая удачная овсянка в моем исполнении не идет с ними ни в какое сравнение. — Мира повернулась к Брэнне: — Надоели мы тебе?

— Немного свободы мне бы не помешало. Время от времени.

— Над этим мы тоже подумаем.

— Похоже, нам много есть над чем подумать. — Бойл поднялся. — По-моему, начать надо с уборки на этой кухне. А потом — всем за работу, зарабатывать хлеб насущный.

— Ты когда из деревни думаешь вернуться? — спросил Брэнну Фин.

Она надеялась, что перемена темы отвлечет его от этого вопроса, но, как выяснилось, ошиблась. И, более того, призналась она себе, совместной с Фином работы никак не избежать. Это прежде всего в интересах дела.

— Я буду дома часам к двум.

— Тогда я приеду в два. — Он поднялся и понес в мойку тарелку.

Зарабатывать на хлеб насущный было необходимо, и, по правде говоря, Брэнне ее работа очень нравилась. Как только дом опустел, она поднялась к себе, оделась и притушила огонь в камине до минимума, после чего спустилась в свою мастерскую.

Следующий час она потратила на то, чтобы красиво упаковать разноцветное мыло, которое сварила накануне. И чтобы перевязать красивыми ленточками и украсить сухими цветами уже заполненные флаконы со всевозможными лосьонами.

Свечи с тонким запахом клюквы она уложила в красивые подарочные коробки, припасенные специально для рождественской торговли.

Сверившись со списком, который составила для нее управляющая лавкой, Брэнна также загрузила в коробки целебные бальзамы, масло для ванн, кремы, отметила про себя, что из этого заканчивается, после чего принялась носить коробки в машину.

Собаку она брать с собой не собиралась, но у Катла оказались свои планы, и он запрыгнул прямо в кабину.

— Покататься захотел? Ну давай. — Проверив все еще раз, она села за руль и покатила в близлежащую деревню Конг.

Если декабрь и привлекал сюда каких-то туристов, то сегодняшняя дождливая и холодная погода заставила всех сидеть по домам. Улицы поселка были пусты, никто не бродил по развалинам монастыря. Это похоже на место, выпавшее из времени, подумала она с улыбкой.

Она любила Конг, и пустой — в дождливую погоду, и оживленный — ясным солнечным днем. Иногда она отпускала товар и прямо из мастерской — особенно если кто-то приезжал специально за каким-нибудь амулетом или срочно потребовавшимся заговором, — но свой магазинчик предпочла разместить в деревне, чтобы в него могли забрести и местные жители, и туристы. И чтобы, что важно, им было где обменять свои несколько евро на что-нибудь изготовленное ее руками.

Она припарковала машину на углу симпатичной боковой улочки перед беленым зданием, в котором разместилась лавка «Смуглая Ведьма».

Катл выскочил из машины следом за хозяйкой и, невзирая на дождь, стал терпеливо ждать, пока та выгрузит первую стопку коробок. Она локтем толкнула дверь под веселый перезвон колокольчиков и вошла в помещение, очутившись в облаке дивных ароматов, при свете красивых ламп и свечей — все это она придумала сама и для себя.

Все эти изящные флаконы, баночки и коробочки на полках, мерцание свечей, создающих определенную атмосферу, этот чудесный аромат — все сотворила она.

Мягкие тона с эффектом успокоения и расслабления, разбавленные яркими пятнами для пущей бодрости и придания сил, крупные кристаллы, разложенные тут и там для усиления энергетики этого места.

И, конечно, для поддержания атмосферы приближающегося праздника — премилая елочка, зеленые ветки и красные ягоды, какие-то элементы декора, которые она купила у одной женщины в Дублине, колдовские жезлы, украшенные самоцветами, и подвески из камней, приобретенные по каталогу магических товаров, поскольку в лавке под вывеской «Смуглая Ведьма» людям непременно подавай все самое-самое из таинственного и загадочного.

Эйлин была на месте, ее миниатюрная фигурка балансировала на табуретке — она стирала пыль с верхней полки. При звуке дверных колокольчиков Эйлин обернулась, и ее экстравагантные зеленые очки сползли с маленького носика.

— А вот и хозяйка. Рада тебя видеть, Брэнна. Надеюсь, ты подвезла еще этих клюквенных свечей? А то я не далее как пятнадцать минут назад продала последнюю.

— Привезла еще две дюжины, как ты просила. Я было решила, что ты много заказала, но раз все уже распродано — выходит, ты снова оказалась права.

— Потому ты и произвела меня в менеджеры. — Эйлин спустилась с табуретки. Ее темно-русые волосы были собраны в пучок, одета она была, как всегда, элегантно — в платье насыщенного зеленого цвета и высоких сапогах. Не больше пяти футов ростом, эта женщина произвела на свет и вырастила пятерых дюжих сыновей.

— Остальное, значит, в машине? Пойду принесу.

— Нет, я сама. Зачем обеим мокнуть? — Брэнна поставила первую коробку на отполированный до блеска прилавок. — А ты пока распакуй это и составь компанию Катлу, а то он не захотел один дома сидеть.

— Он знает, где я держу особое угощение для хороших, послушных собак.

При этих словах Катл завилял хвостом, но продолжал сидеть на месте, как воспитанный пес, и на морде его появилась настоящая улыбка.

Эйлин расхохоталась, а Брэнна снова выскочила под дождь.

Машину она разгрузила только в три приема и успела по-настоящему вымокнуть.

Закончив, она легко повела руками вокруг себя — с головы до пят — и мгновенно обсохла, подобно тому как это утром проделал Коннор. Это был трюк из тех, к которым она старалась не прибегать за пределами своего узкого круга.

Эйлин и глазом не повела и продолжала невозмутимо распаковывать товар. Поставить Эйлин управлять магазином и руководить совместителями у Брэнны были причины вполне практического свойства. Не последнюю роль сыграло то, что в этой женщине она чувствовала зачатки магической энергии и, конечно, ее благожелательное отношение ко всему, чем обладала сама Брэнна.

— У меня сегодня побывали четверо неугомонных английских туристов — из средних графств. Они приехали посмотреть музей «Тихого человека»[1] и пообедать в пабе. Зашли сюда и, прежде чем двинуться дальше, потратили аж триста шестьдесят евро.

---

[1] Американская кинокомедия 1952 года, действие и съемки которой проходили в Ирландии.

И еще среди этих причин практического свойства, подумалось Брэнне, было умение Эйлин привлечь внимание нужного покупателя к нужному товару.

— Отличные новости для такого дождливого дня!

— Может быть, чайку, Брэнна?

— Нет, спасибо. — Вместо чая Брэнна засучила рукава и принялась помогать Эйлин распаковывать и выкладывать товар. — А как вообще у тебя дела?

Эйлин оправдала ее расчет и отвлекла от забот пересказом деревенских сплетен, новостями о своих сыновьях, муже и невестках (две уже имелись, еще одна должна была появиться в июне), о внуках и обо всем на свете.

За тот час, что Брэнна провела в лавке, сюда наведались несколько покупателей, и никто не ушел с пустыми руками. И это благотворно повлияло не только на состояние ее кошелька, но и на настроение.

Хороший получился магазин, мысленно похвалила себя Брэнна. Наполненный цветом, светом и ароматом. Все аккуратно, красиво, все на своих местах — как того просила ее натура, и выставлено элегантно и стильно.

И она в который раз поблагодарила небеса за Эйлин и других своих помощниц, которым она с легкой душой может доверить общение с покупателями, а сама — уйти с головой в работу у себя в мастерской.

— Эйлин, ты просто сокровище!

Та вспыхнула от удовольствия.

— Приятно слышать.

— Это правда. — Она чмокнула Эйлин в щеку. — Нам с тобой обеим повезло — мы изо дня в день занимаемся тем, что любим и что у нас лучше всего получается. Если бы мне пришлось, как было поначалу, стоять за прилавком, я бы уже, наверное, рехнулась. Так что ты для меня просто находка.

— Ну, значит, ты — моя находка. Хозяйка, которая позволяет мне делать все по моему усмотрению, — просто подарок.

— Тогда я тебя сейчас и оставлю делать все по твоему усмотрению... — улыбнулась она.

Забрав Катла, Брэнна повернула домой, чувствуя свежесть и прилив сил. Посещение магазина обычно поднимало ей настроение, а сегодня — как никогда. Она вела машину по дороге, которую знала вплоть до самой маленькой кочки, а подъехав к дому, вышла не сразу, немного посидела, глядя в окно и оставив руки свободно лежать на рулевом колесе.

Удачное выдалось утро, подумалось ей. Несмотря на унылую погоду. Во-первых, она поговорила с сестрой из далекого прошлого, да еще и на своей собственной кухне. Теперь надо будет серьезно и упорно поразмыслить над тем, что сказала ей Брэнног.

Во-вторых, она отвезла в лавку солидную партию товара и увидела, как раскупается то, что сделано ее руками. Теперь люди принесут покупки в дом, размышляла она. Или в дом своих друзей — ее, Брэнны, подарки. Хорошие, полезные вещи, к тому же красивые — красоту она ценила не меньше практической пользы.

С этими мыслями Брэнна повела рукой, и дерево перед фасадом и рождественские гирлянды вокруг окон замерцали.

— Почему бы не добавить немного света и красоты к такому серому дню? — улыбнулась она к Катлу. — А теперь, дружок, нас ждут дела.

Она пошла прямиком в мастерскую и прибавила огня, а Катл тут же удобно устроился на полу перед очагом.

Фину она сказала, что вернется к двум, но сама-то предполагала быть дома в полдень. Чуть припозднились, отметила она про себя, но почти два часа тишины и одиночества у нее еще есть — пока Фин не явился.

Первым делом она надела белый передник и напекла имбирного печенья — просто потому, что занятие с тестом было ее любимым занятием. Пока печенье остывало, наполняя ароматом весь дом, Брэнна приготовила все, что могло ей понадобиться для изготовления новой партии заказанных Эйлин наборов свечей.

Эта работа действовала на нее умиротворяюще. Она не отрицала, что добавляла в нее чуточку волшебства, но все в благих целях. Получался сплав старания, искусства и науки.

На плитке она расплавила воск с кислотой, добавила ароматических масел и красителей собственного изготовления. Теперь к запаху имбиря прибавилось благоухание яблок и корицы. Брэнна закрепила фитили в маленьких стеклянных сосудах с гранеными стенками, с помощью тонкой бамбуковой палочки установила их вертикально. Процесс заливки яблочно-красной восковой смеси требовал терпения, надо было прерываться, чтобы другой палочкой протыкать образующиеся пузырьки воздуха. Все это она проделала мастерски, заполнила все формочки и поставила остывать.

Вторая партия свечей была чисто-белой, с ароматом ванили, а за ней последовала третья (три — хорошее число), зеленая, как лес, и пахнущая сосной. Все сообразно с сезоном, подумала она, а поскольку праздник уже совсем близок, то решила ограничиться шестью наборами.

В следующий раз ей предстоит возиться со свечами не раньше весны.

Удовлетворенная результатами своей работы, Брэнна посмотрела на часы — почти половина третьего. Значит, Фин опаздывает, но это и хорошо, ей как раз хватило времени закончить все, что она намечала.

Но ждать его она не намерена, надо приступать к следующему делу.

Брэнна сняла фартук, повесила на место, заварила себе чаю и взяла из банки пару штук печенья. Потом уселась и разложила перед собой книгу Сорки, собственную книгу, блокнот и ноутбук.

В ничем не нарушаемом одиночестве она начала анализировать все уже проделанное и думать над тем, что и как можно усовершенствовать.

Фин явился с опозданием на целых тридцать пять минут и вымокший насквозь. Она едва взглянула на него и строго приказала:

— Не топчи пол!

Он что-то пробурчал в ответ — она не придала значения — и быстро себя обсушил.

— И нечего злиться, что я опоздал. У нас одна лошадь захворала, пришлось лечить.

Порой она забывала, что у Фина тоже работа.

— Что-то серьезное?

— Не то слово, но она поправится. Это Мэгги. Внезапный приступ кашля. Можно было положиться на лекарства, но... понимаешь, я решил не рисковать.

— Еще бы. — Ей ли его не знать. Животные были его самой большой слабостью, как и все, кому требуются забота и исцеление. — Ты бы и не смог. — А положение и впрямь было серьезное, теперь она это видела по его усталым глазам.

— Сядь. Тебе надо выпить чаю.

— Не откажусь. А чем это пахнет? Имбирным печеньем? Не откажусь. И когда ты успела?

— Сядь! — повторила она и пошла подогреть воду в чайнике.

Но Фин в беспокойстве топтался по кухне.

— Ты, я вижу, работала? Новые свечи еще не встали.

— Видишь ли, я работающая женщина, а не только колдунья! Мне же надо заполнять полки в лавке. Не могу я целыми днями заниматься этим поганым Кэвоном, будь он проклят!

— Зато ты можешь целыми днями обижаться на меня без причины, да? А кстати, мне тоже свечи нужны!

— Те, что ты видишь, — для подарочных наборов.

— Тогда я возьму два таких набора, подарки-то все равно покупать. И не только... — Он пошарил глазами по полкам. — Мне вот эти нравятся, в зеркальных формочках. Будут хорошо отражать свет и переливаться. — Он взял в руки одну свечу и понюхал. — Клюква. Рождеством пахнет. Пойдет, правда? Я бы взял дюжину.

— Прямо сейчас у меня дюжины таких и не наберется. Остались вот эти три.

— Но ты же сможешь сделать недостающие?

Брэнна заварила ему чай, искоса взглянула на него. Он поймал ее взгляд.

— Смогу. Но придется подождать до завтра.

— Годится. И еще вот эти тонкие — длинные белые и красные, которые покороче.

— Ты явился сюда работать или за покупками?

— Совмещаю приятное с полезным. — Фин снял с полок выбранные свечи и сложил на стойку, чтобы потом забрать.

Поудобнее усевшись с чаем, он посмотрел на нее в упор. Сердце у Брэнны встрепенулось, но она оставила это без внимания.

— Как нам и было известно, он по ту сторону реки. Залег в темноте, в самой чаще. Мне думается, у него там что-то вроде пещеры. Но когда и где он себя проявит, я сказать не могу. Могу лишь предполагать.

— Ты его искал. Черт тебя подери, Фин!

— В дыму, — сухо добавил тот. — Какой смысл шататься по лесам в такую гадкую погоду? Я смотрел через дым, но картинка размывалась и колыхалась, сама похожая на дым. И могу тебе сказать, он уже не так слаб, как после схватки, даже по сравнению с тем, что было всего несколько дней назад. И он не один, Брэнна. С ним что-то... что-то еще.

— Что?

— Думаю, некая сущность, с которой он заключил сделку, чтобы быть тем, кто он есть, и обладать тем, чем он обладает. И эта сущность еще чернее и глубже. Я думаю.... Не знаю... — прошептал он и потер руку в том месте, где было клеймо родового проклятья. — Мне кажется, эта сила играет им, использует его так же, как он использует ее, а поскольку он пока еще не совсем оправился, мне удалось это углядеть. Раньше я этого не видел. Это всего лишь ощущение, насчет этой другой сущности. Но я знаю, и наверняка, что он поправляется и скоро опять себя проявит.

— Значит, мы должны быть готовы. Фин, что мы упустили в тот раз? Вот в чем вопрос! Давай искать ответ.

Он откусил печенье, и впервые с того момента, как вошел, лицо его озарила улыбка.

— Чтобы опять рыться в этих чертовых книжках, двух печенинок мне будет мало.

— Миска перед тобой, только руку протяни. Ну что, за дело? — Она постучала по книжной обложке. — Сперва — зелье.

4

Он смотрел на нее, и его сердце сжималось от боли. Такая близкая — и такая далекая. Как Сатурн. И силу ему придавало не какое-то там печенье, хотя вкусное, очень вкусное! — а присутствие ее рядом, звук ее голоса, ее тонкий и легкий запах, когда она оказывалась так близко возле него, что он мог его уловить.

Фин перепробовал все известные ему способы, чтобы убить в себе любовь к этой женщине. Напоминал себе, что она его отвергла, дала ему от ворот поворот. У него бывали и другие подруги, которыми он пытался заполнить оставленную ею пустоту — их телами, их голосами, их красотой.

Он бросал свой дом, месяцами бродяжничал, только чтобы быть от нее подальше. Ездил, скитался по местам далеким и близким, чужим и хорошо знакомым.

Немилосердным трудом, своим временем, потом и кровью он сколотил состояние, и солидное. Построил себе прекрасный дом и следил за тем, чтобы его родители тоже ни в чем не нуждались, хотя они давно перебрались в Нью-Йорк, чтобы быть поближе к сестре его матери. А может, думалось ему порой, чтобы быть подальше от всяких ведовских разговоров и даже мыслей о колдовстве и заклятиях. И он их за то не винил.

Никто не мог бы сказать, что свою жизнь и свое мастерство он тратит впустую — и колдовское, и любое другое, какими он обладал, а он обладал. Но, как он ни старался, его любовь оставалась неколебимой.

Он даже подумывал, не пустить ли в ход какое-нибудь зелье или заковыристый отворот, но он знал, что любовная магия, будь то приворотная или наоборот, порой имеет последствия, о которых человек, пожелавший ее применить, не может и догадываться.

Нет, он не станет — просто не может, нет у него на то права! — использовать свое колдовство в своих интересах.

Он то и дело задавался вопросом, лучше это или хуже, что она — а он это точно знал — тоже страдает?

Бывали дни, и это правда, что он находил в этом какое-то утешение. А временами готов был лезть на стену.

Но в данный момент ни у кого из них не было выбора. Они должны быть вместе, работать бок о бок, объединить усилия ради общей цели — уничтожить Кэвона, одолеть его, покончить с ним навсегда.

И он работал с ней вместе, то споря, то соглашаясь, в ее мастерской, за бессчетными чашками чая — в последние уже добавлялось немного виски, — склонившись над книгами, вновь и вновь составляя заклинание, которое все не нравилось ни тому ни другому, и в который раз перебирая в памяти каждый этап двух предыдущих попыток.

И ни один из них не придумал ничего нового, не нашел иного ответа.

Брэнна была самой хитроумной из всех известных ему ведьм — и чересчур щепетильной в вопросах этики. И еще — очень красивой. Не только лицом и фигурой, не только роскошными блестящими волосами и теплыми серыми глазами. Сама ее природа, ее энергетика и факт наличия этой силы делали ее неотразимой. А еще — неколебимая преданность делу, своему дару, своей семье.

Он был обречен на любовь к ней.

Итак, Фин поработал с Брэнной, потом расплатился за свечи — до пенса, мысленно улыбнулся он, ибо богу известно, Брэнна О'Дуайер — ведьма практичная, — после чего распрощался и поехал домой под нудным дождем.

Сперва он проведал Мэгги и остался доволен — динамика положительная. Угостил ласковую лошадку половиной яблочка, побыл с ней, пошептал ей на ухо ласковые и ободряющие слова — он это умел. Зашел и к другим лошадям, уделил каждой минуту времени и внимания. Фин гордился этим своим конноспортивным хозяйством — они с Бойлом построили все с нуля — и здесь, и в конюшнях, которые сдавали в аренду. Еще одним предметом его гордости была расположенная неподалеку школа ловчих птиц.

«Коннор этим питомником управляет просто отлично», — подумал Фин.

Если бы не Кэвон, он бы мог завтра отправиться в Индию или Африку, в Америку или Стамбул и был бы уверен, что Бойл с Коннором прекрасно здесь справятся в его отсутствие.

Вот как разделаются с Кэвоном — и он даст волю своим мечтам. Ткнет пальцем в точку на карте — и вперед, только ищи-свищи его! Уедет далеко, увидит новые места. Уедет подальше отсюда, хотя бы на время, ибо здесь его мучит то, что он слишком сильно и крепко любит.

Он побаловал угощением живущего на конюшне песика по кличке Багс, потом инстинктивно взял его на руки и отнес в дом. Ему показалось, компания пришлась по душе обоим.

Как и Брэнна — или почти как она, — Фин любил одиночество и покой, ценя при этом дружеский настрой живого существа рядом. Декабрьские вечера были такими невыносимо длинными, а мрак и стужа такими неумолимыми... Теперь он не мог, как частенько делал в прежние времена, заглянуть к живущему наверху Бойлу и, откровенно говоря, даже надеялся, что сегодня Бойл с Айоной по той или иной причине заночуют у Брэнны, хоть та и сделала сегодня недвусмысленный намек на то, что хотела бы побыть в одиночестве — собственно, не намек даже, а откровенное признание.

Однако поскольку он ее охранять не может, пусть это сделают хотя бы они, несмотря на ее желания остаться наедине с собой.

Уже одна эта мысль — что он не может взять ее под свою защиту — вызвала у него досаду и приступ злости, побороть которые оказалось не так легко.

Фин спустил песика на пол, щелчком пальцев взбодрил огонь в камине — так, что пламя поднялось высоко, — другим щелчком зажег лампочки на елке, которую он нарядил перед большим фасадным окном.

Пес, уверенно топоча лапами, с нарастающим воодушевлением побежал все обнюхивать, явно польщенный, что его взяли в дом, так что Фин невольно заулыбался и не заметил, как начал понемногу успокаиваться. Да, им обоим будет довольно и такой компании.

Он прошел в заднюю часть дома на кухню, где все поверхности сверкали чистотой, и достал себе пива.

Брэнна лишь однажды была у него здесь, да и то с Коннором. Тогда она уже была на него сердита. Он представил ее сейчас на своей кухне. Он всегда видел ее здесь. Он строил этот дом в расчете на нее, с мечтой, что когда-нибудь они заживут здесь вместе, и оттого, что этого не случилось, его гордость была уязвлена.

Фин принес в гостиную несколько свечей из приобретенных сегодня, тонкие и длинные поставил в серебряные подсвечники, а те, что были в зеркальных сосудах, расставил так. Да, они превосходно отражают свет, порадовался он. Жаль, что Брэнне вряд ли удастся увидеть свои творения в этом доме.

Он подумал — не приготовить ли что-то поесть, но отказался от этой затеи, стоять у плиты было выше его сил. Пожалуй, он сообразит что-нибудь попозже, ибо тащиться в паб в такую погоду тоже совсем не улыбалось.

Он бы мог спуститься, скоротать часть вечера за просмотром спортивных программ на большом телеэкране или убить время за компьютерной игрой. А мог растянуться еще с одной кружкой пива перед камином, с книгой, которая не будет целиком посвящена магии и заклинаниям.

— Могу делать все, что хочу, черт бы меня побрал! — сообщил он к Багсу, наклонившись к нему и потрепав по загривку. Тот, обследовав помещение, теперь вертелся у его ног. — И никто, кроме меня, не виноват, что мне все не по нраву. Может, виной всему этот дождь и мрак? Сейчас бы на теплый пляж, под палящее солнце, да чтобы рядом была податливая женщина... Но это я тоже завираю, да?

Он присел на корточки и почесал Багса по брюху, приведя его в состояние экстаза.

— Всем бы нам довольствоваться такими малыми радостями, как конюшенный песик. Ну, довольно, хватит. Я сам от себя устал. Лучше пойдем наверх и поработаем. Чем скорее мы с этим покончим, тем раньше я узнаю, решит ли мои проблемы тот самый теплый пляж.

И Фин стал подниматься по широкой лестнице на второй этаж, а собачонка трусила за ним с раболепной преданностью. Он подумал, не принять ли душ, а может, и попариться, но все же проследовал в мастерскую. Там он тоже развел огонь посильней, и пламя заиграло в обрамлении темно-зеленого турмалина, каким был отделан камин. Собака просто зашлась от восторга.

Эту комнату он спроектировал от начала и до конца сам — с небольшой помощью Коннора. Рабочие поверхности были из черного гранита, шкафы — черного дерева, полы — из широких кипарисовых досок, такие же, как во всем доме. Высокие стрельчатые окна, из которых среднее представляло собой витраж с изображением женщины в белых одеждах, перехваченных поясом из самоцветов. В одной руке она держала колдовской жезл, в другой — огненный шар, а черные волосы ее развевались на невидимом ветру.

Конечно, это был портрет Брэнны, и за спиной ее висела полная луна, освещающая густой лес. Смуглая Ведьма следила за ним даже с этого портрета на стекле и была воплощением силы и света.

В комнате стоял массивный антикварный стол, на котором красовался компьютер последнего поколения. Колдуны с современными технологиями дружат. В шкафу с толстыми резными дверцами хранилось оружие, которое Фин коллекционировал, привозя из поездок по всему свету. Сабли, боевые топоры, булавы, рапиры, метательные звездочки. В других шкафах он держал котлы, чаши, свечи, жезлы, книги, колокольчики, ритуальные ножи — атамы, а в остальных — всевозможные зелья и заготовки для них в виде природных веществ — минералов и трав.

Брэнне бы эта комната непременно понравилась — он ведь такой же чистюля, как и она, что на работе, что дома — до педантизма. Каждая вещь на своем, строго отведенном ей месте.

Багс взглянул на него, просительно завилял хвостом. Фин его понял и растянул губы в улыбке.

— Что ж, валяй. Чувствуй себя как дома.

Пес еще энергичнее завилял хвостом, затем подбежал к изогнутой тахте, вскочил на нее, повозился на месте и наконец, с выражением глубокого удовлетворения на морде, улегся и вздохнул.

Фин проработал до глубокой ночи, занимаясь чисто практическими вопросами, а именно — произнося заговоры на защиту тонизирующих отваров и эликсиров. Некоторые — специально для заболевшей Мэгги. Еще он сделал то, что проделывал регулярно, — очистил от черной энергии кое-какие магические кристаллы — для него это было сродни обычной домашней работе.

Про ужин он начисто и думать забыл, но то, что собака его голодна, остро почувствовал. Спустился вниз, сопровождаемый Багсом, соорудил сэндвич, присовокупил к нему хрустящей картошки, порезал яблоко. Поскольку запастись собачьим кормом ему было недосуг, Фин попросту разделил трапезу со своим четвероногим гостем, развлекаясь тем, что, к вящему удовольствию Багса, бросал ему кусочки сэндвича, а тот ловил их с такой же ловкостью, с какой расправлялся с букашками.

Решив продолжить свое занятие, Фин выпустил собаку на волю, но сохранил с ней мысленную связь, чтобы по завершении всех дел отправить назад на конюшню.

Однако Багс прибежал точно к кухонной двери и уселся под ней в ожидании, пока его снова впустят.

— Ну хорошо-хорошо, ты, вижу, решил заночевать. А раз так — изволь вымыться, дружок, а то от тебя конюшней несет за версту. Давай-ка марш в ванную!

Душ чуть не обратил бобика в бегство, но Фин действовал проворно и затащил его с собой.

— Это же просто вода. Хотя тебя придется хорошенько намылить.

Багс дрожал, кидался на лейку душа, откуда били струи, прижимался к голой груди Фина, в то время как тот намыливал его шампунем.

— Ну вот, видишь? Не так все и плохо? — Он ласково гладил пса и успокаивал его, одновременно прополаскивая шерсть. — Совсем даже неплохо.

Фин взмахнул рукой. Из-под потолка заструился яркий, но мягкий свет, зазвучала музыка, негромкая и ритмичная. Он поставил пса на пол, а сам с наслаждением отдался горячей воде, в то время как Багс скакал по мокрому кафелю и отряхивался, распуская вокруг себя веером жемчужные брызги.

При всем проворстве Фин не успел за ним с полотенцем, и теперь брызги сливались в большие лужи, на которых было легко поскользнуться. Фин во всю глотку расхохотался, а Багс сел на сухое место — вылизывать шерсть, сначала на брюхе, потом на лапах, затем на спине, извернувшись и дотягиваясь языком до хвоста.

Наведя в ванной порядок, Фин перешел в спальню и сбросил на пол подушку с дивана. Но пес, уже окончательно почувствовав себя дома, прыгнул к нему на кровать, высокую и широкую, и растянулся в блаженстве, как барин.

— Ладно хоть вымыть тебя успел... — проворчал Фин, но пса не согнал.

Он устроился рядом и решил, что на сон грядущий лучше будет почитать книжку, чем смотреть телевизор.

К тому моменту как Фин погасил свет, Багс уже тихонько посапывал. Этот звук Фин расценил как некоторое утешение и тут же подумал: до какой степени одиночества надо было дойти, чтобы находить утешение в сопящей рядом собаке?

В темноте, под легкое мерцание углей в камине, он стал думать о Брэнне.

Она повернулась к нему, и ее черные волосы, шелком рассыпанные по обнаженным плечам, сделались похожими на роскошный черный занавес. Огонь теперь горел ярче, его золотые всполохи превращали ее глаза в чистое серебро, в котором плясали золотые искры.

И она улыбнулась.

— Ты по мне тоскуешь.

— И днем и ночью.

— И сейчас ты меня жаждешь, в этой своей большой постели, в своем прекрасном доме.

— Я жажду тебя в любом месте. Везде и всюду. Ты меня мучаешь, Брэнна.

— Мучаю? — Она рассмеялась, но в ее смехе не было никакой жестокости или насмешки. Он был теплым, как поцелуй. — Не я, Финбар, не я одна. Мы оба друг друга мучаем. — Она провела пальцем по его груди сверху вниз. — Ты теперь сильнее, чем раньше. И я тоже. Как ты думаешь, вместе мы будем еще сильнее?

— Как я могу что-то думать, о чем-то гадать, если ты для меня — все?

Он взял в горсть ее волосы, притянул к себе. Бог мой, боже ты мой, ее вкус после такого долгого — как сама жизнь — перерыва был равносилен жизни после смерти.

Он перекатился, подминая ее под себя, еще глубже погружаясь в это чудо. Ее грудь, полнее, мягче и слаще, чем сохранилась у него в памяти; ее сердце, бьющееся барабанной дробью под его ладонью, когда сама она выгибалась дугой навстречу ему.

Смятение и буря чувств — ощущение ее кожи, шелковой, как и ее волосы, и теплой, такой теплой, что декабрьский холод отступил. Ее фигура, изящные линии тела, звук ее голоса, шепотом произносящего его имя, то, как она движется и движется под ним, разгоняя его одиночество.

Кровь в его жилах ритмично пульсировала в унисон с нею; сердце забилось сильней, стоило ей запустить пальцы в его шевелюру, как она делала это когда-то, а потом провести по спине. Стоило ей вцепиться в его бедра, выгнуться дугой. Раскрыться.

Он ринулся вперед. Вспыхнул свет, белый, золотой, искрящийся, как огонь. Казалось, весь мир охвачен пожаром. Ветер закружился вихрем, раздувая ревущее пламя. На мгновение, на один миг их оглушило блаженство.

Потом вспыхнула молния. И наступила кромешная тьма.

Он стоял вместе с ней посреди бури, крепко сжимая ее руку.

— Не знаю этого места, — прошептала она.

— Я тоже. Но... — Что-то все же было знакомо, что-то в самой глубине. В такой глубине, что не достать. Густой лес, неистовый циклон, и где-то неподалеку — шум реки.

— Зачем мы здесь?

— Здесь что-то есть, совсем рядом, — только и ответил он.

Она повернула руку ладонью вверх и сотворила небольшой огненный шар.

— Нам нужен свет. Дорогу найти сумеешь?

— Это совсем рядом, — повторил он. — Тебе надо вернуться. Здесь рядом — темная сила.

— Я никуда не пойду. — Она коснулась своего амулета, закрыла глаза. — Я ее чувствую.

Она сделала шаг вперед, он сильнее сжал ее руку. Если надо, он найдет способ ее защитить. Но его неудержимо тянуло вперед.

Густой лес, густые тени, словно излучающие темноту. Ни луны, ни звезд, только ветер, от которого, казалось, стонет сама эта ночь.

И в этой ночи раздалось завывание, и в этом вое слышался голод.

Фин решил, что оружие будет нелишним, собрал всю свою энергию и сотворил клинок. И немедленно его воспламенил.

— Черная магия, — прошептала Брэнна. Она тоже была охвачена сиянием, словно светилась собственной ведовской силой. — Все вокруг чужое... Мы не дома.

— Не дома, но достаточно близко. Только не теперь, а в далеком прошлом.

— Да, в прошлом. Тут *его* логово? Это возможно? Ты можешь сказать?

— Оно не то, что теперь. Оно... какое-то другое.

Она кивнула, разделяя его ощущение.

— Надо позвать остальных. Надо, чтобы мы все были в сборе. Если это то место, где он прячется.

— Это там. — В темноте ночи он разглядел еще более непроглядную пасть пещеры, уходящей в глубь холма.

Он не возьмет ее с собой, решил Фин. Не возьмет ее туда, ибо там — смерть. И даже хуже, чем смерть.

Не успел он подумать так, как перед ними возник старец. На нем были грубые одежды, на ногах — истоптанные сапоги. И волосы, и борода его были совершенно седые и спутанные. В его глазах застыло безумие, смешанное с волшебством.

— Вы слишком рано. И слишком поздно. — Произнося это, он поднял руку. Из нее сочилась кровь и растекалась по грубому платью. — Дело сделано. Конец. И мне конец. Вы явились слишком рано, чтобы это увидеть, и слишком поздно, чтобы остановить.

— Что сделано? — вскричал Фин. — Кто вы такой?

— Я принесен в жертву. Я — прародитель тьмы. И меня предали.

— Я могу вам помочь. — Но стоило Брэнне сделать шаг к нему, как из глубины пещеры вырвался сгусток энергии. Ее швырнуло назад, а вместе с ней Фина, а старик повалился наземь, и кровь его черной лужицей растеклась по земле...

— Грядущая Смуглая Ведьма, — глухо проговорил он. — И будущее отродье Кэвона. Помочь тут ничем нельзя. Он пожрал тьму. И мы обречены — все.

Фин с трудом поднялся на ноги, попробовал утянуть назад Брэнну.

— Он там. Он там! Я его чувствую!

Но когда он устремился к пещере, она схватила его за руку.

— Не в одиночку! Ты не должен делать это один!

Он развернулся к ней, вид у него был почти безумный.

— Он мой. А я — его. Это дело рук твоего рода. Я ношу ваше проклятие, и я свершу возмездие!

— Не ради возмездия! — Она обняла его. — Это обречет тебя на вечные муки. Не ради возмездия. И не в одиночку.

Но проснулся он в одиночестве, мокрый от пота. Клеймо на руке горело так, словно было нанесено только что.

Постель еще хранила ее запах. Как и его кожа. И воздух в комнате.

Пес рядом с ним шевельнулся и заскулил.

— Ну, ну, все хорошо. — Фин рассеянно погладил собаку. — На этот раз все обошлось.

Он прошел в ванную, смыл с себя пот, надел штаны и начал спускаться по лестнице, на ходу натягивая старый свитер. Выпустил собаку во двор и не сразу заметил, что дождь прекратился и сквозь облака робко пробивается скупое зимнее солнце.

Надо было подумать на ясную голову, так что он начал с того, что приготовил кофе. И выругался, услышав настойчивый стук в дверь.

Потом вспомнил про больную Мэгги и поспешил открыть, но, не дойдя до двери, уже понял, что с кобылой все в порядке.

На пороге стояла Брэнна.

Упершись ему в грудь руками, она впихнула его в дом и решительно шагнула через порог.

— Ты не имел права! Подлый мерзавец, ты не имел права тащить меня в свой сон!

Она продолжала злобно пихать его, но он ухватил ее за запястья. И снова ему бросилось в глаза, что она вся светится, только сейчас — от гнева.

— Я никуда не тащил тебя — во всяком случае осознанно. Насколько я понимаю, это ты втянула меня в свой сон!

— Я? Что за бред? Негодник! Я же была в твоей постели!

— И, между прочим, не возражала...

Поскольку он держал ее за руки, Брэнна была лишена возможности отвесить ему оплеуху, но энергии у нее никто не отнимал, и она пустила ее в ход, чтобы отбросить его на пару шагов назад. Фина снова ожгло болью.

— Прекрати! — дернулся он. — Брэнна, ты лучше остынь. Сейчас ты в моем доме. Я не знаю, я тебя затащил, ты меня затащила, или какая-то сила привела нас друг к другу... И вообще, пока я, черт побери, не выпил кофе, я не в состоянии ни о чем думать.

Он выпустил ее руки, повернулся спиной и зашагал на кухню.

— Я, кстати, тоже. — Она шустро увязалась за ним. — Я хочу заглянуть тебе в глаза.

— А я хочу выпить этот чертов кофе.

— Смотри на меня, Финбар, черт тебя побери! Смотри на меня и отвечай: ты затащил меня в свой сон? В свою постель?

— Нет! — Он рывком обернулся к ней, взъерошил себе волосы. — Я не знаю, я просто не-зна-ю! Но если я это и сделал, это произошло во сне и ненамеренно.

Черт побери, Брэнна, я бы не стал напускать на тебя чары! Можешь думать обо мне все, что угодно, но только не это! Я бы никогда до этого не опустился!

Она вздохнула, потом еще раз.

— Конечно. Ты меня извини. — Она потерла ладонью лоб. — Ну вот, я немного успокоилась. Да, теперь я понимаю. Прости, я... Я была... я была в жутком расстройстве.

— А что удивительного? Я тоже слегка не в себе...

— Я бы тоже... от кофе не отказалась, если ты не против.

— Да, сейчас.

Он отвернулся к кофемашине — она давно о такой мечтала. В ней можно было приготовить все мыслимые виды кофе, чая и шоколада.

— Не присядешь? — Фин мотнул головой в сторону небольшого эркера, где, как можно было догадаться, по утрам он пил кофе.

Брэнна скользнула на скамью с мягкой коричнево-красной обивкой. Взгляд ее лег на деревянную вазу на столике — гладкую, как стекло, доверху полную ярко-красных яблок. Это цветовое пятно придало ей смелости.

Мы взрослые люди, сказала она себе. А не подростки, чтобы смущаться. То, что произошло сегодня в этой большой постели, требует обсуждения. Разумеется, делового.

— Я не стану, да и не могу обвинять ни тебя, ни любого другого мужчину в том, что творит во сне его разум, — кашлянув, словно отгоняя от себя последние флюиды неловкости, сделала она первый заход.

— А я не стану и не могу обвинять тебя и любую другую женщину в том, что творит во сне ее разум. — Вторя ее зачину, Фин протянул ей большую белую кружку с кофе. — Потому что с таким же успехом это могла бы быть ты, а не я, — закончил он с еле скрываемым торжеством.

Хм. Об этом она как-то и не подумала! Что ж, большая белая кружка оказалась перед ее лицом весьма кстати — как концы бикфордова шнура, она опустила в нее взгляд, чтобы не смотреть на него. И ненадолго погрузилась в молчание. Чтобы дать себе еще время, она сняла пробу с кофе — в точности такой, как она любит! Один балл в его пользу.

— Резонно. Очень даже резонно. — Она облизнула губы и еще раз кашлянула. — Или это вообще могли быть совсем другие силы, — сделала она второй заход, боясь, что вот-вот снова взорвется.

— Другие?

— Кто знает? — Нет, она не злилась уже так сильно, как в первые мгновения, когда проснулась, но куда деть досаду? Она вскинула руки. — Что нам известно? Я явилась — или была затащена — в твою постель, и в состоянии сна мы стали делать то, чем занялись бы любые здоровые люди.

— Кожа у тебя мягкая, как лепестки розы, — с готовностью откликнулся Фин.

Зачем он говорит это? Впрочем, если хочет, пусть говорит, ей это не неприятно.

— Неудивительно, — беспечно отмахнулась она, — учитывая, что кремы я готовлю сама, и, между прочим, отличные!

— В тот момент, Брэнна, все было как когда-то, и даже лучше.

— В тот момент мы оба были под воздействием магии. Фин, а что произошло, когда мы соединились? — Она покрепче сжала руками кружку. — В кульминационный миг? Молния, буря, свет, затем мрак — и нас отбросило в другое место и другое время. Яснее ясного: вот она, плата за те самые мгновения.

— Для меня ничего ясного тут нет. Совершенно. Что мы узнали, Брэнна? Давай разберем детали.

Она отставила кружку и положила руки на стол, сплела пальцы и напряжением воли заставила себя окончательно вынырнуть из эмоций — каких бы то ни было. Сейчас как никогда им нужно холодное здравое размышление.

— Давай. Мы вошли в густую тьму, в чащу леса, не было ни звезд, ни луны, и только ветер завывал в кронах. Очень сильный ветер.

— Река. Где-то сзади журчал поток.

— Да. — Она закрыла глаза и мысленно перенеслась назад. — Это верно, да. Сзади текла река, а энергия была впереди. Черная сила, однако нас повлекло именно к ней, туда.

— Пещера. Логово Кэвона, это я знаю.

— Но его мы не видели.

— Я его чувствовал, только... Это было не так, как сейчас. Что-то другое. — Фин сосредоточенно покачал головой. — Пока ничего не ясно. Но что интересно — я не знаю, где мы были, вот только было ощущение чего-то знакомого. Как если бы я должен был знать это место. А потом появился этот старик...

— Мне он был незнаком.

— Мне тоже, но опять-таки было ощущение, что я должен его знать. Он сказал, что мы слишком рано, чтобы увидеть, и слишком поздно, чтобы что-то остановить. Загадки. Одни загадки, будь они неладны!

— Думаю, произошел перенос во времени. Мы были не в нашем времени, но и не в том, когда нам было бы известно больше. Он назвал себя жертвой.

— И прародителем тьмы. И кровь у него все шла и шла. Безумный, умирающий, но сила в нем чувствовалась. Угасала, но еще действовала.

— Жертвоприношение Кэвона? — Брэнна выпрямилась на скамье. — Его отец? — спросила она ровным голосом, видя, что Фин подумал о том же. — Это возможно?

— Ну, от кого-то же он произошел! А кстати, меня он назвал кэвоновым отродьем, а тебя — Смуглой Ведьмой из будущего. Он нас знал, Брэнна, хотя в его время нас с тобой еще не было. Он знал нас.

— И Кэвона он произвел на свет не таким, каким тот стал. — Она покачала головой, позволила себе еще раз окунуться в те ощущения. — В нем не было заложено всего, что его таким сделало. Однако...

— Там, в пещере, было что-то еще. — Фин начал успокаиваться, и лежащая на столе рука его разжала кулак. — Возможно, старик сам наколдовал что-то такое, что оказался не в силах контролировать? Призвал на помощь тьму, чтобы дать своему исчадию источник силы?

— Одной крови с Кэвоном... Его прародитель. Отец. И этот старец истекал кровью. Из него на землю уходила жизнь. В качестве жертвоприношения? Господи, Фин, может ли быть, что Кэвон убил собственного отца, принес его в жертву, чтобы подчинить себе тьму?

— Всегда кровь, — чуть слышно, как в медитации, пробормотал Фин. — Всегда чья-то кровь. Эта тьма ее жаждет. Требует. И даже свет без нее не обходится. *Слишком рано, чтоб увидеть*. Задержись мы, может, и увидели бы, как он наливается силой, какую мы за ним знаем? В самом ее начале, еще не вполне сформировавшуюся?

— Тогда-то это и случилось, в то самое время, как из старика уходила жизнь. Эта сила изверглась, как вулкан, отбросила нас назад, разрушила чары, которые нас туда перенесли. И еще, ты помнишь, было холодно, ты чувствовал? Перед тем как все кончилось, на какой-то миг наступил лютый холод — и я проснулась в своей постели.

Фин поднялся и принялся нервно выхаживать туда-сюда перед Брэнной.

— Не может быть, чтобы мы там оказались по его воле, — я о Кэвоне... Совсем рядом с его логовом... И чтобы нам стало что-либо известно о его происхождении.

— И есть ли и у нас вообще это право?

— Брэнна, он нас туда не переносил. С чего бы ему это делать? Чем больше мы знаем, тем больше у нас возможностей его прикончить. Ты сказала, другие силы. Вот и я говорю: нас туда перенесли другие силы. Те, что внутри нас, или те, что снаружи, — не знаю.

— Почему только нас двоих? Почему не всех шестерых?

— Только будущую Смуглую Ведьму и отродье Кэвона? — Он пожал плечами. — Ты прекрасно знаешь, что в магии не всегда возможно уловить логику. Надо туда вернуться и узнать больше.

— Что-то мне не больно улыбается ложиться с тобой в постель, чтобы совершить путешествие во времени и оказаться возле пещеры Кэвона.

— Но ты же готова отдать за это жизнь! — Он жестом не дал ей возразить. — Я не сторонник секса как магического инструмента, даже с тобой. И в следующий раз, когда мы туда ввалимся, я хочу сам все взять под контроль, а не так, чтобы какие-то силы нас туда унесли. Я должен это обдумать.

— Ты дашь мне честное слово.

— Что? — Фин рассеянно обернулся, без выражения следя взглядом за тем, как она поднимается, с распущенными, небрежно расчесанными волосами, — и сам собой качнулся вперед: в ее облике сейчас особенно проступала мятежная суть ее естества. В глазах металось спокойное бешенство.

— Твое честно слово, Финбар. Ты не пойдешь назад один. Ты не будешь копать дальше без меня, без всех ребят. Ты не один и действовать в одиночку не станешь! Поклянись, немедленно поклянись!

— Ты считаешь меня совсем безнадежным? Одержимым самоуничтожением?

— Я считаю тебя тем, кто в прошлый раз был готов бросить всех, пренебречь опасностью и в одиночку кинуться вслед за Кэвоном, даже рискуя никогда не вернуться в наше время, сюда к нам. Неужели, Фин, мы для тебя так мало значим? Настолько мало, что ты готов был нас бросить?

— Вы для меня значите все — и ты, и ребята. Но он — моей крови, не вашей. — В этих словах она услышала горечь, но это была сущая правда. — Однако действовать в одиночку я не стану. Потому что если я оступлюсь, то поставлю под угрозу тебя и всех. И все наше дело.

— Давай руку! — Она протянула свою. — Давай руку, скрепи клятву.

Он взял ее руку в свою. Меж их пальцев заструился свет, послышалось шипение и треск, как от поймавшего искру фитилька.

— Ну вот. Ну вот, — тихо выдохнул он. — И не припомнишь, когда это было в последний раз.

Брэнна ощутила жар — он охватил все ее тело, неся одновременно и муку, и утешение. Интересно, мелькнула мысль, если придвинуться ближе, если обнять его, это ощущение усилится?

Она отняла руку и шагнула назад.

— Надо сказать остальным, пока они не разбежались кто куда. Ты тоже можешь прийти, — промолвила она.

— Ты сама справишься. — Ему было необходимо восстановить дистанцию. — У меня дела.

— Ладно. — Она зашагала к выходу, он — вместе с ней. — Сегодня я поработаю с Айоной, посмотрим, что нам удастся. Лучше всего, наверное, нам всем опять собраться, только не сегодня. Надо еще это осмыслить, на это требуется время. Давай завтра, если тебя устроит.

— Опять у плиты будешь стоять.

— Таков уж мой удел.

Ему захотелось погладить ее по волосам, только чтобы вернуть то ощущение, какое было у него во сне. Но он к ней даже не прикоснулся.

— Я привезу вина.

— А это — твой удел. — Он распахнул дверь, она шагнула на улицу, затем повернулась и чуточку задержалась, окутанная утренним туманом. Влажная дымка придала ее облику неожиданную мягкость и хрупкость, почти беззащитность, так что у него дух захватило, так ему захотелось обнять ее и укрыть от всех напастий. Он ущипнул себя. — У тебя отличный дом, Фин. Красивый. Но в нем еще есть душа. Добрая и сильная.

— Да ты кроме кухни ничего и не видела! — довольный, хмыкнул он, освобождаясь от наваждения.

— Ну... Кухня — душа любого дома. Если получится, приезжай завтра часика в три, успеем поработать, пока эти проглоты не нагрянут на ужин.

— Это можно устроить. В три я у тебя.

Фин смотрел, как она идет к машине, но она, к его удивлению, вдруг остановилась, обернулась и послала ему дерзкую, вызывающую улыбку.

— Забыла сказать: твоя кожа на ощупь тоже похожа на розовые лепестки, только, конечно, на мужской лад.

Он рассмеялся и почувствовал, как его отпускает внутреннее напряжение. А Брэнна уже давила на педаль.

5

Она рассказала друзьям о происшедшем и попросила их поразмышлять над тем, что все это значит, после чего обратилась еще с одной просьбой.

— Сегодня вечером, если никто не возражает, я бы хотела, чтобы у меня в доме были одни женщины — и никаких мужчин. Мы с девчонками выпьем винца, посмотрим каталог красок для стен и все такое прочее. А вы, Коннор и Бойл, будьте так добры, завалитесь-ка к Фину и посидите у него, ладно? Займитесь тем, чем обычно занимаются мужчины в отсутствие женщин — уж не знаю, что вы там в таких случаях делаете.

Коннор было усомнился, но сестра ткнула его пальцем в живот.

— И перестань думать, что нам троим нужна мужская защита. Две из нас так же сильны в магии, как и ты, а третью только разозли — запросто дух выбьет.

— Да я и так уже изо всех сил стараюсь ее не злить. Ну, ладно. Как поступим, Бойл? Сперва вытащим Фина в паб, а потом закатимся к нему?

— Согласен. Подозреваю, компания друзей ему сегодня не помешает. — Он кинул взгляд на Брэнну.

— Это уж точно, мы его даже спрашивать не станем. Я буду в мастерской. Ты, Айона, когда тут закончишь, приходи, у меня для тебя есть работа.

— Я буду к шести, — пообещала Мира и замолчала, дожидаясь, пока Брэнна выйдет. — Для них обоих это ужасно тяжело. Даже не представляю, как они с этим справятся. Так что давайте хотя бы в этот вечер дадим им немного расслабиться и развлечься.

— Это мы можем. — Бойл потрепал Миру по плечу и повернулся к Айоне: — Хорошо, что ты сегодня будешь с ней.

Айона надеялась, что от нее будет польза, что она найдет нужные слова — и, наоборот, где нужно, промолчит.

Когда она вошла в мастерскую, Брэнна уже стояла у плиты, а на стойке была выставлена дюжина зеркальных форм для свечей.

— У меня на них заказ, поэтому я решила с них и начать. А еще хочу сделать несколько наборов в мелкой расфасовке: лосьон для рук, скраб и мыло. Упакуем их в красные коробочки, их мне навезли больше, чем нужно, и перевяжем красно-зеленой гофрированной лентой. Поскольку за лишние коробки поставщик с меня ничего не взял — это была их ошибка, — то Эйлин может выставить эти наборы со скидкой. А какие-то можно попридержать до самых последних предпраздничных дней, тогда-то их точно с руками оторвут.

Айона импульсивно подошла к сестре и молча ее обняла.

— Айона, я в полном порядке.

— Я знаю, но это только благодаря тому, что ты сильная. Я бы на твоем месте совсем даже не была бы в порядке. Ты, главное, знай: если захочешь дать себе волю, я тебя поддержу.

— Дать себе волю?

Айона расхохоталась. Отлегло.

— Я имею в виду — потянет поорать, побушевать, высказать небесам, что ты о них думаешь...

— Да какой в этом смысл?

— В этом как раз смысл очень большой. Так что если появится настроение, знай — я на твоей стороне. Пойду принесу флаконы и коробки. Я знаю, где они лежат.

— Спасибо. За все спасибо. Когда закончим, не отвезешь подарочные наборы в лавку? Мне хочется, чтобы они как можно скорее поступили в продажу.

— Конечно. Но ты действительно хочешь побыстрее доставить их в магазин или тебе надо меня сплавить?

Да уж, подумала Брэнна, нюх у сестренки — не обмануть.

— И то и другое, но тебя — совсем ненадолго. Я рада, что ты здесь, но недолго я бы побыла в одиночестве. А когда вернешься, мы сможем заняться более важными делами.

— Ладно. — Айона принесла коробки и начала их заполнять. — Сколько таких?

— Полдюжины. Спасибо.

— Если хочешь знать мое мнение — я думаю, ты права.

— Насчет коробок?

— Нет, не насчет коробок. Насчет произошедшего. Насчет того, что вас с Фином собрала вместе какая-то посторонняя сила.

— Не уверена, что я права, но к такому выводу я пришла.

— Я думаю, так и есть. — Айона пригладила ежик белокурых волос и взглянула на сестру. — Может... Надеюсь, я не слишком нажму на больную мозоль, если скажу, что вы с Фином оба, возможно, хотите быть вместе, и не исключено, что это подсознательное желание время от времени пробуждается. И прошлой ночью, уж не знаю, по какой причине, мог быть как раз такой случай.

— Все бы хорошо, сестренка, вот только не много ли в твоем рассуждении всяких «может быть» да «возможно»?

— Это я так пытаюсь поделикатнее выразиться. В том, что вас друг к другу тянет и это желание выходит на поверхность, никакого «может быть» нет. Прости, Брэнна, но только слепой или глупец этого не заметит и не почувствует — особенно теперь, когда мы все так тесно друг с другом связаны общим делом.

Руки у Брэнны по-прежнему были заняты работой, голос звучал спокойно.

— Люди много чего хотят, но не всегда это достижимо.

«Больная мозоль», — напомнила себе Айона и не стала напирать.

— Я что имею в виду? Очень может быть, что прошлой ночью вы оба оказались несколько уязвимыми, ваша защита и, если так можно выразиться, линия обороны оказалась ослаблена. И это, как бы получше сформулировать, открыло некую дверь и впустило эту самую постороннюю силу. Не Кэвона, нет, потому что это противоречит всякой логике.

— Нам было больно. — И эта страшная боль никак не утихнет, мысленно прибавила Брэнна. — А в этом и заключается цель его существования — причинить нам вред.

— Да, но... — Айона помотала головой. — Он нас не понимает. Ему неведомы любовь, верность, подлинное самопожертвование. Похоть — да. Не сомневаюсь, ваше с Фином взаимное влечение он прекрасно понимает, но того, что лежит в его основе, ему никогда не постичь. Вот Сорка — другое дело.

Брэнна замерла над своими свечами и повернулась к Айоне.

— Сорка?

— Или ее дочери. Подумай над этим.

— Когда я об этом думаю, мне вспоминается, что именно Сорка прокляла весь род Кэвона, его самого и всех его потомков, то есть в том числе Фина...

— Это верно. Она допустила ошибку, но это правда. И, конечно, учитывая, что он убил ее мужа, оторвал ее от детей, она бы и еще раз его прокляла. Но, что такое любовь, она знала. Понимала ее и даже отдала за нее всю свою силу и жизнь. Ты не думаешь, что она бы применила свою магию, представься такая возможность? И ее дети — аналогично?

— То есть ты хочешь сказать, что она или они наколдовали нам этот сон?

Брэнна намеренно заговорила об этом, прокручивая в памяти ночное бесчинство еще раз — в сугубо женской трактовке.

— А когда это свершилось, та же сила отправила нас назад, в прошлое. Но оказалось — слишком рано и вместе с тем слишком поздно.

— Хорошо, давай рассуждать. Явись вы раньше — и то, что происходило в той пещере, могло затянуть вас внутрь, туда, где вы не сумели бы отбиться. А явись позже — и вы не смогли бы говорить с тем стариком — потенциальным, а скорее реальным отцом Кэвона...

Айона набросилась на моток ленты, а Брэнна, затаив дыхание, боялась вымолвить слово, продолжая работать.

— Думаю, вы видели то, что вам суждено было увидеть, вот что... И думаю, нам надо найти способ увидеть больше — эта наша задача на первый шаг. Не могут же они преподнести нам все на блюдечке, так ведь? А еще я думаю — сейчас я наступлю тебе на больную мозоль, — что это должны были быть именно вы с Фином, потому что вам двоим пора наконец разобраться в своих чувствах. Не мумифицировать их, не хоронить и не делать вид, что их нет и не было.

— Мне с моими чувствами все ясно.

— Ох, Брэнна...

— Я могу любить его и мириться с тем, что его нет в моей жизни. Но теперь вижу, что у меня в голове все это было слишком путано. Я никак не могла разобраться со своими чувствами. Ты правильно говоришь, Айона. Мы увидели то, что нам было предначертано, и теперь учтем это во всех дальнейших действиях.

Она бросила взгляд на сестру и улыбнулась, после чего продолжила разливать по формочкам ароматизированный воск.

— Ты многому научилась с тех пор, как впервые вошла в эту дверь. До сих пор не забуду тот дождливый день, тебя в розовом плаще и как ты от возбуждения трещала без умолку.

— Да, научилась... Только вот кухню никак не осилю. Все эти блюда, рецепты...

— Знаешь, есть вещи, которые нам неподвластны.

Брэнна закончила делать свечи, и вдвоем с Айоной они скомпоновали полдюжины прекрасных подарочных наборов. Отправив сестру в Конг, Брэнна налила себе чаю и устроилась у камина, а Катл положил ей голову на колени.

Она смотрела в огонь, пустив мысли в свободное плавание. Затем со вздохом отставила чашку.

— Ладно. Ладно. — Она протянула ладони к огню. — Неси меня, куда ведет нас свет, сквозь дым, через огонь! И дай ответ!

В языках пламени замаячили образы, сквозь дым донеслись голоса. Брэнна позволила себе унестись к ним, отдалась их притяжению, уступила призыву, который ощутила в крови, в мышцах, во всем теле...

Когда образы сделались отчетливыми, она очутилась в комнате, где неярко горел другой огонь и мерцали свечи. Ее сестра из далекого прошлого, Брэнног, сидела на стуле и ласково пела малышу, сосущему грудь. Она подняла глаза, лицо ее озарилось, и она сказала:

— Мама?

— Нет. — Брэнна вышла на свет. — Нет, прости.

— Я думала о ней. Я видела ее, когда появился на свет мой сыночек, видела, как она смотрит, чувствовала, как она за нас молится. Только это — и потом она исчезла. Я подумала, это снова она.

— Я попросила свет перенести меня куда-нибудь... И вот я здесь. — Брэнна шагнула ближе, взглянула на энергично сосущего малыша — черные волосики, пухлые щечки, внимательные темные глазенки.

— Красивый у тебя сынок.

— Его зовут Руарк. Он так быстро родился! И когда он рождался, вспыхнул яркий свет. И в этом свете я увидела маму — как раз в ту минуту, когда Тейган помогала ему прийти в этот мир. — Она помолчала. — Не ожидала снова с тобой свидеться. Во всяком случае — не так скоро.

— Сколько у вас прошло времени?

— Шесть дней. Мы остановились в Эшфорде, и нам тут очень рады. Я еще не ходила к нашей хижине в лесу, а вот Тейган с Эймоном уже побывали. И оба видели Кэвона.

— А ты — нет?

— Я его слышу. — Покачивая малыша, она посмотрела в окно. — Он меня призывает. Так, словно ждет ответа. Когда-то он взывал к моей матери, теперь — ко мне. А тебя он тоже зовет?

— Случалось, и, думаю, позовет еще. Но пользы ему от этого не будет. А вы знаете про пещеру за рекой?

— За рекой в горах есть пещеры, мы знаем.

— Пещеру с сильной энергетикой. Место, где таится мрак.

— Нам не разрешали ходить за реку. Мать с отцом нам запрещали. О таком месте они никогда не рассказывали, но на деревенских сходах некоторые старейшины упоминали о пещере Мидора и при этом всякий раз осеняли себя знамением против тьмы.

— Мидор? — По крайней мере, подумала Брэнна, от этого имени можно отталкиваться. — А о происхождении Кэвона вам что-нибудь известно? В книге — книге Сорки — об этом ни слова.

— Она об этом никогда не говорила. Мы были детьми, сестра, а в конце уже не было времени на разговоры. А если бы знали, это бы помогло?

— Не могу сказать, но знание всегда лучше неведения. Я там была, во сне. С Фином. Финбаром Бэрком.

— Из рода эшфордских Бэрков? Нет-нет! — быстро проговорила Брэнног. — Это тот, из ваших, в котором течет кровь Кэвона. Значит, его в это место привел зов крови, а тебя — с ним заодно?

— Не знаю. И он тоже не знает. Он не Кэвон. И он не такой, как Кэвон.

Теперь Брэнног, дочь Сорки, вгляделась в огонь.

— Это говорит твое сердце, сестра, или твой разум?

— И то и другое. Он вместе с нами проливал кровь. Ты сама видела или еще увидишь в ночь Сауина. Тогда сама сделаешь выводы. Значит, Мидор, — повторила Брэнна. — Меня сюда принес свет, и, может быть, для одного этого знания. Никогда не слышала о пещере Мидора. Возможно, за столько лет она сровнялась с землей, но я знаю, как взяться за лопату и копать.

Снаружи донесся вой, и обе повернулись к высокому окну.

— Он охотится. Подкарауливает. — Брэнног крепче прижала к себе сына. — За те несколько дней, что мы здесь, в деревне уже одна девушка пропала. Он заволакивает окна тьмой, завешивает туманом. Остерегайся теней!

— Я знаю. И остерегаюсь.

— Вот, возьми. — Брэнног переложила малыша поудобнее и протянула Брэнне руку. На ладони ее лежал узкий острый кристалл, прозрачный, как вода. — Это тебе подарок. И свет.

— Спасибо. Стану носить с собой. Будь здорова, сестра, и да благословят боги тебя и твоего сына.

— И тебя тоже. Значит, Сауин, — пробормотала она, а Брэнна почувствовала, как ее уносит прочь. — Я смажу наконечники стрел ядом и сделаю все, чтобы его прикончить.

«Но тебе это не удастся, — подумала Брэнна, вновь очутившись перед своим камином. Она рассматривала кристалл. — На Сауин не удастся».

С божьей помощью — в другой раз, но не на Сауин.

Она поднялась, сунула подарок в карман. Предпочла книгам ноутбук и ввела в строку поиска «пещера Мидора».

— И представляете, хоть бы что-то отдаленно похожее!

Брэнна сидела за столом и ковыряла вилкой в тарелке, где лежал собственноручно приготовленный ею салат, паста пенне и ломтик хлеба с оливками.

— Не думаю, что можно в Гугле найти пещеру колдуна двенадцатого или тринадцатого века, — заметила Мира.

— В Гугле можно найти практически все.

— А это ирландское имя — Мидор? — поинтересовалась Айона.

— Я, во всяком случае, такого не слышала. Но он мог происходить откуда угодно, хоть из самой преисподней, а кончить свою жизнь на пороге той самой пещеры.

— А кто тогда мать? — Айона повела рукой, в которой держала бокал. — Допустим, Мидор — отец Кэвона, если мы все правильно поняли, но он же не сам его родил, должна же была быть и мать. Где она? Кто?

— В книге Сорки об этом ни строчки. И в книге моей прабабки тоже. Может быть, в конечном счете это не так уж и важно? — Брэнна подперла ладонью подбородок. — Ну и черт с ним. И все равно что-то важное тут есть, иначе с чего бы мы с Фином оказались возле этой пещеры, будь она неладна!

— Мы разберемся, что к чему. Ох, вкусная паста! — добавила Мира. — Брэнна, мы во всем разберемся. Ты скажешь, я заразилась от Коннора его беззаветной верой, но я в это верю. Ты же видишь, все опять приходит в движение? Ты навещаешь дочь Сорки, вы с Фином путешествуете во сне после стремительного перепихона — тоже во сне...

Айона вжала голову в плечи, но, видя, что слова Миры Брэнна восприняла спокойно, быстро расслабилась.

— Да перепихона-то, по сути, никакого не было, — произнесла Брэнна. — Новая разновидность преждевременного семяизвержения. Я всегда говорю, судьба — известная динамистка. «Вот и все, Брэнна, все закончилось, запомнишь, как это было?» И тебе только и остается, что вспоминать. И все для тебя опять сводится к родовому проклятию, силам тьмы и зла.

— Ты устала от всего этого. — Айона подалась вперед и погладила сестру по руке.

— Сегодня — да, без сомнения. Никто и никогда не действовал на меня так, как Фин, и сегодня я устала без конца признавать это вслух. Никто. Ни на тело, ни на сердце, ни на душу. И никогда не будет так действовать. Когда это понимаешь, поневоле наваливается усталость.

Айона хотела было что-то вставить, но Мира остановила ее, качнув головой.

— Я не нуждалась, чтобы мне об этом напоминали. Это было жестоко, но с магией такое случается. «Вот тебе твой особый дар, ой, посмотри, какая ты необыкновенная, что у тебя есть!» Только никогда не знаешь, какую цену тебе придется за это отдать.

— Он тоже заплатил, — мягко напомнила Мира.

— Конечно. Я это знаю. И лучше, чем кто-то другой. Было легче, когда я могла злиться или чувствовать, что меня предали. Но нам сейчас предстоит такое, что уж не до гнева и не до обид. Если дать волю этим чувствам, слишком многое воскрешается в памяти. Слишком многое. Вот я и спрашиваю: как я могу сделать то, что от меня требуется, находясь в таком смятении чувств? Сперва надо от этого смятения освободиться.

— Любовь — это сила, — помолчав, вздохнула Айона. — Мне кажется, даже тогда, когда она причиняет боль, она все равно делает нас сильнее.

— Может быть. Нет, неправильно говорю: это так и есть! — сама себя поправила Брэнна. — Но как этим воспользоваться и не дать поглотить себя целиком? Надо балансировать на такой тонкой грани, ведь правда? А в данный момент я чувствую себя подавленной, выбитой из равновесия и...

Она замолчала.

— Остерегайтесь теней, — прошептала она через пару секунд и выглянула в окно. В плотной стене тумана, как в нишах, проступили мрачные тени.

— Нет, сиди спокойно, — удержала она Миру, увидев, что та начала подниматься. — Сиди как сидишь. Он не может проникнуть в мой дом, как бы ни пытался. А я вот сижу на собственной кухне и веду себя как идиотка. Сижу здесь, распускаю нюни, а ведь он вполне может красться вдоль стен и упиваться моей жалостью к себе. И даже подпитываться от нее. Ну да ладно, хватит, много чести ему...

Она отодвинулась от стола, оставив без внимания брошенное Айоной предостережение:

— Постой!

И широким шагом прошла к окну, распахнула его и, объятая гневом, преобразованным в бушующий сгусток энергии, запустила наружу огненный шар, потом еще, затем сразу два.

Раздался рев. Нечеловеческий. И туман полыхнул, как сухие дрова, и рассеялся.

— Ну вот. — Брэнна захлопнула окно.

— Черт побери... — Айона тоже была на ногах, и в ее ладони тоже был огненный шар. Она прерывисто вздохнула. — Черт побери!

— Не думаю, что он получил наслаждение. А мне определенно стало легче. — Брэнна отряхнула руки одна о другую, вернулась к столу, села и взялась за вилку. — Айона, гаси-ка ты свой огонь и доедай пасту. — И она впервые за вечер поднесла ко рту вилку. — О, получилось на редкость вкусно — отдаю самой себе должное... А ты, Мира, отбей, пожалуйста, Коннору: просто чтобы были начеку, хотя я не думаю, что Кэвон сегодня рискнет с ними связаться.

— Конечно, сейчас наберу.

— Решил померяться силой с бабами, — пробубнила Брэнна, не переставая жевать. — Вечно он нас недооценивает! И еще он думал подпитаться моими страданиями. Что ж, пусть ими подавится! Света он не переносит. — Брэнна щелкнула пальцами, и в комнате сделалось еще светлее. — А еще он терпеть не может ничьей радости, так что давайте получать удовольствие. Лично меня мало что так увлекает, как выбор краски для стен и прочих деталей интерьера.

Она взяла себе еще пасты.

— А что, Айона, ты не думала хозяйскую ванную отделать белым камнем?

— Белым камнем? — Айона ахнула и не нашлась, что ответить. — Хмм...

— А нам ведь еще надо обсудить кое-какие детали вашей свадьбы. А про вашу, Мира, мы говорить даже не начинали. Господи, как я это все обожаю! — Брэнна, отложив вилку, взяла подруг за руки. — Вот она, подлинная женская радость. Давайте-ка еще выпьем и пострекочем про свадьбы и про домашний уют — самое наше женское!

Коннор пробежал глазами сообщение Миры.

— Кэвон, каналья гнусная, ошивается возле дома... Нет-нет, — поспешил он притормозить приятелей, разом вскочивших из-за стола и готовых мчаться на выручку. — Уже отвалил. Мира пишет, Брэнна заставила его драпать, поджав хвост.

— Выйду-ка я на улицу и сам гляну, а то здесь шумновато, много помех... — Фин быстро встал и вышел из теплого паба.

— Сдается мне, пора возвращаться, — объявил Бойл.

— Так вопрос не стоит. Мира об этом не пишет. А Брэнне нужен такой вечерок на женские темы, им вроде ничто не угрожает, они в доме, опасности нет. Бойл, она бы не стала просто так говорить.

Он раскрыл энергетические каналы и постарался отключить шум голосов и смех вокруг.

— Поблизости его нет. — Коннор повернулся за подтверждением к Фину, который как раз вернулся.

— Он был в бешенстве, но пока еще не восстановил силы, — доложил Фин. — Убрался подальше от дома, вообще подальше отсюда. Я бы его почувствовал. Вот если б мы были там...

— Одни тени и туман, — вставил Коннор. — Большего он пока продемонстрировать не рискнул. Ну что, с пабом на сегодня хватит? Перемещаемся к тебе?

— Да уж, во всяком случае, оттуда нести вахту сподручнее, хочет того Брэнна или нет.

— Я с вами. Нет, плачу я! — Бойл порылся в карманах, выудил несколько банкнот и швырнул их на стол. — Ты так и не собрался перетереть с Коннором то, что хотел.

— Это вы о чем? — удивился Коннор.

Фин молча натянул куртку и, сопя, стал пробираться к выходу, а Коннор слегка отстал: добрая половина присутствующих считали своим долгом бросить ему по парочке ободряющих реплик «на посошок». Вот уж точно липнут к нему как мухи на мед, хмыкнул Фин про себя. Да будь у него такая, черт ее побери, харизма, он бы, наверно, напрочь свихнулся.

Выйдя на улицу, они втроем втиснулись к Фину в пикап: в паб они после некоторых препирательств решили ехать на одной машине.

— Да я о питомнике хотел поговорить, — начал Фин.

— А там, по-моему, все в порядке, никаких проблем. Или ты имеешь в виду организацию верховых прогулок с птицами? Я уже давно об этом подумываю, — Коннор приготовился углубиться в детали.

— Можем и это обсудить, — кивнул Фин. — Но я подготовил бумаги на партнерство.

— Партнерство? Ты берешь Бойла в партнеры?

— Мне вполне хватает конюшен, но все равно спасибо, — улыбнулся со своего места Бойл, пытаясь поудобнее пристроить длинные ноги.

— Тогда кого же? Только не говори, что берешь этого идиота О'Лаури из Слайго. В птицах он, конечно, сечет, но во всем остальном — полный кретин.

— Нет, не О'Лаури. Другого идиота. Я тебя хочу взять в партнеры, кретин.

— Меня? — У Коннора вытянулось лицо. — Но... Я и так там всем заправляю. Какая тебе нужда меня в партнеры-то производить?

— А вот такая. Я делаю это, пардон, не «по нужде», как ты изволил выразиться, а потому, что так будет по справедливости. И потому, что время пришло. Я бы сделал это сразу, но ты все никак не мог выбрать, к чему тебя больше тянет — по части стройки или же к птицам. И ты еще нос воротил от бумажной работы — а куда без нее? Хочешь дело вести — заполняй бланки, пиши бумажки, во всем наводи порядок и все держи под контролем. Вроде как теперь ты это понял, а не то обслуживал бы туристов и обучал птиц. Но ты тянешь все в комплексе, так что — по рукам.

Всю оставшуюся часть дороги Коннор молчал и, лишь когда подъехали к дому Фина, заговорил:

— Слушай, парень, мне не нужны никакие бумаги на подпись.

— Конечно, не нужны. Мне, собственно, тоже, мы же друзья. Так же как и нам с Бойлом между собой никакие бумажки не требуются. Но они нужны юристам, налоговикам — всем инстанциям, сам понимаешь. Так что мы их внимательно перечитаем, подпишем — и дело с концом. Коннор, ты меня очень обяжешь.

— Да иди ты к черту! «Обяжешь»...

— Послушайте, если вам пришла охота полночи лаяться, то, может, хотя бы выпустите меня из этого гребаного пикапа? — не сдержался Бойл. — Теснота тут у вас такая, что ни вздохнуть, ни рыгнуть!

Фин хохотнул и вышел.

— Вольем в него еще пару пинт — подпишет все, куда денется, а потом и не вспомнит, — кряхтя, бормотал Бойл.

— Чтобы отбить у меня память, всего пива в Мейо не хватит! — огрызнулся Коннор.

Бойл помотал головой и молча вылез, предоставив им разбираться самим. А Фин примирительно положил руку Коннору на плечо, когда и тот покинул пикап.

— Братишка, ты что думаешь, я это по обязанности делаю?

— И знать не хочу, зачем ты это делаешь.

— Ну, Коннор, ради бога... Этот питомник больше твой, чем мой, и всегда было так. Если бы не ты, его вообще бы не было, как бы я ни тужился. Я деловой человек или нет? Как ты считаешь?

— Да по слухам — деловой.

— А это как раз бизнес и есть. Бизнес и птицы, которых я люблю не меньше, чем ты. — Он поднял руку, хоть рукавицы на ней и не было. В считаные секунды его ястреб Мерлин спланировал вниз и легко, как перышко, опустился хозяину на запястье.

— Не ты ли в мое отсутствие о нем заботишься?

— Ну, естественно.

Фин наклонил голову набок, и пернатый хищник потерся клювом о его висок.

— Он такая же часть меня, как Ройбирд — часть тебя. Я доверяю тебе за ним ухаживать. И Мире тоже доверяю. Когда мы раздавим этого Кэвона, я должен буду уехать, по крайней мере на время.

— Фин...

— Мне надо будет уехать, иначе я просто свихнусь. Мне придется уехать, и я не могу сказать, во всяком случае — сейчас, вернусь ли вообще. Коннор, я прошу тебя оказать мне эту услугу.

Раздосадованный, Коннор ткнул приятеля кулаком в грудь.

— Когда все будет кончено, ты останешься здесь. И Брэнна будет с тобой, как было когда-то.

— Конец Кэвона не сотрет с моего плеча его клейма. — Фин поднял руку и отправил Мерлина в полет. — Она не может быть моей, пока я ношу этот знак. Действительно не может. До тех пор пока я от него не избавлюсь, я даже просить ее об этом не могу. И я не смогу жить, Коннор, клянусь тебе, зная, что до нее рукой подать и что она никогда не будет моей. Когда-то я думал, что смогу. Теперь знаю, что нет.

— Я подпишу твои бумаги, раз ты так хочешь. Но говорю тебе в лицо: когда все будет сделано, — а мы это сделаем, как пить дать! — ты останешься здесь. Запомни, Финбар! Помяни мое слово. Ставлю сотню, вот прямо сейчас.

— Идет! Давай. — Он обнял друга за плечи. — Пойдем пропустим еще по пинте и посмотрим, может, удастся уговорить Бойла приготовить что-нибудь поесть, раз уж в пабе до этого не дошло.

— Согласен и на то и на другое.

Ей не спалось. Дом уже давно утих, а Брэнна все бродила, проверяла двери и окна. И воздвигнутую защиту от сил тьмы. *Он* был где-то там, затаился. Она чувствовала его как тень, закрывшую солнце. Наконец она вернулась к себе и погладила Катла по мохнатой голове.

— Надо поспать, — сказала она. — И тебе и мне. Завтра опять много работы.

Она развела в спальне огонь — для тепла, для уюта, для света. Можно было бы мысленно отправиться куда-нибудь сквозь это пламя, подумала она, понимая, что никакие видения не принесут ей ни тепла, ни утешения.

А гнетущего холода ей и без того хватает.

Взамен, как только Катл улегся, она достала скрипку. Пес следил, как она канифолит смычок, и в нетерпении бил хвостом. Одно это уже заставило ее улыбнуться.

Брэнна подошла к окну. Отсюда можно было смотреть на горы, на лес и небо, где луна то пряталась за облака, то выходила вновь, где звезды мерцали, как далекие свечи.

«А ведь *он* меня видит, — подумалось ей, — видит, как я стою за стеклом, защищенная магией. Вне его досягаемости».

От этой мысли ее улыбка обрела уверенность.

«Можешь смотреть сколько тебе угодно, — подумала она, — никогда тебе не получить того, чем я владею!»

Она положила скрипку на плечо, на миг прикрыла глаза, давая музыке зазвучать у нее в душе.

И заиграла. Мелодия поднималась из самого сердца, из души, из бегущей по жилам крови, из бушующих в ней страстей. Неторопливая, ритмичная, нежная — из струн словно струилась колдовская сила, бросая вызов тому, что было за стеклом, что таилось во тьме.

Она стояла в окне, словно в раме, позади плясал огонь, и она играла то, что манило и одновременно отталкивало *его*, а ее верный пес преданно нес свою вахту, пока подруги спали, пока по небу плыла луна.

Фин в темноте лежал в своей одинокой постели и слышал ее песню, и то, что поднималось из ее сердца, больно вонзалось в его душу.

И сердце его рвалось к ней.

6

Утро Брэнна посвятила домашним хлопотам, наводя по всему дому чистоту и блеск в соответствии с тем, что Коннор частенько именовал вселяющими ужас стандартами чистоты. Ну да, она и не скрывала, что считает себя приверженцем порядка и здравого смысла и всегда чувствовала себя лучше, когда окружающая обстановка отвечала не только ее требованиям к порядку как таковому, но и представлениям о хорошем вкусе.

Ей нравилось знать, что вещи лежат на своих местах и их легко достать — по ее мнению, такой практичный подход экономит кучу времени. А для приподнятого настроения порядок должен быть дополнен яркими пятнами и приятной фактурой — всеми теми вещицами, что радуют глаз и услаждают душу.

Да, все это требует усилий и времени, но Брэнна любила домашние «бдения», их простую, незамысловатую рутину. Ей нравилось, отполировав мебель составом собственного приготовления, вдыхать легкий аромат апельсиновой корки, а почистив ванну — ловить ноздрями запах грейпфрута.

Взбитые подушки так и манили, а аккуратно застеленное красивое покрывало радовало глаз.

Закончив с уборкой, она расставила всюду новые свечи, полила цветы и пополнила запас торфяных брикетов в допотопном медном ведре.

Перед тем как ехать на работу, Мира с Айоной навели порядок на кухне, но... не совсем так, как она привыкла.

Одним словом, пока белье стиралось и сушилось в машинах, Брэнна хлопотала по дому, попутно составляя в уме список необходимых покупок на рынке и еще один — список потенциальных новых продуктов для лавки. Увенчалась уборка мытьем пола в кухне. Она терла пол и напевала себе под нос.

И учуяла его.

Сердце учащенно забилось, но она заставила себя размеренно обернуться и ровным тоном поприветствовала стоящего на пороге Фина.

— Веселенький мотивчик, как раз для уборки.

— А я люблю убираться.

— И для меня это всегда было загадкой. Как и то, что тебе каким-то чудом удается даже в процессе уборки так прелестно выглядеть. Я ничего не перепутал? Мы ведь сегодня утром собирались поработать?

— Не перепутал, не перепутал, просто я ждала тебя чуть позже. — Брэнна демонстративно продолжила орудовать шваброй. — Иди-ка поставь в мастерской чайник. Я почти закончила.

Что ж, утро в свое распоряжение она получила, побыла одна, занялась чем хотела. Теперь надо приступать к обязанностям. И она поработает с Фином, поскольку это все равно надо сделать. С этим она не примирилась, как и с тем, что он стал частью их команды.

«Обязанности. Они редко бывают легкими», — подумала она. Достижение цели такого масштаба, как та, что стояла сейчас перед ними, требовало жертв.

Брэнна убрала швабру с ведром, отнесла в стирку тряпку, которая на время уборки была заткнута за пояс ее брюк. С минуту постояла, собираясь с мыслями, и вошла в мастерскую.

Он успел раздуть огонь, и в комнате было тепло и уютно. Еще совсем недавно от присутствия Фина в ее мастерской, от того, как он по-хозяйски хлопочет над чайником, Брэнна была бы взбудоражена, но теперь это прошло.

Куртку он снял и остался в черных брюках и зеленом свитере, оттенком напоминающем глубину лесной чащи, а рядом стоял пес.

— Если намекаешь на печенье, надо сперва хозяйку спросить, — разговаривал он с собакой. — Учти: я не говорю, что ты его не заслужил. И не запрещаю тебе улечься перед огнем. — Он оторвался от чайника и улыбнулся псу. — Ах, я ее боюсь? Ну, знаешь... таким оскорблением ты вряд ли поднимешь свои шансы на угощенье, согласен?

Его способность наравне с ней читать мысли Катла всегда приводила Брэнну в тихое замешательство.

Так же как она, не оборачиваясь, определила его появление на кухне, теперь он почувствовал, что она вошла, и повернулся к ней.

— Вот, выклянчивает лакомый кусочек, чревоугодник! Только что слово «печенье» не говорит...

— Надо думать. А не рановато ли для печенья? — Она выразительно посмотрела на собаку. — Но, конечно, одну штучку дать можно.

— Я знаю, где лежит. — Фин открыл буфет, достал жестяную банку и снял с нее крышку. И не успел он выдать Катлу его порцию угощения, а тот уже встал на задние лапы и положил передние Фину на плечи. Заглянув в глаза, пес лизнул его в щеку.

— Да не за что, — пробурчал Фин. — Не я его пек... — Пес, игнорируя эти тонкости, опустился на четыре лапы и принялся грызть печенье.

— Сердце у него храброе и доброе, — улыбнулась Брэнна. — Он обожает детей и очень терпелив с ними. Но в числе тех, кого он любит — по-настоящему любит, — лишь несколько человек. И ты среди этих избранных.

— Просто он готов отдать за тебя жизнь и понимает, что я — тоже.

Хм! Брэнна поежилась — замечание попало в самую точку, она отдавала себе в этом отчет.

— Раз так, давай приниматься за дело, чтобы никому не пришлось умирать, — ровным голосом проговорила она, отвернув лицо, и потянулась за ведовской книгой.

Как и положено, книга лежала удобно, чтобы ее можно было достать — такую толстую и зачитанную.

Фин закончил возиться с чаем и принес на стойку две полных кружки.

— Если ты думаешь, что на этот раз нам следует изменить состав зелья, то ты ошибаешься.

— Но ведь он уцелел, так? — Брэнна задумчиво потерла переносицу.

— Дело не в зелье.

— Тогда в чем?

— Если бы я знал наверняка, все бы уже было сделано. Но я знаю, что мы повергли его в ужас, причинили ему боль, сильную боль. Он обгорел, он истек кровью...

— И едва унес от нас ноги. Не надо! — прервала она Фина. — Не надо мне говорить, что ты бы смог его прикончить, если бы мы дали тебе за ним последовать. Это не вариант. Ни тогда, ни сейчас, ни в будущем.

— А тебе не приходило в голову, что это единственный способ достичь цели? Что только я, в ком течет одна с ним кровь и кто носит его печать, могу завершить начатое вашим родом, который меня проклял?

— Не приходило, потому что это никакой не единственный способ.

— Ты так в этом уверена, Брэнна?

— В этом я больше чем уверена. Это записано в книге Сорки, передавалось из поколения в поколение. Его должны уничтожить потомки Сорки. И они это сделают. По сравнению со всеми, кто пытался сделать это до нас, мы имеем одно важное преимущество. И это преимущество — ты.

Говоря это, она делала над собой усилие, чтобы сохранять спокойствие и рассудительность.

— Я глубоко убеждена, что твое участие — залог успеха нашего дела. Чтобы тот, кто произошел из его рода, думал, как его прикончить, трудился над этим вместе с тремя потомками Сорки, — такого еще не бывало. И ни в каких книгах об этом не сказано. Твое участие сделало нашу команду сильнее, это вне всякого сомнения.

— И в этом ты тоже уверена?

— На все сто, — ответила она. — Я сначала не хотела тебя вовлекать, но это была моя слабость и проявление эгоизма, за что прошу меня простить. Мы сколотили команду, и если она распадется... Думаю, вот тогда нас ждет поражение. Ты дал мне слово!

— Не исключено, что это было общей ошибкой, но слово я сдержу.

— Мы вполне можем его уничтожить. Я это знаю. — С этими словами Брэнна достала из кармана магический кристалл и повернула к свету. — Коннор, Айона и я — мы все видели первую тройку. Не просто во сне — мы с ними общались. Мы с ними связывались, и физически, и духовно, а об этом тоже нигде не написано.

Фин слышал ее слова, видел в них логику, но никак не мог избавиться от сомнений и неуверенности.

— Ты слишком большое значение придаешь книгам, Брэнна.

— Придаю, потому что слово, начертанное на бумаге, обладает большой силой. И тебе это известно не хуже, чем мне. — Она положила руку на книгу. — Все ответы здесь, и те, что уже написаны, и те, что запишем мы сами.

Она раскрыла талмуд, пролистала.

— Вот здесь я записала, как мы с тобой путешествовали во сне к пещере Мидора и стали свидетелями его конца.

— Для нас это еще не ответ.

— Это приведет нас к ответу, когда мы туда вернемся.

— Вернемся? — оживился он. — К той пещере?

— Нас с тобой туда перенесли. Если бы мы переместились туда осознанно, это дало бы нам куда больше, мы бы больше узнали и увидели. Про этого Мидора я нигде ничего не могу найти. И дочери Сорки — Брэннног — это имя ничего не сказало. Надо его отыскать.

Фин и сам хотел вернуться в пещеру, думал об этом что ни день, и тем не менее...

— Мы не знаем ни времени, ни места. У нас нет никаких ориентиров, Брэнна!

— Это можно поправить, надо только поработать. И мы сделаем так, чтобы ребята при необходимости смогли нас оттуда вернуть. Сам подумай, Фин: отец Кэвона! Сколько от него можно получить ответов!

— Да, ответов безумца. Ты же сама видела: он не в себе.

— Да ты сам бы туда отправился, если б мог, признайся! Но мы должны сделать это вдвоем.

С этим Фин спорить не стал.

— В той пещере была сама смерть.

— Здесь тоже смерть, и никаких ответов. Зелье надо изменить — нет, не основные ингредиенты, тут я с тобой согласна. Но то, что мы делали, было предназначено специально для Сауина. Ты что, станешь для новой попытки дожидаться следующего Сауина?

— Нет, не стану.

— Вот время для меня по-прежнему загадка, я не вижу, в какой момент мы можем на него напасть, а ты, Фин? Без ответа на этот вопрос мы так и будем действовать вслепую. — Она встала и заходила по комнате. — Я думала, хороший момент — солнцестояние, в этом была своя логика: свет побеждает тьму. Потом удачным моментом показался Сауин — когда граница двух миров так истончается.

— Мы их видели, первую тройку. Граница истончилась, и мы видели, что они с нами. Но не полностью, — добавил он, словно прочтя ее мысли.

— Я вот думаю, может, солнцестояние — это правильно, только не летнее, а зимнее? Или весеннее равноденствие? А может, Ламмас или Белтейн?[1] Или ни то, ни другое, ни третье?

Ее охватило возбуждение и злость на себя, на свои неудачи. Она развернулась к нему.

— Я так и вижу нас возле домика Сорки, вижу, как мы сражаемся. Туман, мрак, объятые огнем руки Бойла, ты, истекающий кровью... И вижу, как мы провалились — из-за того, что я сделала неверный выбор.

Он насмешливо хмыкнул и поднял брови.

— Так это ты во всем виновата, да?

---

[1] Ламмас — традиционный праздник урожая, 1 августа. Белтейн — один из четырех сезонных праздников, 30 апреля или 1 мая.

— Не забывай, это я выбрала дату, причем оба раза. И оба раза ошиблась. Все мои тщательные расчеты оказались ложными. Так что на этот раз надо быть более чем уверенными. Это уже будет третий раз.

Брэнна выдохнула и улыбнулась.

— Ну вот, я все сказала. То, что нам нужно, может находиться там, у той пещеры, если мы сумеем туда вернуться. Ну что, Фин, отправишься со мной в сон? Путешествовать?

«В преисподнюю и обратно», — подумал он.

— Да, но сперва надо убедиться, что у нас есть надежное сонное заклятие. И еще — что мы безоговорочно сумеем вернуться. Не хочу, чтобы ты где-то там затерялась.

— Никто не затеряется — ни ты, ни я. Я этого не допущу. Мы все продумаем и будем действовать наверняка — и отправляясь туда, и возвращаясь назад. Итак, время — Кэвоново, когда он еще только зародился, с этим ты согласен?

— Согласен. — Фин вздохнул. — Из чего я заключаю, что ты опять будешь пускать мне кровь.

— Всего каплю. — Ее брови поползли вверх. — Столько шуму из-за какой-то там капли крови? И это — мужчина, который совсем недавно обещал отдать за меня жизнь?

— Отдать жизнь — да, но лучше не по капле. — Он стал стягивать с себя свитер.

— Нет, — остановила она. — Не из отметины. Фин, мы говорим о его происхождении. В самом начале никакого знака на нем быть не могло.

— Но если нужна *его* кровь, то лучше брать из этого места.

Она сделала то, что позволяла себе крайне редко: подошла и накрыла ладонью то место у него на руке, где была метка.

— Не отсюда. — Она сделала паузу и заговорила более ровным голосом. — Возьмем твою кровь из ладони твоей, мою же возьмем из ладони моей. Пусть кровь от обоих сольется в одну, и станем готовиться к общему сну.

— Ты, вижу, уже и заклинание составила?

— Так, обрывки, все приблизительно и пока только в голове. — Она улыбнулась, погруженная в свои мысли настолько, что забыла отнять руку. — Когда я делаю в доме уборку, я все время думаю.

— О, ну, тогда приезжай ко мне и думай в свое удовольствие — твой братец оставил в комнате жуткий бедлам.

— Мой брат — лучший из всех мужчин, кого я знаю. И непревзойденный неряха. Он просто не замечает, какой после него остается беспорядок. Такое еще уметь надо! И с этим несчастной Мире придется бороться всю жизнь — если она, конечно, станет бороться. Боюсь, это тот случай, когда бороться бессмысленно, все равно проиграешь, а нервы себе потреплешь...

— Коннор говорит, они намечают свадьбу на солнцестояние. А играть хотят здесь, на поле за домом.

— Что ж, это в их духе... Таким любителям природы этот вариант отлично подходит. — Брэнна отвернулась, чтобы взять чашу и самый маленький из своих ведовских котлов.

— Они и друг другу подходят.

— Еще как. Только почему-то для них самих это стало большой неожиданностью. Если прибавить Бойла с Айоной, то выходит, что предстоящая весна и лето у нас — сезон свадеб и новых начинаний. А все остальное с божьей помощью останется далеко позади.

Она достала нужные травы, высушенные и засыпанные в герметичные банки, дождевую воду, которую собрала в полнолуние, и экстракт валерианы.

Фин поднялся и принес ступку с пестиком.

— Я сделаю, — сказал он и стал отмерять травы.

Какое-то время работа шла в тишине.

— Ты здесь никогда музыку не заводишь, — заметил он.

— Музыка меня отвлекает, но если хочешь, можешь принести из кухни айпод.

— Да нет, все нормально. Просто вспомнил... Вчера вечером ты играла. До поздней ночи.

Брэнна вздрогнула и оторвалась от работы.

— Играла. А ты откуда знаешь?

— Я тебя слышу. Ты часто играешь вечерами, до глубокой ночи. И чаще всего — что-то печальное и красивое. А вчера было не печальное, а сильное. И все равно красивое.

— Тебе же не должно быть слышно!

Фин поднял глаза и поймал ее взгляд.

— Есть такие связи, которые нельзя разорвать, как бы тебе этого ни хотелось, как ни старайся. В какую бы даль меня ни заносило, я все равно временами слышал, как ты играешь, и очень отчетливо, как если бы ты стояла рядом.

От этих слов у нее заныло сердце.

— Ты никогда не говорил...

Он лишь пожал плечами.

— Не раз твоя музыка приводила меня домой. Наверное, так и должно быть... В чашу или котелок?..

— Что?

— Я растолок травы. Куда ссыпать — в чашу или в котелок?

— В чашу. А в последний раз что тебя домой привело?

— Я увидел Аластара и сразу понял, что он нужен. Поторговался и купил, организовал перевозку. Но мне возвращаться было еще рано. Потом я увидел Анью и понял: она для Аластара, и... не только. Меня поразила ее красота, ее душа, и я подумал, она должна отправляться домой, но самому мне опять было рано. Потом в Ирландию приехала Айона, объявилась в Мейо, пешком дошла через лес, минуя поляну Сорки, до самого вашего дома. В дождь, в розовом плаще, охваченная возбуждением, и надеждой, и еще не раскрытыми колдовскими способностями...

Ошеломленная, Брэнна замерла.

— Ты ее увидел...

— Я увидел, что она пришла домой, пришла к тебе, и понял, что и мне пора. *Он* тоже должен был ее видеть. И понять. И должен был явиться. А с вами тремя у меня появлялся шанс покончить с ним раз и навсегда.

— Как же ты смог увидеть Айону? И все эти детали... Вплоть до розового плаща... — Брэнна машинально тронула свои волосы, потянула за шпильки — и поспешила воткнуть их на место. — Она же не твоего рода! Ты задавал себе вопрос, как это стало возможно?

— Я себе много вопросов задаю, но не всегда у меня есть на них ответы. — Фин снова пожал плечами. — Кэвон знал, что она — из тройки, так что, возможно, через него я и увидел. И тоже узнал.

— Вот тебе лишнее доказательство, что твоя принадлежность к его роду делает нашу команду сильнее. Это чтоб ты поменьше сомневался. — Брэнна зажгла свечи, потом горелку под котелком. — На медленном огне прокипит лучше. Пусть поварится, пока мы пишем слова.

Вошедший к ним Коннор не издал ни звука, настолько воздух был пронизан волшебством. Брэнна с Фином стояли, держа руки над котелком, откуда поднимался бледно-голубой дымок.

— Усни, чтоб видеть сны, во сне быстрей лети, лети, чтоб отыскать, найди, чтоб все узнать. — Она повторила текст три раза, Фин — вслед за ней.

— Усните как один, чтоб видеть как один, чтоб правду отыскать, чтоб истину познать.

Сквозь дымок замерцали звездочки.

— Нам звезды светом путь зальют, а после к свету приведут. — Брэнна указала на узкий прозрачный флакон.

Из котелка поднялась струя жидкости, такая же голубая и переливающаяся звездами, как дым, и изящной дугой вошла в горлышко. Фин тут же запечатал флакон.

— Готово. Сделали. — Она выдохнула.

— Новое сонное зелье? — Коннор решился наконец обнаружить свое присутствие. — Когда выступаем?

— Это еще не для того. Пока — нет. — Брэнна опять запустила пальцы себе в волосы, тихонько себя обругала, но на сей раз вынула шпильки и распустила узел. — А который час? Черт. Черт побери! На что мы целый день убили?

— Вот на это самое. — Фин показала на бутыль. — Чуть голову мне не оторвала, когда я посмел предложить сделать перерыв и пообедать, — пожаловался он Коннору.

— Когда работает, она на это способна, — согласился тот и ободряюще похлопал Фина по плечу. — Не горюй, приятель, еще есть надежда на ужин. — Он просительно взглянул на сестру. — Или нет?

— Ох уж эти мужчины! Рабы желудка! — Она убрала флакон в шкаф, чтобы зелье настаивалось. — Сейчас что-нибудь изобразим, нам всем неплохо бы обсудить то, что мы с Фином сегодня придумали. А вам ненадолго надо убраться из дома.

— Я же только приехал! — взмолился Коннор.

— Ты ужинать хочешь или нет? Хочешь, чтобы я его приготовила? Тогда дай мне возможность заняться этим на свободе, без соглядатаев....

— Спасибо за соглядатаев, ты очень любезна. А пивка взять, прежде чем...

Фин взял приятеля под локоть, на ходу схватил куртку.

— Пиво я тебе поставлю в пабе, поскольку мне не мешает пройтись и продышаться. И тоже пропустить пивка.

— Ну, раз ты так ставишь вопрос...

Катл вслед за ними затрусил к двери, и Брэнна помахала всем троим.

— Ему бы тоже надо прогуляться. И раньше чем через час не возвращайтесь. И другим передайте!

Не дожидаясь ответа, Брэнна удалилась на кухню.

«Какая чистота, — подумала она, — и какая дивная тишина — после стольких часов работы и колдовства». Ей бы провести этот час за бокалом вина у камина, ничегошеньки не делая... Но она утешила себя тем, что любит хлопотать по хозяйству.

Она сосредоточенно постояла, прижав ладонь ко лбу, и очистила сознание от ненужных мыслей.

Так, а на ужин что?.. Можно потушить куриное филе с приправами и вином, запечь красный картофель в оливковом масле с розмарином, а еще у нее есть в морозильнике зеленая фасоль из собственного огорода — ее можно поджарить в миндальной крошке. На дрожжевой хлеб времени нет, а до свежего хлеба тут все большие охотники, так что, пожалуй, она испечет на скорую руку пару буханок на пиве. Это всех устроит.

Первым делом Брэнна как следует отмыла картошку, нарезала на ломтики, выложила в противень с маслом и пряными травами, добавила чуточку перцу, тертого чесноку и сунула в духовку. Замесила тесто для хлеба, оставив немножко пива для жаркого, обильно смазала сверху растопленным сливочным маслом и тоже отправила в духовку.

Куриные грудки были из морозилки — она движением руки их разморозила, после чего полила маринадом, который стоял у нее наготове в бутылке.

Убедившись, что ничего не упущено, Брэнна налила себе вожделенный бокал и стоя сделала первый глоток. Потом решила, что немного свежего воздуха и небольшая прогулка ей тоже не помешают, надела куртку, замотала шею шарфом и с бокалом в руке вышла на улицу.

«Холод какой, — подумала она, — и ветер». Но после жары, какую они с Фином устроили у нее в мастерской, это даже неплохо. С развевающимися на ветру волосами она обошла свой сад позади дома, представляя себе, где и какие цветы станут по весне радовать ее глаз, а где зазеленеют овощные грядки.

Она отметила, что кое-где еще цветут розы и, конечно, анютины глазки, которые, если удачно перезимуют, покажут свои веселые мордашки прямо из-под снега и льда. Декоративная капуста. Желтые и оранжевые цветки календулы, которую она так любит за яркость цвета и островатый вкус.

Завтра можно будет сварить суп и кинуть туда немного этих лепестков, а заодно и добавить пару морковок с грядки, которую она замульчировала, чтобы не вымерзла за зиму.

Даже зимой сад ее радовал.

Так Брэнна потягивала вино и бродила по саду, не обращая внимания на тени, которые вдруг сделались гуще, и туман, вплотную обступивший дом.

— Тебя сюда никто не приглашал, — спокойно проговорила она и достала из кармана нож, чтобы срезать пару веток календулы, несколько кустиков львиного зева и анютиных глазок. Украсим стол небольшой композицией из зимних цветов, решила она.

— Ничего, еще пригласят. — Перед ней, улыбаясь, стоял Кэвон во всей красе, а алый камень в его подвеске поблескивал в сумеречном свете. — Ты сама захочешь меня пригласить к себе в дом. И в свою постель.

— Ты еще не оправился от последнего «приглашения», да и вообще, по-моему, у тебя бред. — Теперь она повернулась к нему лицом и, демонстративно отхлебывая вино, принялась его бесцеремонно разглядывать. — Тебе меня не обольстить.

— Насколько же ты выше их всех! Мы-то это знаем, ты и я. А со мной ты вознесешься на невиданную высоту. Какую и вообразить невозможно. Я подарю тебе все наслаждения, которых ты себя лишаешь. И я могу выглядеть как он.

Кэвон повел рукой перед ее лицом. И теперь ей улыбался Фин.

В сердце Брэнны будто вошел кинжал — словно она пронзила его ножом.

— Это всего лишь оболочка.

— Я и говорить могу как он, — произнес он голосом Фина. — Любовь моя. Жизнь моя! — проговорил он на ирландском. Именно такие слова когда-то шептал ей Фин.

От этих слов нож в ее сердце как будто повернулся. Сделалось еще больней.

— Думаешь, от этого я слабее? Искушаешь, чтобы я тебе открылась? Да я никого в жизни не презираю так, как тебя! Из-за тебя я больше не принадлежу ему.

— Ты сама так решила. Ты меня прогнала. — Внезапно перед ней оказался восемнадцатилетний Фин, до того юный, до того убитый горем, охваченный негодованием... — Я так и не понял, чего ты от меня хотела. Я тебя не предавал. Не отворачивайся от меня! Не отвергай меня!

— Ты не сказал мне, — неожиданно для себя произнесла Брэнна. — Я отдала себя тебе, тебе одному, а ты оказался из *его* рода. Ты принадлежишь *ему*.

— Я не знал! Откуда я мог знать? Это пятно само появилось, Брэнна, оказалось выжжено на моей руке. Его не было, пока мы не...

— Пока мы не занялись любовью. Прошло больше недели, а ты мне ничего не сказал и говоришь это только теперь, когда я увидела сама. Я же одна из *трех!* — Ее душили слезы, но голос не дрогнул. — Я Смуглая Ведьма, дочь Сорки. А ты — из рода Кэвона, порождение тьмы и страданий. Своим обманом и тем, кто ты есть, ты разбил мне сердце.

— Плачь, ведьма! — прошептал он. — Выплакивай свою боль. Подари мне свои слезы.

Брэнна очутилась с ним лицом к лицу, на самом краю защищенного от злых сил участка. Перед ней было лицо Кэвона. И лицо это было озарено темной силой, а красный камень светился ярче.

Она почувствовала, что в ее глазах стоят слезы. Собрав всю волю, она заставила себя подавить рыдания и высоко подняла голову.

— Я не плачу. Ты ничего от меня не добьешься! Только вот это...

Брэнна выбросила вперед руку, сжимавшую садовый нож, и сумела хоть и неглубоко, но порезать ему грудь, а другой рукой вцепилась в его подвеску. Земля у нее под ногами заходила ходуном; цепочка, на которой висел камень, обожгла руку холодом. На какое-то мгновение его глаза вспыхнули таким же красным светом, потом туман закружил, огрызнулся клыками, и Брэнна осталась стоять, сжимая нож со следами крови на острие.

Она взглянула на другую ладонь — поперек нее шел ожог. Брэнна сжала кулак, собралась, согрела ледяной ожог, уняла боль, залечила рану.

И пускай у нее дрожали руки — ничего постыдного в том не было, — но она все же подняла с земли цветы и оброненный бокал.

— Эх, вино даром пропало! — тихо проворчала она, шагая к дому.

«Вино, но не время», — подумала она.

Когда приехали ребята, Брэнна уже успела помешать картошку, вынуть из духовки хлеб и налить себе новый бокал.

— Поручи мне что-нибудь, — сказала Айона, моя руки, — только такое, чтобы никто потом не расстроился.

— Можешь натереть чеснок — вон там.

— Это я могу. Или порезать.

— Натереть.

— С тобой все в порядке? — тихонько спросила Айона. — Ты что-то бледная.

— Все нормально, честное слово. Мне надо кое-что вам всем рассказать, но сперва закончим готовить ужин.

— Ладно.

Она сосредоточилась на готовке, давая голосам друзей обвевать ее со всех сторон, пока она работает. Просить о помощи не требовалось — гости и без этого накрыли на стол, разлили по бокалам вино, выложили еду на блюда и в миски.

— А есть у тебя, к примеру, список покупок? — спросила Мира, в то время как эти блюда и миски перекочевали со стойки на стол. — Если нет, не могла бы ты его составить, я бы тогда ездила для тебя на рынок. Если ты, конечно, не против.

— Ты бы ездила для меня на рынок?

— Отныне мы все будем делать это по очереди. Ну, раз ты вынуждена без конца на всех нас готовить. Хватит нам сачковать и ограничиваться только уборкой на кухне да мытьем посуды. Теперь в наши обязанности будет входить еще и рынок.

— Я начала составлять список... Собиралась завтра ехать.

— Завтрашние покупки я беру на себя, если ты не возражаешь.

— Конечно, не возражаю.

— А заодно могу забросить что-нибудь в твою лавку, если есть что.

Брэнна хотела что-то сказать, потом оглядела собравшихся и прищурилась.

— Что все это значит? Ехать на рынок, везти товар в лавку, а? Вы что, сговорились?

— Да вид у тебя больно усталый. — Бойл насупился, видя, как Коннор закатил глаза и вздохнул. — Слушай, что ходить вокруг да около?

— Большое спасибо, что сказал! — огрызнулась Брэнна.

— Тебе правда нужна или ласкающие слух увертки? — Бойл нахмурился еще больше. — У тебя усталый вид — и точка.

Покачав головой, Брэнна провела ладонями по лицу и мгновенно преобразилась. Теперь она только что не светилась.

— Ну вот, теперь получше.

— Ты устала душой, а не телом, — вставил Фин.

Она открыла было рот, чтобы на него наброситься, но Коннор, как рефери, вскинул руки.

— Ой, Брэнна, оставь! Ты бледная, глаза не смотрят... Мы за тобой внимательно следим! — Она начала подниматься, но брат выставил вперед палец и легким энергетическим толчком через весь стол вынудил ее снова сесть.

Брэнна зарделась, теперь уже безо всякой магии.

— Что, решил со мной силой помериться?

— А ну, прекратите оба! — прикрикнула на них Айона. — Довольно! То, что ты выглядишь усталой, имеет под собой все основания, учитывая, какой ты тянешь воз, а мы имеем полное право тебя немного разгрузить. Подумаешь, большое дело — съездить на рынок, убраться, сделать что-то по дому. Мы же это для того, чтобы ты могла хоть чуточку передохнуть, черт возьми. Так что перестань ершиться!

Брэнна опешила.

— Ты, кажется, еще совсем недавно каждые две минуты извинялась. И вот уже командуешь направо и налево.

— Я развиваюсь. И я тебя люблю. Мы все тебя любим!

— На рынок сгонять мне в охотку, — сказала Брэнна, на сей раз спокойнее. — И по дому повозиться. Я это даже люблю. Но, пока мы все заняты более важными вещами, я охотно переложу часть этих забот на кого-то еще, особенно если учесть, что Йоль совсем на носу. И пусть он станет для нас светлым и радостным! Мы постараемся.

— Значит, договорились, — подвела черту Айона. — Если ни у кого нет возражений — завтра, чур, готовлю я. — Она улыбнулась и подцепила кусочек курицы. — Думаю, вопрос можно считать решенным.

— И закрытым. — Брэнна сжала сестре руку. — Тем более что у нас есть совершенно другая тема, требующая обсуждения. Здесь сегодня побывал Кэвон.

— Здесь? — вскочил Коннор. — В доме?

— Конечно, не в доме. Не сходи с ума! Неужели ты думаешь, что он бы пробился через возведенную мной защиту? Ты, кстати, в этом тоже участвовал... Я видела его во дворе. Я вышла в сад проверить зимние посадки и немного подышать, поскольку весь день проработала в помещении. Так вот, он обнаглел настолько, что явился к границе сада, к самой черте, куда он только может подобраться. И мы с ним поговорили.

— То есть это было после того, как мы с Коннором уехали в паб, — сухо констатировал Фин. — А ты только сейчас об этом нам сообщаешь!

— Просто хотела сперва ужин подать, поскольку, при таком столпотворении на кухне, это не такое простое дело. А когда мы расселись, вы сами завели разговор о моем изможденном виде.

— «Изможденный» я не говорил, — проворчал Бойл.

— Как бы то ни было, я рассказываю вам сейчас. Точнее — готова рассказать, если Коннор перестанет выглядывать из каждого окна и вернется за стол.

— И после этого ты удивляешься, что я так неохотно оставляю тебя одну!

Брэнна испепелила брата взглядом.

— Полегче на поворотах, иначе будешь потом подавать свои оскорбительные реплики с завязанным в узел языком. Так вот. Я гуляла по саду, с бокалом вина в руке. Внезапно поменялось освещение, подступил туман.

— И ты нас не вызвала! — снова накинулся на нее Коннор.

На этот раз Брэнна сделала в сторону брата предостерегающий жест.

— Хватит перебивать! Я вас действительно не позвала, потому что мне было интересно, что же он мне хочет сказать. А угрожать мне ничто не угрожало. Тронуть меня он не мог, и мы оба это знали. Я бы не стала рисковать собственной шкурой, Коннор, но главное, и вы все это знайте, я бы ни при каких обстоятельствах не поставила под угрозу нашу команду и возложенную на нас миссию. Ни ради удовлетворения собственного любопытства, ни из гордости — нет такого, ради чего я бы пошла на риск.

— Дай ей договорить! — Мире хотелось пнуть под столом по ноге выпрыгивающего из себя Коннора, но она ограничилась тем, что положила руку ему на колено. — Не бесись. Мы знаем, что Брэнна права. И мы были готовы к тому, что он попытается к ней подступиться.

— Попытка оказалась тщетной, во всяком случае — в этот раз, — продолжила Брэнна. — Банальные заходы. Он сделает меня тем-то и тем-то, даст мне такую власть, о которой я и не мечтала, и всякий бред в том же роде. Он еще не совсем поправился, но виду не подавал, и его красный камень был послабее. Но сила в нем пока есть, и он держит ее наготове. А потом он принял облик Фина.

В молчании Фин оторвал взор от своего бокала и встретился глазами с Брэнной. Ее словно ожгло.

— Мой облик?

— Вообразил, что при виде тебя моя защита рухнет. Но у него было в запасе еще кое-что. Он хитер, он всю жизнь наблюдает за нами. Он снова поменял обличье и превратился в тебя восемнадцатилетнего. В тот самый день, когда...

— Когда мы были вместе. В первый раз. В наш единственный раз.

— Нет-нет, не в тот, а неделей позже. Когда я узнала про отметину. Все, что ты чувствовал и говорил, все, что чувствовала и говорила я, — все в точности, как было тогда... Он сумел сделать так, чтобы я это снова пережила, и сумел выманить меня с территории, где действует защита. Его камень засиял ярче, и сам он прибавил в могуществе. И стал наглее — откуда ему было знать, что у меня достанет сил пырнуть его садовым ножом. Я схватила цепочку его подвески и тут увидела в его глазах страх. Он испугался. И дал деру. Растворился в тумане, так что мне не удалось удержать цепь в руках, и я не успела ее разорвать.

Она помолчала.

— Эта цепь как лед. До того холодная, что мне руку обожгло. — Брэнна посмотрела на свою ладонь. — И когда она была у меня в руке, эта цепочка, я ощущала исходящую от него черную силу, его голод, а главное — его страх.

Коннор схватил ее руку и стал изучать шрамы.

— Я уже все сделала, — успокоила она его. — От звеньев оставались царапины.

— А говоришь, не стала бы собой рисковать!

— Я и не рисковала. Коннор, он не мог меня тронуть! А если бы в тот момент, как я ухватилась за цепь, он проявил достаточное проворство и схватил бы меня, то преимущество все равно оказалось бы на моей стороне.

— Уверена в этом, да? — Фин поднялся, обошел стол и протянул руку. — Дай посмотреть! Если какая-то крупица его осталась, я это увижу.

Брэнна, ни слова ни говоря, дала ему руку и сидела смирно, хотя кожей, каждой жилкой ощущала прилив тепла.

— А если бы он выхватил у тебя нож? — спросил Бойл. — И обратил бы его против тебя? Порезал бы тебе руку, когда ты схватилась за цепь?

— Выхватил у меня нож? — Брэнна взяла в руку столовый нож. И превратила его в белую розу. — Он сам дал мне шанс. Я этим шансом воспользовалась, а ответного не дала. — Она посмотрела на Фина: — По-моему, никакого яда не было.

— Похоже, нет. — Фин отпустил ее руку и вернулся на свое место. — Чисто.

— Он нас боится. Сегодня я это узнала. То, что мы уже сделали, вред, который причинили, внушает ему страх. Он насосался кое-какой энергии из моих эмоций, этого я не отрицаю, но за это поплатился кровью. И унес ноги.

— Он вернется. — Взгляд Фина на нее был тревожным и пристальным. — И страх заставит его нанести удар посильнее — по самому источнику этого страха.

— Он будет возвращаться и возвращаться, пока мы его не прикончим. Он, конечно, может ударить сильнее, но чем больше он боится, тем слабее делается.

7

Он собрался на ястребиную охоту. Оседлает Бару, свистнет своего Мерлина — и вперед. Целое утро в его распоряжении. Такое решение Фин принял за утренним кофе, когда восход еще только окрасил восточную половину неба.

Сонное зелье у них уже есть, и, хотя работы еще хватало, сейчас ему, видит бог, необходимо побыть одному, отдельно от Брэнны. Одно утро ничего не изменит.

— И оно наше, как ты считаешь? — для поддержки спросил он Багса, распластавшегося на полу у его ног и упоенно грызущего «косточку» из сыромятной кожи, которую Фин купил ему на базаре в минуту слабости. — Можешь тоже пойти, будет полный комплект. Конь, собака и ястреб. Мне позарез нужна такая прогулка — быстрая и далекая.

А если на него выползет Кэвон — что ж, он ведь не специально на поиски отправляется! Ни в коем случае.

Раздался стук в дверь, Фин обернулся. Он ожидал увидеть через стекло кого-то из конюхов, обычно это они к нему ходят с заднего хода. Но нет, это оказалась Айона.

— Ранняя пташка!

— Да уж, ни свет ни заря. — Улыбка на ее лице сияла ярче рождественской ели. — Еду в аэропорт бабулю встречать.

— Ах, ну да, я и забыл, она же сегодня прилетает. Кажется, до Нового года пробудет?

— Йоль, Рождество, Новый год... До второго января. Жаль, что не дольше.

— Вот тебе радость-то. Ну и нам, конечно. А весной, на свадьбу-то, опять приедет?

— А ты как думаешь? Я ее уговаривала не уезжать, а пробыть тут все это время, но куда там. Хотя, наверное, так-то оно и лучше. С учетом всего...

— От греха подальше.

— Вот-вот. Остановиться у Брэнны тоже наотрез отказалась. Вот, повезу ее к какой-то ее приятельнице, Маргарет Мини зовут. Незнаком?

— Маргарет Мини? Да это же моя первая учительница, учила меня писать и считать. И до сих пор, как встретит на улице, непременно напомнит, чтоб не сутулился. Миссис Мини — учитель от бога. Кофе?

— Спасибо, уже. А, тут и Багс! Привет, животинка!

Она присела на корточки потрепать «животинку» по холке под немного смущенные оправдания Фина:

— Да вот... забегает...

— Как здорово! В компании веселей. А меня писать и считать учила не миссис Мини. — Она подняла на него глаза. — И я в отличие от всех вас росла совсем в другом месте. И прошлое у меня другое.

— Это не отменяет факта, что теперь мы все вместе.

— Да. И я не перестаю этому поражаться. Для меня это какое-то чудо — эта наша семья. Ты, Фин, мне тоже родной, но у меня нет общего прошлого с тобой или с Брэнной, как у других, поэтому, думаю, мне позволительно сказать то, что другие не могут. Или скажут, но по-другому. Он использовал тебя — то, что было между вами, — чтобы добраться до нее. И это тебя уязвляет, причиняет тебе не меньшую боль, чем ей. Вот.

Она выпрямилась.

— Тебе было бы проще умыть руки, предоставить все нам троим. Но ты так не сделал. И не сделаешь. Отчасти потому, что у тебя самого есть потребность исправить несправедливость — несправедливость, совершенную по отношению к тебе. Отчасти — ради семьи, ради твоих друзей, ради твоей команды. Но главное — и это перевешивает все остальное — ради Брэнны.

Фин оперся на стойку, сунул руки в карманы.

— А не много ль причин?..

— Но они все в тебе! Я не росла с вами, не видела, как вы с Брэнной влюбились друг в друга, каково вам было расстаться... Но я вижу, какие вы теперь — и ты, и она. И с моей точки зрения, она делает ошибку, что запрещает себе любить тебя, лишая себя радости жизни. Пускай на то куча резонов, но все равно это неправильно. И ты, Фин, тоже не прав. Ты не прав в том, что убежден — не спорь! — что она это делает, чтобы тебя наказать. Будь это так, Кэвон не стал бы превращаться в тебя, чтобы сделать ей побольнее. Ну все, мне пора.

— Спасибо тебе. — Фин обнял ее, взял за подбородок, поцеловал. — Все ты правильно говоришь. А если б еще и готовить умела... Клянусь, превратил бы Бойла в осла, а тебя забрал бы себе.

— Ловлю на слове! — раскатилась веселым смехом Айона. — И буду держать тебя про запас. Скоро Рождество, отметим его по-семейному. Я знаю, ты — да и Брэнна — с большей охотой отправились бы в свое сновидение прямо сейчас. Но Коннор вчера правильно сказал. Семейный праздник мы должны провести по-семейному, честь по чести устроим веселье, со всеми гирляндами, светом и музыкой. А *он* пускай обзавидуется.

— Вчера мы оказались в меньшинстве, но я твою позицию понимаю.

— Хорошо. — Она взялась было за ручку двери, но обернулась.

— Тебе надо закатить вечеринку, вот что! У тебя такой дом — так и просит гостей! Ммм? Допустим, на Новый год.

— Вечеринку? — Неожиданное предложение поставило Фина в тупик. — На Новый год? Здесь?

— Ну да. Здесь. А что? Не понимаю, как это мне раньше в голову не пришло. Надо прогнать прошлое, впустить в дом новую жизнь... Да, точно: это должна быть новогодняя ночь. Пошлю-ка я Бойлу эсэмэсочку. А тебе мы поможем это все провернуть.

— Я...

— Все, меня нет, побежала.

Айона юркнула за порог и захлопнула за собой дверь, предоставив ему недоуменно хмурить брови.

— Черт возьми, Багс, похоже, нам с тобой скоро гостей принимать.

Фин решил поразмыслить над предложением после. Над предложением и всем, что оно за собой повлечет. Все-таки прогуляться верхом ему сейчас необходимо. Он выберется наконец из четырех стен, позволит жеребцу самому выбирать дорогу, пустит Мерлина парить в небе и искать добычу. И немного порадует малыша Багса своим вниманием.

А на обратном пути заскочит на конюшню, потом наведается в соколиный питомник и какое-то время проведет тут и там. Если после всего еще останется время, можно будет заехать к Брэнне и предложить помощь в мастерской. Хотя Фин подозревал, что, подобно ему, Брэнна предпочтет провести весь сегодняшний день врозь.

На конюшне, седлая своего вороного, он перебросился парой фраз с Шоном: лошади, женщины, футбол, снова лошади — последние с перевесом лидировали.

Выведя Бару из денника, он задержался.

— Я, может статься, на Новый год скликаю гостей...

Шон поморгал, сдвинул кепку на затылок.

— Здесь, в большом доме?

— Ну, это-то наверняка, где же еще?

— Ага. Гости в большом доме — то есть официальный прием? С дресс-кодом?

— Да пошел ты... «с дресс-кодом»... Еще не хватало — официальный... — Хм. Этот аспект Фин не рассматривал. Надо уточнить у Айоны, чтобы не промахнуться. А то еще пролетишь мимо цели... — Навоз с сапог счистишь — и будя, про смокинг можешь забыть, — уверенно обнадежил он тем не менее Шона.

— Ага, — удовлетворенно кивнул Шон. — И музыка? Будет?

Фин вздохнул.

— Ну, как без музыки? А еще, упреждая твой следующий вопрос, — будет и еда и питье. Часиков в девять если собраться — то в самый раз. — Он свистом поднял Багса с земли и вскочил в седло.

— Прием в большом доме... — пробормотал вслед ему Шон, а Фин с ходу пустил Бару в галоп.

Обернувшись, Фин увидел, что его старинный приятель и работник стоит, почесывая в затылке, и рассматривает его дом так, будто видит его в первый раз.

Что лишний раз доказывает — давно пора в этом доме гостей принимать, заключил для себя Фин.

Они летели вперед, Багс дрожал от возбуждения, от коня, получившего в кои-то веки возможность не сдерживать шаг, распространялись флюиды удовольствия, а высоко в небе описывал круги ястреб, издавая пронзительный клич.

«И это тоже давно пора было сделать», — понял вдруг Фин.

Хотя в глубине души ему хотелось побыть в лесу, подышать его запахами, послушать пение ветвей на ветру, он все же направил коня на открытое место. Повернув в поле, плавно поднимающееся по склону холма, он пустил лошадь галопом по траве, а ястреб все это время продолжал парить в синеве.

Фин остановил скакуна и натянул на руку рукавицу. Вдвоем с Мерлином это было бы излишне, но на случай, если рядом кто-то бродит, — не помешает. Он поднял руку. И мыслями тоже устремился вверх. Заслышав безмолвный призыв, хищник нырнул, рассмешил Фина картинным пируэтом, после чего, с достоинством пернатого божества, опустился на рукавицу.

Пес с трепетом наблюдал за обоими.

— Видишь, как мы друг к другу привязались. Такие дела... Так что теперь, считай, вы тоже братья. Ну что, поохотишься? — шепнул он птице.

В ответ ястреб взмыл в небо и закружил над полем, криком оглашая окрестности.

— А мы с тобой чуток прогуляемся. — Фин спешился и спустил Багса на землю.

Пес тут же стал кататься по траве с заливистым лаем.

— Совсем молодой еще, — извинительным тоном пояснил Фин для Бара, который смерил песика сочувственным лошадиным взглядом.

Вот чего мне недоставало, пока я дома, подумал Фин, ведя коня под уздцы. Открытого пространства, свежего воздуха. Иное дело — в поездках. И пускай день выдался студеный, зато какой ясный и солнечный!

Ястреб спикировал и схватил добычу.

Фин прислонился к коню, оглядывая зеленые просторы, за которыми над крышами далеких домов вились тонкие коричневые дымки.

Вот чего больше всего недостает, когда уезжаешь подальше от дома, подумал он. Того края, где ты родился, края, которому принадлежишь телом, душой и сердцем. Недостает его зеленых лугов, волнистых холмов, серых камней и темно-бурой земли, вспаханной под посевы.

Конечно, он уедет отсюда — вынужден будет уехать, когда все закончится. Но он всегда будет сюда возвращаться, его всегда будет тянуть в Ирландию, тянуть к Брэнне, тянуть... Айона как раз об этом и говорила. Тянуть к семье.

— Ты здесь никому не нужен.

Фин продолжал стоять как стоял. Кэвона он услышал уже давно. А может быть, даже хотел, чтобы тот явился.

— Ты мой. Они это знают. И ты это знаешь. Чувствуешь.

Клеймо на его плече запульсировало.

— С тех пор как на мне этот знак, ты не раз пытался меня заманить. Завлечь на свою сторону. Прибереги свои лживые обещания для кого-то еще, Кэвон! Мне они опостылели, и сейчас я намерен наслаждаться свежим воздухом и простором.

— Ты приходишь сюда. — Кэвон шел через поле по тонкой пелене тумана, его черные одежды колыхались, красный камень на шее светился. — Уходишь подальше от них. Приходишь ко мне.

— Не к тебе. Ни теперь, ни когда-либо еще я к тебе не приду!

— Сын мой...

— Никакой я тебе не сын! — Сдерживаемый дотоле гнев вышел наружу. — Ни сейчас и никогда!

— Но это же правда. — С улыбкой Кэвон спустил плащ с плеча и продемонстрировал такой же знак. — Ты кровь от крови моей.

— Скольких женщин ты насильно склонил к близости, прежде чем зачал сына?

— Для этого понадобилась лишь одна — та, которой это было предназначено судьбой. Я подарил ей наслаждение, а получил куда больше. Брэнну я отдам тебе, если ты этого хочешь. Она снова ляжет с тобой и станет делать это так часто, как ты захочешь. Только приди ко мне, встань со мною в ряд — и она будет твоей.

— Она не твоя, чтобы ею распоряжаться.

— Но будет моей.

— Не будет, пока я жив. — Фин простер вперед руку, ладонью от себя, и сконцентрировал энергию. — Иди ко мне, Кэвон. Кровь от крови, говоришь? Иди же сюда!

Ощущение было сродни перетягиванию каната. Его энергия вспыхнула огнем, он почувствовал нарастающий жар. И, как и Брэнна, увидел мелькнувший в глазах колдуна страх. Кэвон неуверенно шагнул вперед.

— Ты мне не указ!

Кэвон скрестил руки, затем резким движением развел их в стороны. И морок развеялся.

— Они тебя предадут, ты станешь изгоем. Твое хладное тело будет лежать на земле в крови, но никто по тебе не заплачет.

Ведьмак пригнулся в гуще тумана, сгорбился и оборотился волком. Фин мысленно представил себе свой меч, который лежал в ножнах у него в мастерской. И занес его высоко над головой.

Он только открыл рот, чтобы позвать всю команду, как волк уже прыгнул вперед.

Но не на него. Не на человека с огненным мечом, излучающего могучую энергию. А на дрожащего песика, сжавшегося в комок в высокой траве.

— Нет!

Фин совершил невероятный бросок вперед, размахнулся — и рассек лишь туман, да и тот мгновенно истаял, оставив на траве истекающего кровью пса с широко открытыми от боли глазами.

— Нет, нет, нет, нет. — Фин упал на траву рядом с собакой. Раздался крик ястреба; громкое лошадиное ржание. Оба — птица и конь — устремились на волка, вновь возникшего за спиной Фина.

Зверь взвыл и снова исчез.

— О боже! — Это была Брэнна.

Он потянулся к псу, но она схватила его за руки и рывком оттащила.

— Дай мне! Пусти! Я умею целить, и собаки — это мое, — лихорадочно бросала она. Они боролись.

— Глотка, — прохрипел Фин. — Он порвал ему глотку!

— Я могу помочь псу. Фин, смотри на меня. Смотри на меня, Фин!

— Не надо меня утешать!

— Не мешай Брэнне! — Рядом с ними уже был Коннор. — Пусть попробует.

Но он уже чувствовал, как из собаки уходит жизнь, — объятый горем, бессильной яростью и чувством вины...

— Вот так, вот так, — тихонько приговаривала тем временем Брэнна, накладывая руки на распоротое собачье горло. — Давай-ка поборись вместе со мной. Услышь меня, борись за свою жизнь!

Глаза у Багса закатились. Фин слышал, как и сердцебиение замедляется.

— Он страдает.

— Лечение — это больно. Он должен бороться. — Она метнула огненный взор на Фина, вся — воплощенная сила и гнев. — Вели ему, чтоб боролся, он же твой! Я не смогу его исцелить, если он сам сдастся. Скажи ему!

Сама мысль, чтобы что-то приказывать умирающему животному, причиняла ему страдание. Но он положил ладони поверх рук Брэнны и мысленно приказал: «Борись!»

Какая боль! Брэнна чувствовала ее. Ее горло пылало, а сердце давало перебои. Она неотрывно смотрела в глаза собаки, вливала в нее свою энергию и тепло.

Начать изнутри. Латать и латать то, что порвано. В этом холодном поле, на пронизывающем ветру она вся взмокла от пота.

Откуда-то издалека донесся голос Коннора, он велел ей остановиться — рана безнадежная. Но она еще чувствует боль, а значит, надежда еще жива. И еще она чувствовала неизбывное горе человека, которого любит.

«Посмотри на меня, — жестко приказала она собаке. — Загляни в меня. Вглядись — и ты увидишь, что там — твое спасение».

Багс заскулил.

— Брэнна, он приходит в себя! — Коннор, оставаясь начеку, непрерывно следя за происходящим вокруг, положил руку сестре на плечо, передавая ей свою энергию.

Разверстая рана начала сужаться и затягиваться.

Багс чуть повернул голову и бессильно лизнул Брэнне руку.

— Ну вот, — ласково проговорила она. — Вот, молодец! Еще минуточку. Еще самую капельку. Ты должен быть храбрым, малыш! Пожалуйста, ради меня, побудь храбрым еще чуть-чуть.

Когда Багс завилял хвостом, Фин только прижался лбом ко лбу Брэнны. Они постояли так — голова к голове.

— Он поправится. Ему бы сейчас попить, и, конечно, он нуждается в отдыхе. Он...

Это произошло само собой, она не смогла сдержаться. Она обвила Фина руками и крепко прижала его к себе. Несколько секунд оба боялись пошевелиться.

— Теперь с ним все в порядке.

— Я твой должник.

— Вот ерунда! Чтоб я от тебя этого даже не слышала! Фин. — Она разжала объятия и взяла его руками за щеки. Пес весело вилял между ними хвостом.

— Теперь вези его домой.

— Да. Домой.

— Что произошло? — Коннор. — Ты можешь нам объяснить? Айоне мы велели не дергаться. Она на пути в Гэлоуэй.

— Коннор, прости, но не сейчас. — Пошатываясь, Брэнна поднялась на ноги. — Все подробности — позже. Фин, отвези пса домой. У меня есть один эликсир, думаю, он будет кстати. Я заброшу его тебе. Но на самом деле ему сейчас нужен только покой.

— А ты что, со мной не поедешь? — Фину не хотелось ее просить, ему претила сама необходимость обращаться к ней с просьбой, однако он опасался за собачонку. — Просто чтобы еще немножко за ним присмотреть? На всякий случай, а?

— Ладно. Конечно. Коннор, ты давай отвези Бару назад и забери птиц. И Катла с собой возьмите. Я скоро буду.

— Так я же...

Но Брэнна уже взяла Фина за руку. И вместе с пострадавшим животным они испарились.

— Ну, что я говорил? — Коннор сокрушенно запустил пятерню в шевелюру и поднял глаза туда, где кружил ястреб Фина и его собственный верный Ройбирд. Потрепав по голове Катла, он повернулся к вороному. — А все остальное я беру на себя.

У себя на кухне, держа на руках Багса, Фин в нерешительности остановился. С чего начать?.. Все так непривычно...

— Надо бы с него... это... кровь смыть, — сбивчиво констатировал он очевидное, взволнованный тем, что Брэнна сейчас с ним в его доме.

— Только не там! — возмущенно вскинулась Брэнна, видя, как он шагнул к кухонной раковине. — Мыть животное там, где моешь посуду?! Какой вандализм... У тебя же есть место, где ты стираешь... какая-нибудь раковина для хозяйственных нужд...

Фин, как болванчик, молча на ходу изменил направление и вышел в постирочную — всю в сверкающем белом кафеле и с двумя черными монстрами — машиной стиральной и машиной сушильной. Брэнна недремлющим оком следила за ним. Он открыл шкаф и потянулся за хозяйственным мылом.

— Господи, Фин, ну не этим же! — снова взвилась Брэнна. — Разве собаку моют хозяйственным мылом? Лучше возьми посудное — жидкое, им удобнее!

Ну а он, черт побери, разве не к мойке сразу хотел подойти с бобиком? Он хотел оправдаться, что не вандал он, но Брэнна уже хлопотала — успела снять и повесить на крючок куртку, засучила рукава, стянула в пучок волосы.

— Дай мне собаку и принеси мыло, — отрывисто приказала она. Надо же, помыкает им в его собственном доме...

Ну и пожалуйста, мысленно огрызнулся он. И очень даже хорошо. Все равно в голове каша. Он сходил на кухню и принес мыло.

— Ты молодец, уже поправляешься, — ворковала Брэнна над Багсом. Тот смотрел на нее с обожанием. — Ты просто немножко устал, и лапки у тебя дрожат. Сейчас ты примешь приятную теплую ванну, — приговаривал она, открывая воду в раковине. — Выпьешь лекарство, как следует выспишься — и будешь как огурчик.

— Никогда не мог понять, чем так хорош этот вечный огурчик... — ревниво заметил Фин и плеснул под струю воды жидкого мыла.

— Хватит, хватит, Фин, — в ужасе остановила его Брэнна, — не так много. А то потом пену не смоешь.

Он отдернул руку и послушно поставил флакон на стойку.

— У меня наверху кое-что есть — кое-какое зелье, — думаю, ему сейчас будет кстати.

— Так принеси! А я пока тут...

— Брэнна, я так тебе благодарен! — Фин переминался с ноги на ногу и не спешил бежать за своим зельем.

— Я знаю. Можешь не продолжать. Ну-ка, малыш, забирайся сюда. Хорошо, а?

— Он душ любит, — зачем-то сообщил Фин. — Мы мылись с ним...

Пес, словно бы в доказательство истинности банной легенды, сидел весь в мыльной пене и таращил на них глаза, но не пытался вырваться на свободу. Похоже даже, он млел после всего пережитого и заранее был согласен на все помывочные манипуляции... Брэнна дернулась.

— Что? Как это — вы... мылись...

— Да нет, ничего. Пойду принесу свое зелье.

— Мылись в душе?.. — с недоумением бросила она ему в спину и продолжила омовение пострадавшего. Тот то хватал зубами пузырьки пены, то кусал ей ладонь, а перед глазами Брэнны во всех подробностях предательски рисовался образ хохочущего голого Фина, мокрого, в застекленной и полной пара душевой кабине, с собакой в объятиях, под бьющими со всех сторон струями.

— Мальчишка! — Она с досадой покусала губу. — С собакой — в душ! Это ж надо додуматься! — Раздувая в себе негодование, она старалась упрятать под ним охватившее ее смятение.

Фин вернулся с красивым шестигранным флаконом, заполненным темно-зеленой жидкостью. Брэнна поманила его пальцем, он вынул пробку и дал ей понюхать.

— А, да, как раз то, что нужно. Если у тебя есть печенье, можешь капнуть на него три — нет, лучше четыре — капли, так ему легче будет проглотить все. И вообще он сочтет это за угощение. А ему оно полагается.

Фин сунул руку в карман и достал собачье печеньице.

— Ты носишь его в кармане? — поддела Брэнна. — На случай если вы с ним проголодаетесь?

— Я не знал, как долго мы не вернемся домой, — пробурчал Фин и капнул снадобья.

— Пусть немного впитается. Есть какое-нибудь старое полотенце? — Омовение подходило к концу.

Он снова вышел и вернулся с пушистым полотенцем мшисто-зеленого цвета.

— Египетский хлопок? — Брэнна округлила глаза, но было поздно, она уже вынимала мокрого пса и надо было ловить момент, пока тот не начал отряхиваться.

— Ну нет у меня старого полотенца, нет! Тоже скажешь, что вандализм? Оно же отстирается, разве нет?

— Конечно. Но все же... знаешь ли... — Аккуратистка в ней бушевала негодованием. Но делать нечего. Она быстро обсушила собаку и чмокнула в нос. — Ну что, так-то оно лучше, а? Такой чистенький и благоухаешь, как апельсиновая роща. Египетская, — язвительно прибавила она, чтобы дать выход эмоциям. — Фин, теперь давай ему угощение, он у нас, видишь, какой молодец. Храбрый мальчик!

Багс обратил к Фину обожающий, полный доверия взгляд и жадно схватил печенье.

— Эх, лучше бы сперва глоток воды... — Брэнна посмотрела вниз и оцепенела. Ее охватил неподдельный ужас. — Беллик?! Фарфор Беллик — псу под хвост?..

— Да что было под рукой... Ну и не под хвост все же... — Он смутился, взял собаку, полотенце зашвырнул на стойку, потом поставил Багса на пол перед миской с водой.

Пес принялся жадно и шумно лакать и частил языком с минуту, не отрываясь. Потом сел, отрыгнул воздух и преданно воззрился на Фина.

— Все, что ему сейчас нужно, — это поспать в тепле, — процедила сквозь зубы Брэнна, не смирившаяся с «фарфоровым простодушием» Фина.

А Фин поднял пса, схватил с ближайшего дивана подушку и бросил через весь холл на пол перед камином.

Египетский хлопок, фарфор Беллик, а теперь еще и подушка в чехле из жаккардовой ткани. Какая стильная жизнь у дворняжки с конюшни! Принц кровей да и только.

— Он устал. — Фин, как ни в чем не бывало, присел рядом с песиком, ласково поглаживая его по высыхающей шелковой ароматной шерсти. — Но ему не больно. В крови все чисто. Яда в ней нет.

— Он сейчас крепко уснет, а проснется даже крепче, чем был, — ответила Брэнна, отложив разборки со своим чувством прекрасного на потом. — Еще не добудишься. Крови он потерял изрядно.

— Вот тут у него останется шрам. — Фин осторожно провел пальцем по тонкой, зазубренной линии на шее собаки.

— У Аластара тоже шрам есть.

Фин кивнул и поднялся. Пес уже спал.

— Я твой должник.

— Ты опять за свое? Еще чего вздумал! Только нас оскорбляешь, обоих, когда так говоришь.

— Это не оскорбление, Брэнна, а выражение благодарности. Пойду-ка вина тебе принесу.

— Фин, ну какое вино в два часа дня? — опять возмутилась Брэнна в ответ на покушение на порядок.

— И то верно. — Он потер лицо, чтобы окончательно прийти в себя после всего случившегося — и явление

Кэвона, пожалуй, было не бо́льшим его потрясением, по сравнением с тем, что Брэнна без зазрения совести командует в его доме с позиции своих представлений о домашнем укладе. — Тогда чаю.

— От чая не откажусь. — «Заодно пусть займет руки, — подумала Брэнна, провожая его взглядом, — может, немного успокоится...»

— Он живет у нас на конюшне, — доложил ей Фин через пару минут. — Сам прибился. Меня в тот момент не было. Шон его отмыл, покормил. А кличку придумал Бойл.

— Очень может быть, что он не просто так здесь появился. Не только ради соломенной постели, тряпья и нескольких добрых слов. Сам посуди: он уже в твоем доме, спит на жаккардовой подушке перед камином. И ты брал его с собой на Сауин.

— По-моему, лишним он там не был.

— Не то слово, Фин!

Тот пожал плечами, отсыпал из банки заварки в горсть, взял с полки заварочный чайник.

— Сердце у него храброе. Но мне и в голову не могло прийти, что Кэвон заметит его. Он такой...

— ...безобидный и добродушный.

— Ага. — Фин почувствовал, как он и Брэнна соединились на одной ноте. — Вот как-то вечером я его в дом и принес. Он иногда так посмотрит...

— ...преданно... — произнесли они в один голос.

Фин кашлянул.

— Ну, я и взял его...

Да, мальчишка, снова подумала она относительно Фина, и отзывчивой доброты в нем ни на йоту не убыло.

— Собака — хорошая компания. На мой взгляд — лучшая, — сказала она вслух.

— А как он свой хвост ловит! Видела б ты! Обхохочешься! Ой, а у меня печенья-то нет, — спохватился он. — Я имею в виду — для людей.

— Ничего, хватит и чая. Пусть будет просто чай.

Понимая, что ему не захочется далеко уходить от собаки, Брэнна устроилась в кресле недалеко от камина и стала ждать, когда он принесет чай и тоже сядет.

— Ну, рассказывай, как все было.

— Рассказываю. — С чашкой в руках он устроился поудобнее рядом на кожаной табуретке и начал повествование: — Мне вздумалось прокатиться верхом — хорошим, бодрым галопом. По долам, по холмам...

— Вроде как мне — прогуляться по саду. Такое желание мне понятно.

— Ну, еще бы. Я думал прокатиться, немного поохотиться с ястребом — вот и взял с собой Багса, будет, думаю, ему приключение. Господи Иисусе!

— Твой конь, твоя птица, твоя собака. — Физически ощущая, как он терзается, во всем винит только себя, она решила его немного приободрить. — А почему бы и нет? Ты из всех нас единственный, кто умеет общаться со всеми тремя. И прогулка придала бы тебе сил....

— Вроде того... — шатко поддакнул ей Фин, не углубляясь. — Кэвона я не искал, — возвысил он голос до звонкости. — Но, говоря по правде, был очень рад, когда он сам меня обнаружил.

— Как и я, когда гуляла по саду. Это я тоже прекрасно понимаю. И он напал?

— Начал он с разговоров. Мол, я его кровь, а вы все меня предадите, бросите и так далее. Казалось бы, сколько можно? Ему уже давно это должно надоесть не меньше, чем мне, но нет, все никак не уймется. Хотя в этот раз он пообещал, что, если я захочу, он подарит мне тебя — хоть что-то новенькое.

Брэнна наклонила голову набок, голос ее звучал суше пергамента.

— Так и обещал?

— Да. Что-что, а половое влечение он хорошо понимает. Знает, что такое сексуальный голод, что такое похоть, но вот о сердце и душе ему ничего неведомо. Он знает, что ты мне желанна, но ему никогда не понять почему. И я обратил его приставания против него. Стал тянуть его к себе, в энергетическом смысле. Он удивился, что мне это в какой-то миг удалось, он даже опешил. Я кликнул вас троих — мы же договаривались, — а когда он оборотился волком, я вызвал свой меч и зажег.

Он помолчал, собираясь с мыслями.

— В принципе я бы мог сдержать его натиск, я в этом уверен. До вас бы точно продержался, со мной ведь были Бару и Мерлин, а уж потом мы все вместе его бы сделали. Но он на меня не пошел. Он вильнул в сторону и впился Багсу в глотку. И все так быстро! Я кинулся на него, ударил, но он испарился. Напал на бедного кобелечка, который не весит и стоуна[1], распорол ему горло и подло исчез, не дав мне возможности для ответа. На меня он так и не напал.

— Напал! Еще как! Он поразил тебя в сердце. Бару, Мерлин, ты? С вами надо было бы еще повозиться. А вот маленький песик — это удар по тебе безо всякого риска для своей гнусной шкуры. Он всегда был трус поганый, всегда им и останется.

— Когда я бросился к псу, он обошел меня сзади.

Ну да, сообразила Брэнна, конечно, Фин инстинктивно метнулся к собаке — не думая о себе.

---

[1] Британская единица измерения массы, приблизительно 6 кг 300 г.

— Он предугадал твою реакцию до последней мелочи.

— Я бы схватился с ним один на один, как мужчина с мужчиной, как колдун с колдуном. — Теперь глаза Фина горели огнем, в них плескался расплавленный зеленый металл — раскаяние уступило место ярости. — Я этого так хотел!

— Как и все мы. Но он на это не пойдет. Ты можешь быть его потомком, но ты не его поля ягода. Он не отстает от тебя, потому что не допускает и мысли, что ты можешь сделать выбор не в его пользу.

— Но ты бросила меня из-за того, что во мне течет его кровь.

— Я «бросила» — как ты сказал — тебя, потому что была потрясена, обижена и рассержена! Понимать надо... А когда все разъяснилось — не вернулась к тебе из-за того, что связана обетом... — Брэнна сомкнула пальцы вокруг своей подвески. — Обетом перед Соркой и всеми, кто был после нее — вплоть до нас с Коннором и Айоной. И этот обет — пустить в ход все, чем мы владеем, с одной-единственной целью: избавить мир от него.

— И ото всех, кто от него произошел... — в его словах она услышала, как он проклинает себя за то, что приключилось по его вине с Багсом.

— Нет. Нет! — быстро, с горячностью возразила она. — Ты произошел от него, но ты — один из нас. И я теперь знаю, какой в этом великий смысл. Я теперь вижу, что те, что были до нас, были обречены на неудачу, потому что с ними не было такого, как ты. У них не было никого, в ком текла бы *его* кровь. С ними не было тебя, Фин, с твоей силой, твоей верностью и твоим сердцем.

Он слышал ее слова и верил в их искренность. И тем не менее...

— Я один из вас, но ты меня отвергаешь.

— Как я могу сейчас об этом думать, Фин? Как я могу об этом думать, когда нам очень скоро опять предстоит то, ради чего мы появились на свет? Все мои мысли заняты сейчас одним. Случаются редкие минуты, когда я позволяю себе думать о том, что будет, когда мы исполним свою миссию, но даже тогда я не представляю себе, чтобы мы могли жить той жизнью, о какой когда-то мечтали. Мы были тогда так молоды...

— Брэнна, чепуха это все! Чувство, которое было между нами, намного опережало время. Это было зрелое чувство. И мы не были юными дурачками, играющими в любовь.

— А было бы проще, если б мы были дурачками. Сейчас нам было бы намного легче. Если бы мы только играли в любовь, Фин, то мы не строили бы планов на будущее. Да и какое у нас было бы будущее? Какая была бы жизнь — у нас с тобой?

Он воззрился на огонь, понимая, что она опять права.

И все равно.

— Никакой, я согласен, и все равно это было бы лучше, чем наша жизнь врозь. Ты моя половинка, Брэнна, и я уже устал делать вид, что это не так.

— А ты думаешь, я не оплакиваю того, что не свершилось? — Ее обдало обидой, в словах зазвучала горечь. — Думаешь, я не мечтаю об этом?

— Да, я так думал. Я и выжил-то только благодаря этому.

— Значит, ты все время заблуждался. А на самом деле очень может быть, что и мне тоже до смерти надоело притворствовать. Если бы мое сердце принадлежало мне одной, я отдала бы его тебе.

Брэнна судорожно вздохнула, а он оторвал взгляд от огня и с недоверием и надеждой взглянул на нее.

— Оно не может принадлежать никому другому. Оно уже погибло. Но дело не только в этом, а я не могу исходить из того, что могло бы быть у нас с тобой. Когда отец подарил мне вот эту вещь, — она взяла в руку кулон, — у меня был выбор. Он сказал, что мне решать, возьму я его или нет. Но стоит мне согласиться — и все, выбор сделан. Я стану одной из тройки, и превыше всего для меня будет исполнение завета Сорки, завершение начатого ею дела. Я не предам тебя, Фин, но и своему роду я тоже останусь верна. Я не могу думать о желаниях и устремлениях, не могу рассуждать о том, что было бы, если бы да кабы... Моя миссия была определена еще до моего рождения.

— Это я тоже знаю. — И от одной этой мысли он испытывал щемящую боль. — Твой разум, твоя сила, твой дух — все подчинено твоей миссии. Но ты пойми, сердцу не прикажешь, оно само себе хозяин, а ты продолжаешь им командовать.

— Для меня это единственный способ сделать то, что должно.

— Меня удивляет, что ты вбила себе в голову, что твои предшественники не желали бы тебе счастья.

— Да нет, ты что? Конечно, я так не думаю. Но в чем я действительно убеждена, так это в том, что все мои предшественники ждут, что я исполню предначертанное, осуществлю то, что поклялся осуществить каждый из нас. Я... — Она замялась, не находя слов, чтобы выразить то, что творилось у нее в душе. — Я не знаю, Фин, я правда не знаю, как мне сделать то, что я должна, и одновременно быть с тобой. Но могу поклясться, это не из-за желания тебе насолить или покарать. Может быть, когда-то давно, когда я была молоденькой дурочкой, обиженной и напуганной, такое еще было возможно. Но сейчас это не так, далеко не так.

Он помолчал, потом опять посмотрел ей в глаза — они манили его и останавливали на расстоянии.

— Скажи мне одну вещь, — мучительно проговорил он. — Только одну. Ты меня любишь?

Она могла солгать. Он бы, конечно, догадался, что она лжет, но это был бы выход из положения. Но солгать — значит струсить.

— Я никого никогда не любила так, как тебя. Но...

— Можешь не продолжать, — горько прервал ее Фин. — Мне достаточно еще раз услышать то, что я не слышал от тебя десяток с хвостиком лет. Скажи спасибо, что я перед тобой в долгу. — В его глазах запылал огонь страсти. — Я обязан тебе вон за того бедолагу, — кивнул он на Багса, мирно сопящего после всех передряг, — иначе не сомневайся, уж я бы нашел верный способ уложить тебя в свою постель и прекратить эту невыносимую пытку.

— Обольстил бы? Уговорил? — Брэнна с вызовом откинула назад волну черных волос и поднялась. — Я ложусь в постель с мужчиной исключительно по собственному осознанному решению. Прошу это учесть.

— Ну, разумеется. И принятому исключительно на трезвую голову. Для такой умной женщины ты иногда бываешь удивительно твердолобой.

— Раз мы перешли на личности, я, пожалуй, поеду. У меня дел под завязку, а я тут время зря трачу.

— Я тебя отвезу. Я тебя отвезу! — с нажимом повторил он, когда она уже была готова отшить его окончательно, сводя с ума обольстительным шевелением копны волос за спиной. Он чуть не рычал от вожделения и любви к этой непостижимой женщине-ведьме. — Незачем преподносить Кэвону очередную мишень, если он еще где-то здесь что-то вынюхивает. И я останусь с тобой — поработать, как мы договаривались. Эта миссия, Брэнна, она ведь и моя тоже, хоть у нас с тобой такие разные представления о том, как надо жить, пока мы добиваемся ее осуществления.

Все равно она без труда могла бы его нейтрализовать, в том числе и колдовскими способами, их в ее арсенале было достаточно. Но она перехватила быстрый и тревожный взгляд, который он бросил на больного пса.

К черту.

— Вот и отлично, работы на всех хватит. Собаку возьми с собой. Поспит по дороге, а там к нему Катла приставим.

— Да, так мне спокойнее будет. Да, и еще кое-что. Айона распорядилась, чтобы я устроил здесь новогоднюю вечеринку. Такие дела.

— Вечеринку? — живо переспросила Брэнна, снова приведя в движение черную волну за плечами.

Фин сглотнул, ловя все ее мелкие жесты, как пес их ловит, ожидая хозяйского поощрения угощением.

— Почему... черт... почему у меня все переспрашивают, как будто я на иностранном языке выражаюсь?

— За всех не скажу, но, вероятнее всего, потому что я не припомню, чтоб ты когда-нибудь принимал у себя гостей...

— Все когда-то бывает впервые, — философски пробубнил Фин ей в ответ и взял на руки пса.

8

Она винила во всем злосчастного Багса. Конечно! Разве не из-за него она так размякла? И еще — Фина с его вызывающими полотенцами и посудой для дворовой собачки, с его безоглядной преданностью беспардонному четвероногому дружку. Из-за них двоих в ее линии обороны образовалась изрядная брешь.

Она сказала больше, чем собиралась, и больше того, в чем готова была признаться самой себе. По ее убеждению, слова обладают не меньшей силой, чем дела и поступки, а теперь она многое произнесла вслух, тогда как разумнее и практичнее было бы держать все при себе.

Но сделанного не воротишь, а восстановить свои оборонительные рубежи она уж как-нибудь постарается. В том, что касается Финбара Бэрка, она уже десять с лишним лет только этим и занимается.

А дел и впрямь было невпроворот. И слишком много всего вокруг происходило, чтобы волноваться из-за такой ерунды.

Йоль прошел чудесно — спокойно и радостно. А участие в нем прилетевшей из Америки бабушки Айоны только сделало этот день еще более праздничным. Проводив зимнее солнцестояние и самую длинную ночь в году, можно было начать думать и о весне.

Но прежде пришло Рождество.

Этот праздник Брэнна любила больше всех других праздников — особенно предваряющую его праздничную суету. Она обожала ходить по магазинам и выбирать подарки, потом их красиво упаковывать, украшать дом, печь праздничное печенье и традиционный кекс. А особенно эти хлопоты радовали ее в этом году, поскольку давали ей небольшую передышку перед тем, что она называла своей миссией.

Она надеялась, что им удастся устроить большое кейли, но сейчас с учетом рыскающего по округе Кэвона это казалось слишком рискованным. На будущий год она созовет родителей, двоюродных братьев и сестер, соседей, друзей и всех прочих.

Но сейчас это будет только ее команда да Айонина «бабуля», и это было правильно и хорошо.

Брэнна испекла хлеб и печенье, пирог с мясной начинкой, который задумала подать с коньячным маслом[1], и проверила, как себя чувствует гусь в духовке.

— А кухня у тебя пахнет моим детством, — с порога мечтательно протянула бабуля Айоны, Мэри Кейт. Все еще разрумянившаяся от морозной погоды, с улыбкой, она подошла и поцеловала Брэнну в щеку. — Айона там подарки под елку кладет. Наверняка втихаря и в свои залезет, я ее знаю. Я подумала, может быть, тебе тут помощь нужна?

— Как я рада вас видеть! И от помощи, конечно, не откажусь, лишняя пара рук никогда не помешает.

Мэри Кейт, подтянутая и модная, в ярко-красном свитере, подошла к плите и сунула нос в кастрюльки.

— Говорят, ты и Айону немного научила готовить. Мне в свое время это так и не удалось.

— Она жаждет научиться и определенно делает успехи. Сначала мы выпьем вина, а уж потом сядем за стол. Как-никак Рождество. Вы новый дом уже видели?

— Да. По-моему, будет прекрасный дом, правда? И, как ребята говорят, к свадьбе как раз закончат — или почти закончат. Для меня видеть ее такой счастливой — настоящая отрада.

Она взяла предложенный Брэнной бокал.

— Брэнна, я хотела с тобой переговорить наедине. Сказать тебе, как много для меня значит то, что вы с Коннором дали девочке кров и семью.

— Она создана для семьи. И она очень хороший друг.

— Сердце у нее доброе. Мне тяжело было отсылать ее сюда. И не в том дело, что в Ирландию, к вам. — Мэри

---

[1] Сливочное масло, взбитое с сахаром и коньяком с добавлением горячей воды, традиционно подающееся к рождественской выпечке.

Кейт бросила взгляд за окно. — А в том, что вас всех ожидает. Отослать ее, зная, чем это может обернуться. И, как я знаю, уже обернулось. Я хотела тебе написать, сообщить о ее приезде, но потом передумала, решила, это будет выглядеть как просьба — чтобы вы ее приняли, помогли ей развить свой дар. Не хотелось вас обязывать. Это должно было быть вашим свободным решением.

Брэнна снова подумала о Фине.

— А у нас эта свобода есть?

— Я считаю, есть. Я решилась на то, чтобы передать ей амулет, хотя и очень за нее переживала. Обратно же не отыграешь! Но он был предназначен для нее, таков ее удел. Я это знала с той самой минуты, как взяла ее на руки в первые минуты после рождения. Я и вас с Коннором нянчила, когда вы были совсем малютки. Про вас я тоже знала. И вот вы трое выросли, и время пришло.

Мэри Кейт подошла к окну и выглянула на улицу.

— Я его чую. Ну, со мной-то он возиться не станет. Айона этого жуть как боится, но он не будет тратиться на меня. Я теперь для него ничто. Но у меня достаточно силы, чтобы помочь, если такая помощь понадобится.

— Может быть, и понадобится, когда наступит день...

— Но это все не сегодня. — Мэри Кейт опять повернулась к Брэнне и снова ей улыбнулась. — А сегодня я буду помогать на кухне. — Она сделала большой глоток из бокала и по-ирландски пожелала: — Веселого Рождества!

— Уж это точно в нашей власти. — Брэнна чокнулась с Мэри Кейт. — Самого развеселого!

Понадобилось немного магии, чтобы увеличить в размерах стол, с тем чтобы за ним могли разместиться семь человек и чтобы уставилась вся еда. Сегодня ей хотелось устроить пир — и никаких разговоров о Кэвоне.

— Завтра у моей сестры нас так не накормят, — объявила Мира Коннору, снимая пробу с начинки. — При участии Морин и нашей мамочки мы вполне можем оказаться в финале конкурса на худшую стряпню в Ирландии.

— Значит, сегодня едим от пуза, завтра — пробуем по чуть-чуть из вежливости и возвращаемся сюда доедать остатки. — Коннор подцепил на вилку аппетитный кусок гуся.

— А для меня будет первый большой праздник в кругу будущей родни. — Айона, сияя от счастья, обвела всех взглядом и ткнула кулачком в Бойла. — Я везу в подарок хлебный пудинг, но в финале конкурса мне не быть — меня бабуля детально инструктировала. Бойл, нам с тобой надо выбрать себе какой-нибудь праздник, когда мы будем принимать гостей. И сделать это традицией. Кстати, Фин, как там с Новым годом дела?

— Продвигаются.

— Имей в виду: я уже освоила хлебный пудинг, могу испечь.

Он в умилении расплылся.

— Всю еду я закажу.

— Закажешь?! — опешила Брэнна. Фин бросил взгляд в ее сторону и твердо ответил:

— Да, закажу. Изучу меню, ткну: это, это и это и еще немного вон того — расплачусь, и дело с концом.

— Правильно, и суетиться не надо. Больше получите удовольствия от праздника, — поддержала американская продвинутая бабушка.

— Это уж наверняка, поскольку, если я сам начну готовить, вряд ли это кому понравится.

— Святая правда! — подтвердил Бойл с чувством и добавил: — Он и музыкантов пригласил. «Ти энд Бискитс».

— Ты нанял группу? — еще больше удивилась Брэнна. На этот раз Фин лишь пожал плечами.

— Народу нужна музыка, а группа, по-моему, неплохая. Если кто из гостей захочет поиграть на скрипке или трубе либо что-нибудь спеть — ради бога.

— Нормальный получится крэк[1], — заметил Коннор.

— И сколько гостей ожидается? — поинтересовалась Брэнна.

— Точно не скажу. Я только недавно клич бросил.

— Но ты же не можешь принимать половину графства!

— Так далеко мой клич не распространялся. Но даже если так — у поставщика будет большой заказ, можно за него только порадоваться.

— Мы с Патриком раньше именно так гостей и принимали, — пустилась в воспоминания Мэри Кейт. — Нет, в те времена заказывать еду в фирме нам, конечно, было не по карману, но мы просто кидали клич по друзьям и знакомым. Это очень по-свойски. Получается отличный кейли.

— А вот Брэнна эту идею отнюдь не одобряет, — вставил Коннор. — Она бы предпочла, чтобы мы вообще не устраивали никаких гулянок, пока не покончим с Кэвоном.

— Сегодня за столом мы о нем говорить не будем, — не терпящим возражений тоном заявила Брэнна. — Я слышала, Кайра получила на Рождество кольцо, а, Коннор?

— Все верно. Я только поражаюсь, до чего у тебя большие уши: по моим сведениям, ей его только вчера вечером вручили. Теперь ходит и всем хвастается. — Речь шла об их офис-менеджере. Коннор ткнул вил-

---

[1] Craic *(ирл.)* — веселье, развлечение.

кой в сторону Фина. — Не забудь заехать в питомник и повосторгаться ее кольцом так, будто это легендарный синий алмаз. Она у нас девушка трепетная.

— Сделаю, не волнуйся. А мои длинные уши поведали мне, что Райли... Ты же помнишь Райли, Бойл? Его физиономия как-то налетела на твой кулак. Несколько месяцев назад, кажется?

— Сам напросился.

— Напросился, факт. Так вот, похоже, он опять получил по заслугам, на этот раз от Тима Уотерли, владельца конной фермы в Слайго. Я с Тимом вел кой-какие дела, и все у нас было тип-топ. Посмотришь на него — можно подумать, такой вежливый парень... Но в тот раз физиономия Райли налетела на кулак Тима в ходе жаркой дискуссии по поводу того, что втюхать кому-то гнилое сено — отличный бизнес.

— Козел он, твой Райли, это же ясно... Прошу прощения, бабуля.

— Можешь не извиняться. Человек, способный подсунуть гнилое сено или, хуже того, так подло обойтись с твоей ненаглядной Дарлинг, как было в тот раз, и впрямь козел. И это еще мягко сказано. Мира, не передашь мне картошечки? По-моему, у меня для нее еще место осталось.

Чревоугодничество било фонтаном. Потом со стенаниями убрали со стола, но, несмотря на полные желудки, от бисквита со сливками на десерт никто и не думал отказываться. После этого пили привезенное Фином шампанское и обменивались подарками, а заодно и жаркими объятиями.

Веселье ненадолго приостановилось, когда к порогу пришли колядовать.

Брэнна то и дело поглядывала в окно, но никаких признаков Кэвона не улавливала.

Когда она улизнула на кухню, чтобы проверить обстановку с той стороны дома, за ней незаметно проследовал Фин.

— Если не хочешь, чтобы Кэвон объявился, перестань его выискивать.

— Я вышла за новой бутылкой шампанского.

— Ты так себя до нервного срыва доведешь. Он залег на дно, Брэнна. У меня свои методы разведки.

Фин сам достал бутылку и поставил на стойку.

— Я просто не хочу, чтобы он испортил нам вечер, — оправдывалась Брэнна.

— Он и не испортит. А у меня для тебя кое-что есть.

Он раскрыл перед ней ладонь — пустая, он сделал еще движение — и в руке оказалась небольшая коробка в золотой обертке с замысловатым серебряным бантиком.

— Мы же уже обменялись подарками!

— А это — еще один. Открой, а я пока займусь шампанским.

В очередной раз недоумевающая, Брэнна развернула и открыла подарок, а Фин в этот момент с глухим хлопком вынул пробку из бутылки.

В коробке оказался флакон. Она сразу определила, что он старинный. И необыкновенно красивый. Его стеклянные грани переливались и сверкали, и казалось, что он сияет у нее в руке. Когда-то, очень давно, подумалось ей, в нем была заключена магическая сила. Потом она провела пальцем по стеклянной пробке, выполненной в виде головы дракона.

— Потрясающе! Старинный флакон, очень красивый! До сих пор магическую энергию излучает.

— Представляешь, нашел его в захламленной антикварной лавке в Новом Орлеане, хотя происхождением он не оттуда. Прежде чем попасть на прилавок этого занятного магазинчика, он много раз переходил из рук в руки. Продавец понятия не имел, что это такое. А я сразу увидел — это вещь для тебя, и купил не раздумывая. Он у меня уже несколько лет — все гадал, как бы тебе его преподнести так, чтобы ты приняла.

Брэнна неотрывно смотрела на прекрасное подношение.

— Значит, считаешь меня черствой...

— Ничего подобного! Я тебя считаю сильной, а для нас обоих это все только усложняет. Но не мог же я оставить его в той лавке! Они там и сами не знали, что попало им в руки. А мне сразу стало ясно, что эта вещь должна принадлежать тебе.

— И ты знаешь, что всякий раз при виде этой вещи я буду невольно думать о тебе.

— Это еще одно преимущество. Как бы то ни было — это тебе.

— Буду держать его в своей комнате. И, как бы ни противилась, всякий раз при взгляде на него стану думать о тебе. — Она не рискнула целовать его в губы, легонько коснулась щеки, а потом на миг прижалась своей щекой, как когда-то давно делала очень часто, не испытывая никакой неловкости. — Спасибо тебе, Фин! Я думаю... Ой, он ведь с особой целью был заказан, смотри! С моей стороны даже еще светится, — прошептала она, продолжая разглядывать сосуд. — Думаю, этот стеклянный дракон, из которого сделана пробка, принадлежал ей. А флакон она потом заказала, чтобы... чтобы держать в нем слезы. Слезы ведьмы, бесценные и могущественные, пролитые в радости и в горе.

— А в этом какие были?

— Ну, точно сказать не могу, но думаю, что слезы радости — ведь у нас Рождество. Чудесный подарок, Фин! В нем должна храниться радость. — Брэнна бережно водрузила флакон на стойку. — Надо выпить шампанского, а потом будем петь, играть и танцевать. И больше я сегодня к окнам не подойду!

Поздно ночью она поставила подарок к себе на комод и, ложась спать, смотрела, как на его стенках золотыми отблесками играет огонь очага.

И думала о нем. И с мыслями о нем она сунула под подушку амулет, чтобы не видеть снов. Ее сердце и без снов сейчас было переполнено.

«Дела все равно надо делать», — подумала Брэнна, проводя весь день в мастерской в блаженном одиночестве. И Йоль, и Рождество принесли ей много радости и отдохновения. Общество близких друзей, кулинарные хлопоты, совместное музицирование. В Рождество она посетила Керри и не испытывала ни малейших угрызений, что перенеслась туда по волшебству. Повидалась с родителями, провела время с ними и другой родней. А оттого, что ее примеру последовали Коннор с Мирой, на душе у нее было еще теплее.

После того как она убедилась, что родители счастливы на этом новом этапе своей жизни, настроение у Брэнны улучшилось. А то, что они так беззаветно верили в нее и Коннора, лишний раз укрепило ее уверенность в себе.

Но теперь пора было возвращаться к делам повседневным. К работе, которая давала ей хлеб насущный. И к работе, которая выпала ей на долю, от которой зависит жизнь или смерть.

Она пополнила запасы самых ходовых лосьонов и кремов, изготовила новую партию симпатичных дорожных свечей, которые тоже шли нарасхват.

Потом доставила себе маленькую радость, поэкспериментировав с новыми ароматами, цветовой гаммой и текстурой. Сумела полностью сосредоточиться на запахах, на внешнем виде того или иного продукта, на том, какое настроение создает тот или иной запах, насколько тот или иной крем приятен на коже.

Открылась дверь. Брэнна подняла голову и обрадовалась, увидев на пороге Миру.

— Ты как раз вовремя. Снимай перчатки и попробуй вот этот крем. Новый.

— Какой сегодня противный день — и холод собачий, и ветер, и дождь! — Мира стянула с головы шапку, размотала шарф и закинула назад густую каштановую косу. — А у тебя тут тепло и пахнет божественно! После сырости и конского навоза — просто рай.

Она повесила куртку, подошла к подруге и протянула обе руки.

— Ой, как приятно! — Мира втерла крем в кожу, понюхала. — Очень нежный, прохладный, а пахнет... воздухом. Просто свежим воздухом, какой бывает на вершине горы. И мне нравится, что в баночке он такой холодненький. Бледный. Бледно-голубой. Как голубой лед.

— О! Вот и название! «Голубой лед» — так и назовем. Он предназначен для натруженных рук и ног. Я думала расфасовывать его в незамысловатые баночки, главное, чтобы были устойчивые. Такие, чтобы и мужчины не отказались держать у себя в ванной. Хочу выпустить целую линию. Скраб, гель для душа, кусковое и жидкое мыло. И опять-таки в такой упаковке, чтобы и женщинам нравилось, и мужчины чтобы не чувствовали для себя зазорным.

— Удивляюсь, как у тебя хватает сил и терпения продумывать все до мелочей.

— Каждому свое. Или продумывай до мелочей — или торчи целый день под ледяным дождем и по щиколотку в навозе. — Она пошла поставить чайник. — Год подходит к концу, и так и тянет придумать что-нибудь новенькое. Как раз вчера мама спросила, не могла бы я сделать что-то особенное для их маленького пансиона. Из того, что бесплатно предоставляется гостям. А потом чтобы запустить в продажу в полноразмерной упаковке. Вот новый год настанет — посмотрим, что я им смогу предложить.

— Я, кстати, с удовольствием вчера повидалась с твоей мамой. И с отцом тоже. Да и со всеми вашими. Коннор меня прямо ошарашил. Почему бы, говорит, нам до поездки в Гэлоуэй не слетать к моим родителям? Я говорю, я их с большим удовольствием навещу, но разве не следовало бы сперва позвонить? А он просто взял меня за руку — и хоп! — мы уже у них. — Мира прижала руку к животу. — Мне кажется, я никогда не привыкну к такому способу передвижения.

— И родителям, и мне было очень важно, что вы провели там эти несколько часов.

— Рождество — праздник для родных и при удачном стечении для друзей.

— А твои? Как твоя родня?

— Ой, Брэнна, моя мама у Морин просто блаженствует. Уже много лет ее такой довольной не видела. Цветет, как роза, глаза блестят... Она показала мне свою спальню — и тут я готова поставить Морин высший балл: комната — в точности как мама любит. Уютная и милая.

Мира вздохнула, но это был вздох удовлетворения.

— Конечно, то, что мы собрались все вместе, для нее очень много значило. Это было очевидно. А Морин еще отвела меня в сторонку и стала петь, как маме там хорошо, — я даже позволила ей покудахтать на эту тему, словно эта идея изначально исходила от нее.

— Для тебя это гора с плеч.

— Да, оказывается, я даже не отдавала себе отчета, до какой степени это меня угнетало. И еще мама очень довольна, что мне недолго осталось заниматься с Коннором сексом вне Священных Уз Брака. — Мира со смехом устроилась подле огня. — Уже заказывает новых внуков.

— А ты что? — Брэнна принесла поднос с дымящимся чаем и сахарным печеньем.

— Конечно, я хочу детей, но все же не так скоро, как хотелось бы ей. Этим вопросом мы займемся попозже. — Она пригубила чай. — Ты меня обрадовала, когда сказала, что я вовремя. Мне надо с тобой поговорить. Наедине.

— Какие-то проблемы?

— Это я тебя хочу спросить, Брэнна. Сколько себя помню, мы с тобой дружим. С самых подгузников.

Брэнна откусила кусочек печенья и усмехнулась.

— В подгузниках, быть может, и закончим.

Мира фыркнула.

— Хорошая мысль! И поскольку мы с тобой дружим всю жизнь, то можем говорить друг дружке такое, что другие себе позволить не могут. Вот я и хочу тебе сказать: Брэнна, а стоит ли затевать эти совместные сновидения с Фином, о которых вы говорили?

— Но мы все согласились...

— Нет-нет, я спрашиваю не как член нашей команды. Я спрашиваю тебя как подруга, как сестра. Как та, которую ты знаешь с пеленок.

— Ох, Мира...

— Я сейчас думаю только о тебе, ведь кроме нас с тобой тут никого нет. Это же вещь интимная — совместные сновидения. Я это знаю и хорошо понимаю. Не многого ли ты требуешь от себя, Брэнна, от своего сердца, от своих чувств?

— Противостояние с Кэвоном перевешивает все, что ты назвала.

— Но не для меня. И не когда мы с тобой вдвоем. Я знаю, ты все равно на это пойдешь, но я хочу спросить, что ты на этот счет думаешь, что ты чувствуешь — как подруга подругу, как женщина женщину. Скажи, что ты чувствуешь и чем я могу тебе помочь.

— Что я чувствую? — Брэнна глубоко вздохнула. — Я чувствую, что это надо сделать и ничего лучшего у нас в запасе нет. И я знаю, будет больно, потому что, как ты сама сказала, это вещь интимная. Я знаю, что ради общего блага мы с Фином должны поработать вместе, и я с этим смирилась.

— Но?

Брэнна вздохнула, зная, что Мире можно без опаски открыть все, что ее тревожит.

— Фин уже давно здесь и столько времени никуда не ездил, что мне, конечно, труднее сдерживать свои чувства к нему, которые я всегда испытывала. Особенно после того, как я видела его в бою, проливающим кровь наравне с нами. И труднее игнорировать то, что он испытывает ко мне, — для меня же это тоже не секрет. Испытывает и всегда испытывал. А предстоящая нам миссия осложняет все еще больше, причем для нас обоих. Я могу лишь поблагодарить тебя за то, что ты готова меня поддержать и что ты меня понимаешь.

— А Коннор не мог бы с ним пойти? Или Бойл? Или любой из нас?

— Если бы идти суждено было Коннору, или Бойлу, или любому из вас, то я не оказалась бы втянута в сон, который привел нас к пещере Мидора. Мира, я справлюсь, и он тоже справится, хотя я знаю, ему это будет не легче, чем мне.

— Брэнна, он тебя любит. Любит так глубоко, как только может любить мужчина. Я знаю, тебе больно от меня это слышать.

— Нет, мне не больно. — Брэнна потрепала Миру по руке. — Я знаю, он меня любит. В глубине души — уж точно. И всегда будет меня любить. Любовь всемогуща, и она жизненно необходима, но ею жизнь не исчерпывается.

— Ты что, до сих пор винишь его в его происхождении?

— Было проще, когда винила, когда я была молоденькая дурочка, когда была в таком смятении, что могла обвинять. Сейчас уже не виню, но это не меняет сути дела. В нем течет кровь Кэвона. На нем его знак, его отметина, и она появилась — или проявилась — после того, как мы с ним провели вместе ночь. Если я его еще в чем и обвиняю, то и себя — наравне с ним.

— А зря, — ответила Мира. — Не надо тебе никого винить — ни его, ни себя.

— Мой род, его род... Он носит эту отметину не только из-за Кэвона, но и из-за Сорки тоже, так ведь? Я думаю, теперь, когда мы повзрослели и знаем больше, чем знали тогда, мы оба понимаем, что нам не суждено быть вместе.

— И даже если мы победим Кэвона, ты останешься при том же мнении? Все равно будешь считать, что не можешь быть с ним, не можешь быть счастлива?

— Откуда мне знать? Как я могу сейчас что-то сказать? Нас свела судьба, судьба нас и разлучила. Такие вещи предопределяются свыше.

— Ни капельки в это не верю! — с жаром воскликнула Мира. — Свою судьбу мы определяем сами — своими решениями, своими поступками.

Брэнна улыбнулась и села прямее.

— В твоих словах есть резон. Конечно, мы не марионетки. Но карты сдает судьба, я так считаю. Как мы играем, тоже важно, но играем мы теми картами, которые нам достались. Что бы я делала, если бы судьба не послала мне тебя? У меня бы не было подруги, которая догадалась бы прийти и подставить мне плечо.

— На меня ты всегда можешь рассчитывать.

— Я знаю. Я устроена так, чтобы опираться на свои силы, но иногда, бог свидетель, так приятно на кого-то опереться! Я могу только жалеть о том, что я его люблю. Жалеть, что не могу оглянуться на ту девчонку, какой когда-то была, и сказать: что ж, она испытала увлечение и разочарование, даже познала, что значит разбитое сердце, а теперь продолжает жить. Какие бы карты я ни держала в руках, он всегда среди них. И всегда так будет.

— Можно было бы не пороть горячку, найти какой-то другой вариант.

— Мы и так уже слишком долго ждем. Мы заслужили небольшую передышку, чтобы побыть с друзьями и близкими, но сейчас пора возвращаться к исполнению своего долга. Я готова, можешь мне поверить.

— Когда все закончится, ты бы хотела, чтобы я была тут? Мы с Айоной? Я имею в виду — когда дело будет сделано.

— Посмотрим, как пойдет. Но мне легче знать, что в случае необходимости вы с Айоной придете на помощь. А прежде чем гадать, нужна мне поддержка или нет, мы с Фином совершим путешествие в прошлое и узнаем, кем этот Мидор приходится Кэвону, а Кэвон —

ему. И если карты сдает судьба, то мы узнаем, где и как с ним покончить.

Она положила голову Мире на плечо.

— Я знаю, Фин хороший человек, и это вселяет в меня уверенность. Когда-то я внушала себе обратное, поскольку так было проще, но это было неправильно и глупо. И в конечном итоге мне будет достаточно знать, что я любила хорошего человека.

9

Она была готова. Эмоционально. Психологически.

Себе Брэнна сказала, что наколдованное сновидение и путешествие во сне — не только необходимый этап, но такой, который надо пройти, отбросив все личное.

Сумели же они с Фином за последние месяцы прийти к тому, что можно вместе работать и просто общаться без обид и сердечной боли.

Теперь они взрослые люди, а отнюдь не наивные дети с широко распахнутыми глазами, какими были тогда. На нее возложена большая ответственность перед предками, а Фин, к его чести, успел доказать свою безграничную преданность их команде.

И этого должно хватить.

Тем не менее, когда вечером они вновь собрались вместе у нее в мастерской, Брэнне пришлось приложить усилия, чтобы не показывать своей тревоги.

— Не передумала насчет этого совместного сна? — Коннор погладил ее по спине, заработав от сестры сердитый взгляд и мысленный укор. — Уверена?

Не лезь в мои мысли!

Он задержал руку у нее на пояснице, она чувствовала ее тепло.

— Еще есть время придумать альтернативный вариант.

— Я абсолютно уверена. И лучшего нам ничего не придумать. Так ведь, Фин?

— Согласен.

— Мэри Кейт, вы точно не хотите присоединиться к нашему боевому отряду?

— Вы должны продолжать в том же составе, что начинали, но знайте, что я буду здесь, наготове, если потребуется помощь.

— Бабуля будет нашим резервом. — Айона сжала бабушке руку, потом шагнула вперед.

Они очертили круг — для соблюдения ритуала и в знак уважения, для защиты и в знак единства.

Брэнна с Фином вдвоем ступили в круг. У него на поясе висел меч, у нее — ритуальный нож. На этот раз, когда все совершается осознанно, они не отправятся в путь безоружными.

— Из кубка настой отопьем и путь свой немедля начнем. — Брэнна выпила зелье и передала кубок Фину.

— Пускай напиток нас двоих перенесет в то время и туда, где зло живет. — Фин тоже выпил и отдал чашу Коннору.

— И будет круг защитой нам с тобою. Рука в руке, взлетим над небом и землею. — Теперь они говорили в унисон, глядя друг другу в глаза. Брэнна физически ощущала, как, слившись воедино, нарастает их общая магическая энергия.

— Вперед же, в сон, что сами мы призвали, чтобы во сне найти истоки силы злой. В друг друга веры не утратим мы с тобой. Мы так велим, да будет так!

Фин протянул руку, Брэнна вложила в нее свою.

Вспышка света, выброс энергии — и они полетели.

Сквозь ветер и циклон они стремительно мчались вперед. С такой скоростью, что у Брэнны перехватило дыхание. В какой-то момент даже мелькнула мысль, не перестарались ли они с сонным зельем, но в следующий миг она ужа стояла на ногах, слегка пошатываясь, в темноте ночи, нарушаемой одними звездами. Ее рука так и лежала в руке Фина.

— Немного переборщили с вихревой эссенцией.

— Ты думаешь?

Она ухмыльнулась. Волосы на его голове стояли дыбом — она подозревала, что у нее с прической приблизительно то же самое. Его лицо с обострившимися чертами хранило мрачное и одновременно удовлетворенное выражение.

В точности под стать настроению, какое было у Брэнны.

— Твой сарказм неуместен, поскольку в приготовлении напитка ты участвовал наравне со мной. — Брэнна убрала волосы с глаз. — И он перенес нас как раз туда, куда мы хотели. Вон, я уже вижу ту пещеру.

В холодной, звездной ночи вход в пещеру пульсировал красным светом. До нее доносился приглушенный гул, как будто где-то там, в глубине, бушевало далекое море. Но снаружи от входа не было ни вздоха, ни шороха.

— Он там, — сказал Фин. — Я чувствую.

— И он не один. Я это тоже чувствую. Там что-то злобное, такое, что мне даже не по себе.

— Ты оставайся здесь. Я войду, оценю обстановку.

— Фин, ты меня обижаешь. Или мы идем вместе, или не идем вообще.

Не давая ему возразить, Брэнна шагнула вперед. Фин крепко держал ее за руку, а второй рукой сжимал рукоять меча.

— Если это *нечто* на нас набросится, заклятие снимаем. Без колебаний, Брэнна! Мы не кончим свою жизнь в этой пещере!

Под воздействием сонных чар она было засомневалась, но удержалась и проявила твердость.

— Я и не собираюсь оканчивать здесь свою жизнь! У нас остались дела дома, в нашем времени.

Они ступили в разверстый зев пещеры, в этот пульсирующий свет. Гул сделался громче и гуще. Нет, это не похоже на шторм на море, поняла Брэнна. Скорее на дыхание гигантского живого существа, прилегшего отдохнуть.

Пещера разошлась вширь и разделилась на несколько тоннелей, образованных стенами — такими мокрыми, что неумолчным аккомпанементом к гулу стал звук падающих капель. Фин взял влево, интуиция вела Брэнну в том же направлении, и они вошли в тоннель.

Его рука, подумалось ей, сейчас единственная ее связь с чем-то теплым и реальным. И она знала, что Фин чувствует то же самое.

— Мы даже точно не знаем, в каком мы времени, — шепнула она.

— Где-то после нашего прошлого сна. — При виде недоверия в ее глазах Фин покачал головой. — Не могу объяснить, откуда я это знаю, просто знаю — и все. Прошло какое-то время с того раза, но небольшое.

«Надо верить, — напомнила она себе. — Верить».

Они продолжили путь, а гул делался все громче. Теперь он резонировал у нее в груди, подобно пульсу — как если бы она проглотила этот живой мрак.

— Это нечто его притягивает, — прошептал Фин. — И просит пищи. И оно тянет меня к нему — к своей крови. — Он повернулся к Брэнне и крепко взял за плечи. — Если оно — или он — утащит меня вглубь, ты должна разрушить чары, выбраться отсюда и вернуться, слышишь?

— А ты бы бросил меня или любого из нас в такой ситуации?

— Ни в тебе, ни в ком другом не течет его кровь. Ты должна поклясться, Брэнна, иначе я сниму заклятие прямо сейчас и мы все это закончим, пока не началось!

— Даю слово, я сниму заклятие, если что, — пообещала Брэнна, а про себя решила, что в таком случае сделает все, чтобы вытащить и его с собой тоже. — Я даю тебе слово, потому что им тебя к себе не утащить. Ты этого сам не допустишь. А если мы будем тут стоять и препираться, то нам и чар никаких снимать не придется — они рассеются сами собой, а мы так и не успеем ничего разузнать.

Теперь Брэнна взяла его за руку, и между их ладонями пробежала искра. Они двинулись дальше.

Тоннель опять сузился и завернул в какое-то помещение, которое она для себя определила как своего рода мастерскую черного мага.

Распятые на каменных стенах тушки летучих мышей с расправленными крыльями напоминали леденящие кровь творения безумного художника. На полках стояли сосуды с тягучей жидкостью, в которой плавали обглоданные до костей птичьи лапки и головы, внутренние органы животных и даже, как с ужасом догадалась Брэнна, людей, дохлые крысы и прочая нечисть.

В помещении горел огонь, над ним кипел котел, от которого шел омерзительный зеленый дым.

Слева от очага высился каменный алтарь, освещаемый сальными свечами черного цвета и залитый кровью лежащего на нем козла с перерезанным горлом.

Кэвон собирал бьющую из тела животного кровь в чашу.

Брэнна поняла, что он моложе. Хотя колдун работал стоя к ним спиной, было видно, что ему меньше лет, чем тому Кэвону, которого она знает.

Он сделал шаг назад, опустился на колени и высоко поднял чашу.

— Вот кровь, дарю тебе в порядке приношенья. Прими же и вкуси как угощенье. Питайся от меня, я ж буду от тебя питаться. И сила, что во мне, пусть будет только разрастаться.

Он выпил из чаши.

Гул сделался ритмичным, как биение сердца.

— Этого мало! — прошептал Фин не своим голосом. — Он еще слаб и бледен.

Брэнна встревоженно стиснула ему руку.

— Оставайся со мной!

— Я с тобой. И с ним тоже. Козлы, бараны, полукровки. Если сила — это жажда, утоли ее! Если голод — насыться! Если похоть — удовлетвори ее! Бери что хочешь!

— Больше! — проговорил Кэвон, вновь поднимая чашу. — Ты обещал мне больше. Я твой слуга, я твой воин. Я твое вместилище. Ты обещал больше!

— Большее требует большего, — тихо проговорил Фин, и глаза его светились зеленым светом. — Кровь от крови твоей, как и прежде. Возьми ее, пролей ее, изведай ее — и у тебя будет больше! Ты станешь мной, я стану тобой. И так без конца и края. Вечная жизнь, безграничное могущество! А Смуглая Ведьма, которой ты жаждешь, станет твоей. Она преклонит пред нами и тело свое, и свое могущество.

— Когда? Когда ты дашь мне больше? Когда я заполучу Сорку?

— Пролей, возьми, изведай. Кровь от крови твоей. В кубок, из губ твоих. В котел. Докажи, что достоин!

Из руки Фина ушло все тепло. Брэнна сжимала ее двумя руками, отдавая все, что было в ее силах.

— Я достоин! — Кэвон поставил чашу и встал, чтобы взять кубок. И повернулся.

Только сейчас Брэнна увидела в тени женщину. Старую женщину, закованную в цепи и дрожащую от невыносимого холода.

Он подошел к ней с кубком в руке.

— Пощади! Пощади и меня, и себя. Ты навлекаешь на себя проклятье. Он лжет! Он лжет тебе, лжет всем. Он опутал тебя ложью, как ты опутал меня цепями. Освободи меня, Кэвон. Спаси меня и спасись сам!

— Ты всего лишь женщина, к тому же старуха, и твоя ничтожная сила тебя покидает. Ты ни на что другое больше не годишься.

— Но я твоя мать!

— Что ж, ты меня уже родила, — проговорил тот и одним взмахом руки перерезал ей горло.

Сраженная увиденным, Брэнна в ужасе вскрикнула, но ее крик утонул в нарастающем реве. Воздух задрожал от напора энергии, черной, как бездонная пропасть, и тяжелой, как сама смерть.

Кэвон наполнил чашу, выпил и наполнил снова. Отнес к котлу и сквозь дым влил внутрь. И тотчас дым из зеленого стал алым, как кровь.

— Так, а теперь кровь отца, — словно подсказывал ему Фин. Кэвон взял какой-то флакон и вылил его содержимое в котел. — Говори! — Брэнна все держала руки Фина в своих и чувствовала, как его холодные, будто ледяные, пальцы то сгибаются, то разгибаются. — Произнеси обет, свяжи себя клятвой!

— Кровь в кровь вливаю я и пью. И силу обрету, коль голод утолю. Кровь смертного и кровь козла смешаю, в котле они пускай вскипят и к темным силам глас мой обратят: судьба моя и имя в вашей власти, и сила, что во мне, лишь вам подвластна. Чрез врата меня бессмертьем одарите, меня ж в вместилище свое вы превратите. Теперь я бог, и демона вмещаю, отныне родом я людским повелеваю. По праву крови и по праву высшей силы лишь прикажу — моею станет до могилы. Пусть Ведьма Смуглая Кэвону покорится! Бессмертен тот, в ком сила темная таится. Бессмертным я отныне нарекаюсь и от людской своей природы отрекаюсь!

Он протянул руку сквозь дым, внутрь котла и голой рукой достал оттуда амулет и знакомый им кроваво-красный камень.

— Я силой черною к присяге приведен. Отныне мой удел определен.

Он воздел амулет над головой, а сияющий камень возложил себе на грудь.

Ветер взревел смерчем, а Кэвон с горящими, как его камень, глазами воздел руки к небесам.

— И я рожден!

С алтаря соскочил волк, черный, свирепый. Он прыгнул к Кэвону и под оглушительный раскат грома вошел в него, будто ввинтился.

Невидимое нечто издало торжествующий рык — такой силы, что задрожали даже камни.

Он повернул голову. Пронзая тьму и тени, его огненный взгляд уперся в Брэнну.

Когда он обеими руками сделал резкий взмах в ее сторону, она подняла руку, приготовившись отбить поток направленной на нее магической энергии. Но Фин быстро развернул ее и прижал к себе. Что-то загрохотало, что-то занялось огнем.

И Фин рассеял заклятие.

Получилось слишком быстро и довольно рискованно. Брэнне пришлось крепко вцепиться в Фина — и чтобы согреть его, ибо все его тело оставалось ледяным, и чтобы удержаться самой и не пролететь дальше, чем нужно.

Сперва она услышала голоса, которые ее направляли. Голос Коннора был тверд, как скала, и невозмутим, как гладь озера в тихую погоду. Затем к нему присоединился голос Айоны.

«Теперь держитесь крепче! — звучал у нее в ушах голос Коннора. — *Мы вас ведем. Ведем обоих. Вы уже почти дома. Почти на месте».*

В следующий миг она очутилась дома, в полуобморочном состоянии, с трясущимися руками и ногами, но в теплой и светлой комнате.

Брэнна еще не пришла в себя, когда Фин выпустил ее из объятий и сполз на колени.

— Он пострадал. — Брэнна опустилась рядом. — Дай посмотрю. Дай я тебя посмотрю! — Она взяла его за подбородок, отвела назад упавшие на лицо волосы.

— Запыхался, только и всего.

— Да у него свитер на спине дымится! — воскликнул Бойл и был тут как тут. — Как тогда рубашка у Коннора.

Брэнна не успела даже шевельнуться, а Бойл уже стягивал с приятеля свитер.

— Он обожжен. Не так глубоко, как тогда Коннор, но почти вся спина, смотри!

— Надо его положить на живот, — велела Брэнна.

— Еще чего! Не собираюсь я лежать распластанным на полу, как...

— Усни! — лаконично повелела Брэнна, кладя руку ему на голову и погружая в сон. — На живот! — повторила она, и Коннор с Бойлом уложили Фина на пол ее мастерской.

Она подержала ладони над его опаленной спиной, сделала несколько пассов.

— Рана не глубокая, нет. И яд не может проникнуть в кровь. Только холод, и жар, и боль. Мне понадобится...

— Это? — Мэри Кейт протянула банку с мазью. — Когда-то я знала толк в знахарстве.

— Да, да, именно это, спасибо. Сейчас мы быстренько... Слава богу, времени прошло немного, яд не успел пройти вглубь. Айона, не поможешь? У меня небольшой ожог на левой руке. Так, пустяк, но надо, чтобы пустяком и осталось. Ты знаешь, что делать.

— Да, конечно. — Айона засучила Брэнне рукав. — Рана небольшая, но воспаленная.

Однако стоило Айоне нанести мазь, как воспаление начало спадать. А когда подключилась Мэри Кейт, то прошло и головокружение. Теперь, чувствуя себя увереннее, Брэнна могла целиком сосредоточиться на Фине.

— Ну что, получше? Вроде получше. Неплохо бы нам сейчас выпить виски, что скажете? Мы переместились чуть быстрее, чем я рассчитывала, а обратный путь вообще был как падение с крыши вверх тормашками.

— Виски я уже достала, — сообщила Мира. — Смотри-ка, вроде все чисто.

— Надо убедиться, — произнесла Брэнна и вновь подержала руки над широкой спиной Фина, пытаясь обнаружить, нет ли более глубоких ран, нет ли где очагов тьмы. — Все будет в порядке. — От переживаний у нее ком встал в горле, голос задрожал. — Поправится. — Она снова положила ладонь больному на голову и немного подержала. — Фин, проснись.

Он открыл глаза и посмотрел на нее в упор.

— О черт! — пробурчал он и сел.

— Ты меня извини, погружать в сон без разрешения невежливо, но я была не в силах тебя уговаривать.

— Брэнна тоже обгорела, — вставила Айона, зная, что это заставит его поумерить негодование. — Вон, на левой руке ожог.

— Что? Где? — Он мигом схватил Брэнну за руку и закатал наверх рукав.

— Айона уже все залечила. Да там почти ничего и не было, ты же меня собой заслонил. Можно подумать, я бы сама не отбилась! — проворчала она.

— На этот раз — нет, не отбилась бы. Он ударил изо всей силы, неукротимой, только народившейся, и сам упивался ею, как наркоман, вколовший себе слишком большую дозу. В тот момент силы в нем было больше, чем сейчас. А может, и вообще — чем когда-либо еще. Вот он теперь и злится, все жаждет вернуть себе то пьянящее ощущение.

Коннор присел на корточки.

— Можно я скажу? Спасибо, что позаботился о моей сестре.

— Ну вот, теперь я выгляжу неблагодарной свиньей, — вздохнула Брэнна. — Извини меня, Фин. Все никак в себя не приду. Спасибо тебе, что спас меня.

Она взяла у Миры два стакана с виски, один протянула Фину.

— Он принял тебя за Сорку. В темноте, в том состоянии морока, в каком он находился — в состоянии, близком к галлюцинации, — он тебя учуял. Учуял, когда его сила окрепла, но принял за Сорку. И хотел...

— Выпей-ка.

— Выпью, не беспокойся. — Фин чокнулся с ней и сделал глоток. — Он хотел, если получится, тебя — то есть Сорку — обезобразить, чтобы никто не мог видеть твоей красоты, чтобы твой муж — так он думал — тебя бросил. Я в тот момент сумел прочесть его мысли. Это были мысли безумца.

— Еще бы. Надо быть безумцем, чтобы перерезать горло родной матери, а потом напиться ее крови.

— Мерзость какая! — поморщилась Мира. — Если нам предстоит услышать ваш рассказ обо всех его безумствах и гадостях, я бы предпочла сделать это разом, когда мы все усядемся.

— Так и сделаем. Фин, надевай свитер и садись за стол, как цивилизованный человек. — Мэри Кейт протянула ему свитер. — Брэнна, я похозяйничаю на кухне, поищу, что у тебя там есть, чтобы на стол поставить. Мне кажется, поесть сейчас никому не помешает.

Пока Мэри Кейт носила на стол щедрые остатки рождественской трапезы, Брэнна расслабленно опустилась на стул, довольная, что не надо ни о чем хлопотать, и приготовилась вместе с Фином поведать свою историю.

— Родную мать... — покачал головой Бойл, беря себе один из аппетитных сэндвичей, на скорую руку приготовленных Мэри Кейт.

— Всего лишь женщина, сказал он, еще и старуха, — начал Фин. — Никаких чувств! Он к ней вообще ничего не испытывал. В нем вообще чувств не было, — добавил он, — одна чернота.

— Значит, ты слышал, с какой загадочной силой он говорил?

Фин удивленно повернулся к Брэнне.

— А ты — нет?

— Только гул, как вначале, при входе в пещеру. Какой-то монотонный бубнеж.

— Нет, я слышал. — Фин рассеянно потер плечо-то место, где стояла отметина. — Ему обещали больше власти, вечную жизнь и все, что он только пожелает.

Но чтобы больше получить, он должен был больше и отдать. Пожертвовать тем человеческим, что в нем осталось. А началось с его отца.

— Ты это знаешь или только так думаешь? — спросил Коннор.

— Знаю. Я его видел насквозь и видел, что в камень у него на шее заточен дух-искуситель. Демон. Видел все желания и всю алчность этого духа. Его... ликование по поводу скорого освобождения.

— Демона, говоришь? — Мира взяла в руки бокал с вином. — Что ж, это что-то новенькое... И жуткое.

— Да, только он не новый, — поправил Фин. — Этот демон стар как мир, он просто ждал своего вместилища.

— То есть Кэвона? — уточнил Бойл.

— Пока это Кэвон, — сказал Фин. — Самый что ни на есть. Но в нем теперь поселилось другое существо, которое испытывает неутолимую жажду власти и крови.

— Как мы и предполагали, источник его силы — в камне, — продолжила Брэнна. — И формирование этого источника началось с жертвоприношения. С крови родителей, которых Кэвон принес на алтарь своего могущества. Он сам наворожил себе эту нечистую силу, продал ей душу и заключил в себя... ну, раз Фин говорит, что это демон, пускай будет демон.

— А почему Сорка? — спросила Айона. — Почему он был ею так одержим?

— Из-за ее красоты, из-за ее силы, из-за... из-за ее... не знающей границ любви к своей семье. Красотой и силой он жаждал завладеть, а любовь к семье хотел разрушить.

Фин потер висок, пытаясь унять пульсирующую боль, которая все не утихала.

— Она отвергла его, и не раз, — продолжал он, так и не дождавшись, чтобы боль отступила. — Отвечала на его посулы насмешкой, презирала его. И тогда он...

Фин сбился, потому что в этот момент к нему сзади подошла Мэри Кейт и обеими руками потерла виски, потом затылок и шею, где, оказывается, гнездилась еще более сильная боль, хоть он этого не осознавал.

И боль ушла.

— Спасибо!

— На здоровье.

Она, как настоящая бабушка, поцеловала его в макушку, после чего села на свое место. Разволновавшись, Фин теперь понял, откуда в Айоне ее доброта и открытое сердце.

— Так вот. Его страстное влечение к ней как к женщине и как к колдунье переросла в одержимость. Он мечтает ее совратить, забрать то, чем она владеет, и он убежден, что никакая магия, никакие чары не способны его остановить, не в силах поколебать его решимость. Но ее могучая энергия — вот что представляет для него опасность, угрожает его существованию, а отвергнув его назойливые ухаживания, она лишь уязвила его непомерную гордыню.

— А потом их стало трое, — принялась рассуждать Брэнна. — А трое — значит, больше силы и сильнее угроза. Мы можем его прикончить.

— В тот момент, в пещере, когда он принял в себя этого демона и всю его тьму, он возомнил, что с ним никто и ничто не совладает. Никогда. Но демон, живущий в нем, умнее. Он лжет Кэвону, как предостерегала его мать. Он лжет.

— Мы можем ранить его, заставить его истечь кровью, сжечь его дотла, только... — Коннор развел руками. — Пока мы не уничтожим вместе с ним его амулет, пока не умертвим демона, дающего ему силу, он будет исцеляться вновь и вновь.

— Хорошо, что мы теперь это знаем. — Айона намазала крекер пластичным сыром. — И как нам уничтожить этот камень, этого демона?

— Магия крови против магии крови, — постановила Брэнна. — Белая против черной. Как мы и делали, только, возможно, с немного другим акцентом. Главное — выбрать правильный момент, причем сделать это наверняка. Думаю, все, как и в прошлый раз, должно произойти возле домика Сорки, чтобы ее сила дополнила нашу, но надо найти способ заманить его в ловушку, чтобы он не мог, как в тот раз, спастись бегством. И тогда мы его прикончим. Если у нас все сложится, то уничтожить камень, то есть источник его силы, должен будет Фин.

— Я чувствовал, как они меня к себе тащат — и демон, и колдун. А когда они слились воедино, притяжение стало намного сильнее. И я испытывал... тягу, желание заполучить то, что они мне могут дать.

— Что не помешало тебе, рискуя жизнью, загородить меня. Когда придет время — это будет твое дело, — решительно произнесла Брэнна. — Нам надо только вычислить, когда и как. Мэри Кейт, вы уверены, что вам надо возвращаться в Америку? Для меня такое облегчение, что появился еще один человек, способный приготовить еду на эту ораву.

Понимая, что разговор надо перевести на другую тему, Мэри Кейт улыбнулась.

— Боюсь, что придется. Но к свадьбе Айоны я непременно вернусь, причем заблаговременно, чтобы помочь. И не исключено, что вообще останусь здесь жить. Я как раз подумываю...

— Останешься жить?! — Айона перегнулась через стол и взяла бабушку за руки. — Бабуля! Ты хочешь сказать, что переедешь в Ирландию?

— Я сейчас обдумываю этот вопрос. Я ведь после смерти дедушки не уехала из Америки из-за твоей мамы, а потом из-за тебя. И я люблю свой тамошний домик, сад, вид из моего окна... У меня там хорошие друзья. А здесь у меня есть вы. Все вы. И куча родни.

— Ты могла бы жить с нами. Я же тебе показывала, где мы обустраиваем комнату для тебя, когда ты будешь приезжать. Ты могла бы там просто поселиться, жить с нами вместе. — Айона взглянула на Бойла.

— Конечно. Мы будем только рады.

— У тебя доброе сердце, — ответила Мэри Кейт внучке. — И у тебя, Бойл, тоже. Доброе и великодушное. Но если я перееду сюда жить насовсем, то уж обзаведусь собственным жильем. Где-нибудь по соседству, это я вам обещаю. Скорее всего — в деревне, чтобы пешком ходить в магазин, встречаться с друзьями и навещать вас в вашем новом доме так часто, как вы захотите.

— У меня есть небольшой домик, который ждет арендатора, — вступил в разговор Фин, и Мэри Кейт подняла брови.

— Я об этом слышала, но ведь до апреля еще несколько месяцев!

— Он без труда сдается в краткосрочную аренду туристам, которым что-то нужно в деревне — ну, которые предпочитают питаться сами и не связываться с отелем. Вы до отъезда в Америку могли бы взглянуть.

— Я так и поступлю. Вообще-то, должна признаться, в окошки я уже втихаря заглядывала. — Она улыбнулась. — Там у тебя так уютно... И ремонт хороший сделан.

— Я при случае передам вам ключ, и вы можете войти и оглядеться, когда захотите.

— Договорились. А сейчас мне пора. Маргарет скоро начнет волноваться, что я так задержалась.

— Я вас подвезу, — вызвался Бойл.

— Нет, я, — поднялся Фин. — Заодно дам вам ключи, а потом заброшу к подруге. Мне тоже уже домой пора.

— Пойду возьму пальто. Нет, нет, вы все оставайтесь где сидите! — запротестовала Мэри Кейт. — Я не против пройти к выходу в сопровождении интересного молодого человека.

Они ушли, и поднялась Айона.

— Пойду налью тебе ванну.

Брэнна вскинула брови.

— Ты... что сделаешь?

— Приготовлю тебе ванну с твоей расслабляющей солью, а Мира сделает тебе чайку. А Коннора с Бойлом надо бы отправить к Фину, чтобы поухаживали там за ним.

— Готовить ванну для Фина Бэрка? Еще чего! — возмутился Бойл.

— Тогда эти двое пускай наводят здесь порядок, как ты любишь, Брэнна. Ты тогда сможешь как следует отдохнуть, выкинуть все из головы и выспаться.

— Лучше ей не перечить, раз она взялась командовать, — посоветовал Бойл.

— А я против ванны и чая ничего не имею, — рассмеялась Брэнна.

— Значит, решено. — Айона вышла.

— И я не буду возражать, если здесь вы оставите все как есть, а хотя бы один из вас съездит к Фину и проверит, как он там, — сказала Брэнна. — Ему тяжелее досталось, чем мне, а я грешным делом чувствую себя вконец измочаленной.

— Выжду немного и выдвинусь, — пообещал Коннор. — Останусь у него, если захочет, или побуду, пока не станет ясно, что он в порядке. А кухню мы в любом случае можем убрать. Иди наверх и ни о чем не тревожься!

— Тогда я пошла. Спокойной ночи.

Мира дождалась, когда Брэнна в сопровождении Катла скроется, после чего подошла к плите и поставила чайник.

— Да ведь ты сам встревожен, Коннор.

— Она ничего не ела. Ни крошки. — Он глянул на кухонную дверь, потом сунул руки в карманы, словно не зная, куда их деть. — Только делала вид, что ест. И под глазами у нее круги, а, когда заклятие только начало действовать, никаких кругов не было. И потом... чтобы Брэнна, да без звука позволила вам с Айоной вокруг себя суетиться? Она выжата как лимон, вот что я вам скажу. Но вы же за ней присмотрите, а, Мира? Вы с Айоной. Я у Фина долго не задержусь, только в случае крайней необходимости. А переночуем мы сегодня здесь.

— Езжайте, помогите там Фину, а мы возьмем на себя Брэнну.

— Только так, чтобы это не выглядело, будто вы ее опекаете.

Она смерила Коннора взглядом, в котором прочитывалось возмущение.

— Коннор, я знаю ее почти столько же лет, сколько и ты. И смею думать, что не хуже тебя знаю, как обращаться с Брэнной О'Дуайер. Мы с ней немножко поболтаем о своем, о девичьем, а потом оставим отдыхать. Ей будет лучше всего побыть одной, в тишине и покое.

— Что правда, то правда. Ну, побегу к Фину. Вернусь, как только получится.

— Если надо будет заночевать — ночуй, только дай нам знать. — Мира подставила лицо для поцелуя и улыбнулась, когда он хоть и второпях, но от этого не менее нежно ее обнял.

Когда Коннор оделся и отбыл, Мира закончила возиться с чаем для Брэнни и повернулась к Бойлу, с которым они остались вдвоем.

— Похоже, грязная посуда — твоя. — Мира похлопала его по плечу и вышла с подносом.

Оглядев опустевшую кухню, Бойл вздохнул.

— Ну, ладно. — И засучил рукава.

Коннор вошел к Фину без стука, как делал с того дня, как была поставлена входная дверь. И, если уж на то пошло, даже раньше, поскольку эту дверь он сам и ставил.

Фина он нашел со стаканом виски в кресле перед камином в гостиной. У его ног мирно спал, свернувшись калачиком, пес Багс.

— Приказано проверить, как ты тут, — объявил Коннор и тут же подумал, что «приказ» был обоснован: вид у Фина был не менее измученный, чем у Брэнни.

— Я в полном порядке, как ты и сам видишь.

— Сам я вижу, что ты совсем не в порядке, — возразил Коннор, налил и себе виски и устроился в кресле. — Айона сооружает Брэнне ванну, Мира заваривает чай. И она им это позволила, из чего я заключаю, что ей сейчас такая помощь не помешает. А тебе? Нужно что-нибудь?

— А сделаешь, если попрошу?

— Ты же знаешь, что сделаю, хотя сама мысль о том, чтобы наливать тебе ванну и укладывать в кроватку, приводит меня в ужас.

Фин даже не улыбнулся, только перевел взгляд с огня — уж что он там видел? — на Коннора.

— Ты не представляешь, как сильно меня тянуло. Просто зверски. В какой-то момент я физически ощущал все блага, которые мне обещались. Силу, какая никому из нас и не снилась. Черную, холодную, но очень... притягательную. И мне надо было только сказать «да».

— Но ты не сказал. И никогда не скажешь.

— В этот раз — не сказал. И в предыдущие разы тоже, но это же зов крови. Призыв к тому зверю, что сидит в каждом из нас. Так что, Коннор, у меня к тебе будет просьба, поскольку ты мой друг и практически такой же брат мне, как и Брэнне.

— Я тебе и друг, и брат.

— Тогда ты должен поклясться — своей кровью, своим сердцем, откуда родом твоя колдовская сила: если я когда-нибудь переметнусь, если эта сила, что меня тянула, окажется сильнее меня и я не устою, ты остановишь меня любыми способами, чего бы это ни стоило.

— Ты бы никогда...

— Мне нужно, чтобы ты дал мне слово! — перебил Фин, и глаза его сверкнули. — В противном случае мне придется уйти, уехать отсюда, оставить ее — бросить вас всех. Я не могу так сильно рисковать.

Коннор вытянул ноги, скрестил их в лодыжках и какое-то время изучал свои сапоги.

Потом медленно поднял глаза на Фина.

— Ты себя-то послушай! Ты жаждешь его конца сильнее нас троих, сильнее тех трех, от которых мы произошли, но ты готов уйти, поскольку вбил в свою дубовую башку, что можешь поддаться искушению, которому до сих пор успешно противостоял.

— Тебя же в той пещере не было! Ты не пережил то, что пережил там я.

— Но сейчас я здесь. Я знаю тебя практически с рождения, знал и до появления твоей отметины, и после. И поскольку я тебя знаю, Фин, я дам тебе слово, о котором ты просишь, — раз ты этого хочешь. То, чем я обладаю, действительно, как ты сказал, исходит из самого моего сердце, а сердце мое тебя знает. Так что ты сейчас как следует поразмысли. Думаю, ты имеешь на это право. А завтра мы к этому вопросу вернемся.

— Ну, ладно тогда. — Фин немного успокоился и хлебнул виски. — На размышление у меня право действительно есть.

— Вот именно. А я тут с тобой тоже поразмышляю, пока виски не допьем. — Коннор тоже сделал глоток и немного посидел молча. — Мы оба ее любим, — произнес он.

Фин откинулся к спинке кресла и закрыл глаза.

— Святая правда.

А любовь, Коннор это отлично знал, притягивает сильнее, чем любые посулы темных сил.

10

Фин считал себя человеком достаточно общительным. Он знал, когда пойти к стойке бара за выпивкой для всей компании, был желанным гостем, умело ведущим застольную беседу. Если к нему заходили друзья, чтобы вместе посмотреть футбол или сыграть партию в снукер, то он щедро выставлял пиво и закуску и никогда не ворчал по поводу устроенного в доме бедлама.

В конце концов его воспитывали не в амбаре, поэтому, как любой цивилизованный человек, он понимал, что означает для хозяина прием гостей, и достаточно четко представлял свои обязанности.

Но Айона перевернула его представления.

Где-то после обеда последнего дня в году она заявилась к нему. Ее коротко стриженные волосы цвета солнечных лучей были закрыты голубой шапочкой, которую, как он помнил, связала ей бабушка на Рождество. Она была нагружена кучей сумок.

— Рождество вроде только что прошло?

— Это для сегодняшнего вечера. — Айона сунула часть пакетов ему в руки, а остальное потащила прямиком на кухню. Водрузила покупки на центральный остров, после чего сняла пальто, шарф, шапку, перчатки и сапоги — и отнесла все в постирочную.

— Я привезла свечи, — первым делом объявила она.

— У меня свечи есть. Купил у Брэнны незадолго до Йоля.

— Этого мало. Нужно много свечей! — Айона категорически и с оттенком укоризны покачала головой. — Свечи должны стоять повсюду!

Она полезла в какой-то пакет и принялась его разгружать.

— Вот эти поставим на каминную доску в гостиной. Гореть будут двенадцать часов, так что зажжешь где-то за полчаса до прихода гостей.

— Да?

— Да, — без тени сомнения отвечала она. — Они создадут нарядную, праздничную и в то же время элегантную атмосферу. Вот эти — для гостевого туалета, для ванной первого этажа и для большой ванной — на втором, да? В ванную, которая в твоей спальне, никто, конечно, шастать не должен, но на всякий случай поставь и там, мало ли что... А это — гостевые полотенца, простые, симпатичные и главное — одноразовые.

Она выложила пачку белых бумажных полотенец с изображением серебристых бокалов, из каких пьют шампанское.

— И людям не придется вытирать руки тем же тканым полотенцем, которым ужс пользовался кто-то другой.

Фин хохотнул.

— Ты это серьезно?

— Фин, посмотри-ка на меня! — Она ткнула пальцем в свое лицо. — Я абсолютно серьезна. Еще взяла запасные свечи для столовой — вдруг у тебя не хватит. И еще — для каминной полки в цокольном этаже. Дальше. Обязательно проверь, есть ли запас туалетной бумаги в каждом из туалетов. Представь, что в нужный момент бумаги вдруг не оказывается...

— Могу себе только представить. К счастью.

— Я намерена раз в час проверять все ванные, чтобы не возникало проблем.

— Айона, что бы я без тебя делал?

Она сжала его лицо в ладонях:

— Я тебя в это втравила и сразу сказала: я помогу. Вот и пришла помогать. Теперь. Фирма, у которой ты заказал еду, кухню берет на себя. Они свое дело знают, я проверила, они должны быть на высоте. Отличный выбор!

— Спасибо. Я старался.

Айона лишь улыбнулась.

— Надо только убедиться, что официанты отдают себе отчет, что нижний этаж тоже на их попечении, поскольку у тебя там будет полно людей, которые захотят поиграть, потанцевать, просто потусоваться, а есть и пить-то им тоже надо. Камины ты, конечно, разожжешь?

— Ну... конечно.

— Я знаю, все будут много пить и есть. Как это называется? Ночь обжорства? Стой-ка... — Она прикрыла глаза и повторила эти же слова по-ирландски, поскольку именно так ирландцы именуют новогоднюю ночь.

На этот раз Фин улыбнулся.

— Ты делаешь заметные успехи в языке.

— Я практиковалась. Ирландской традиции наводить порядок в доме перед Новым годом (я и традиции изучаю, что смотришь?) мы следовать не будем — слава богу, в твоем доме идеальная чистота. Чувствую, ты у себя в доме такой же тиран по части порядка, как Брэнна у себя. Ладно, пойду расставлю свечи, разложу полотенца и... Да, еще! — Она полезла в другой пакет. — Я тут прихватила вот эти мятные конфетки и миндаль в сахарной глазури. Они такие яркие, красивые — будут чудесно смотреться в маленьких вазочках тут и там. Да, и еще Бойл привезет такую стойку на колесах — я ее позаимствовала у дочери одной бабулиной подружки.

— Стойку на колесах? — Фин почему-то не стал вникать, а сразу представил себе портативное пыточное орудие.

— Чтобы вешать пальто и куртки. Надо же будет куда-то девать верхнюю одежду, а эта стойка прекрасно подойдет. В твою постирочную она как раз встанет. Поставим кого-то при входе брать у людей пальто и относить туда, а на выходе выдавать назад. Нельзя же просто накидать их кучей на диване или на кровати!

— Я как-то не подумал... Ты молодец, все продумала. Мне повезло.

— И это мягко сказано! А для меня еще и практика полезная. Я уже планирую улетную вечеринку следующим летом, после того как дом будет готов, мы его обставим и переедем.

— Уже предвкушаю.

— К тому времени с Кэвоном мы уже разделаемся. Я в этом не сомневаюсь. И мы не будем, как сейчас, изо дня в день ломать голову над тем, где и как это сделать. Мы будем просто жить. Я знаю, эта неделя была тяжелой, особенно для вас с Брэнной.

— Никто не говорил, что будет легко.

Айона аккуратно поправила стопки гостевых полотенец.

— Ты сегодня с ней виделся?

— Сегодня еще нет.

— Утром она сказала, что попробует посчитать, не следует ли нам завершить наше дело в годовщину моего приезда — ну, того дня, когда я впервые заявилась к ней и мы познакомились.

Фин задумался.

— А это мысль...

— Вид у нее при этом, как и у тебя сейчас, был не очень уверенный, но подумать над этим стоит. И мы подумаем. Но не сегодня. Сегодня у нас праздник!

— Хм-мм... А что в этом пакете?

— А-а... Знаешь, некоторым нравятся дурацкие шляпы и всякие хлопушки и гуделки.

Он открыл пакет и недоуменно уставился на шляпы из цветной бумаги и блестящие диадемы.

— Так. Сразу тебе заявляю: я, конечно, готов целовать землю, по которой ты ступаешь, но ничего из этого я не надену, даже не надейся!

— Это по желанию. Я думала выложить их в двух больших корзинах, пусть кто хочет, тот и берет. Короче. Сейчас я тут это все разложу и расставлю, потом поеду часок-другой поработать с Брэнной, прежде чем облачаться в праздничный наряд. Буду здесь за час до назначенного времени, чтобы нанести финальные штрихи.

Она пошла заниматься свечами, а Фин опять заглянул в пакет, полный бумажных головных уборов. Нет, это он ни за что на себя не напялит, а вот помочь ей сейчас он готов — так сказать, быть на подхвате.

После чего и сам посидит часок кое над какими расчетами.

Позже, когда прибыли поставщики провизии и официанты, а он ответил на дюжину вопросов и принял уйму решений относительно разных мелочей, о которых он и не задумывался, Фин закрылся у себя в спальне на целых полчаса, чтобы спокойно привести себя в порядок и одеться. Он даже подумал, не остаться ли вообще в своей комнате на весь вечер, но отмел эту идею, помня о веселой решимости Айоны. Шансы провести вечер в тишине он расценил как нулевые.

Интересно, спросил он себя, а где я был в это время в прошлом году? В итальянских Альпах, недалеко от озера Комо. Он провел там три недели или вроде того. Тогда он считал, что проводить праздники вдали от дома, в компании незнакомых людей и на свой собственный лад, куда легче.

Теперь посмотрим, как он справится с другим вариантом — когда и сам дома, и люди с ним сплошь хорошо знакомые.

Фин проканителился чуть дольше, чем нужно, но наконец облачился в черные джинсы и черный свитер и направился вниз.

До него донеслись голоса, музыка, смех. Он взглянул на часы — проверить, не потерял ли он окончательно счет времени. Но нет, до гостей еще сорок минут.

Над потрескивающем в камине огнем на полке горели свечи в красных подсвечниках. Наряженная им елка сверкала разноцветными лампочками. Из колонок лилась задорная мелодия рила[1]. Массивный напольный канделябр, привезенный из дальних странствий, стоял в углу, заливая комнату светом множества свечей.

«Свет и музыка, — подумалось ему, — оружие его команды против тьмы».

Айона была права. Совершенно права.

Фин вышел из гостиной, заметил, что и в библиотеке, и в комнате, которую он оформил как музыкальную, она тоже расставила свечи.

И даже про цветы не забыла — в небольших стеклянных вазах, перевязанных серебряными ленточками, стояли букеты роз.

Айону он обнаружил вместе с Мирой, они хлопотали вместе с сотрудниками фирмы вокруг стола.

Еще камин, еще свечи, еще розы, серебряные подносы и хрустальные блюда, заполненные едой, и кастрюли с подогревом, тоже полные яств.

Сладости были все выложены на его буфете — кексы, печенье, пирожки. Под прозрачным круглым колпаком красовались сыры нескольких сортов.

Айона в коротком платье-футляре темно-серебристого цвета стояла, уперев руки в бедра, и орлиным взором явно проводила инвентаризацию запасов. Рядом с ней стояла Мира в подчеркивающем ее формы платье красно-коричневого цвета, с лежащими на плечах распущенными волосами.

— Кажется, я допустил ошибку, — произнес Фин, и обе девушки обернулись. — Зачем я назвал каких-то гостей, когда можно было самому провести приятный вечер в обществе двух обворожительных дам?

— Именно присущая тебе галантность и заставит всех твоих гостей на протяжении многих месяцев

---

[1] Reel (англ.) — ритмичный народный танец с элементами чечетки.

вспоминать новогодний вечер в твоем доме, — отозвалась Айона.

— Я собиралась сказать, мол, хорош чушь нести, но теперь уточню: это чушь, но очень галантная, — решила Мира. — А главное — твой дом просто преобразился, Фин!

— Ну, моей-то большой заслуги тут нет.

— Это все — твоя заслуга, — возразила Айона. — А мне ты только позволил поиграть с огнем. — Она со смехом подошла и просунула руку ему под локоть. — Сесиль с ее ребятами — лучшие. Правда, Сесиль! Все такое красивое, что даже есть жалко.

Сесиль, высокая блондинка в черных брюках и жилете поверх белоснежной сорочки, от удовольствия зарделась.

— Спасибо большое, но это все предназначено для съедения, на что мы очень надеемся. Внизу мы тоже несколько столов накрыли — Айона предложила, — обратилась она к Фину. — И бар там тоже заполнен. Официанты будут ходить вверх-вниз и следить за тем, чтобы никто из гостей не остался обделен.

— Выглядит все просто замечательно.

— Ты еще внизу не был! — Айона повела его на лестницу. — Я малость увлеклась своими свечками, так что на всякий случай произнесла заговор по всем правилам, чтобы пожара не случилось. Теперь они никому и ничему не навредят.

— Все-то у тебя продумано...

Снова свечи и зеленые ветки, красивая еда и цветы. Фин обогнул барную стойку, открыл холодильник и достал бутылку шампанского.

— Ты должна выпить первой.

— Не возражаю.

Он с глухим хлопком откупорил бутылку, налил бокал ей и себе.

— День, когда ты вошла в нашу жизнь, сестренка, был счастливым днем.

— Самым счастливым в моей жизни!

— Ну, тогда за счастливые дни!

Они чокнулись.

— За счастливые дни для всех нас!

Не прошло и часа, а в его доме оказалась половина деревни. Кто-то собирался в большие и маленькие группы, кто-то стоял разинув рот, другие сразу находили себе место и занятие. Гости наполняли себе тарелки и бокалы, стояли или сидели в гостиной либо направлялись вниз, где уже начали свою программу приглашенные Фином музыканты.

Сам он с удовольствием переходил от одной компании к другой с пивом в руке и то тут, то там непринужденно включался в разговор. Но в этой массе лиц, наводнивших его дом, он не видел одного.

И тут, словно подслушав его желания, появилась она.

Фин вернулся наверх, в гостиную, где находилась основная масса его гостей, и обнаружил ее на кухне, где она болтала с организаторами банкета.

Сегодня волосы у нее были распущены и черным водопадом ниспадали почти до линии талии бархатного платья насыщенного винно-красного цвета. Он подумал, что, притащи Айона на сотню свечей больше, они все равно не затмили бы того света, какой внесла вместе с собой Брэнна О'Дуайер.

Он сходил за шампанским и один бокал принес ей.

— Сегодня-то ты выпьешь?

— И выпью! — Она повернулась к нему. Глаза ее были, как дым, а губы такие же густо-красные, как ее платье. — Фин, чудесный у тебя получается вечер!

— Все благодаря тому, что я следую указаниям Айоны.

— Она как втравила тебя в это мероприятие, так от возбуждения и беспокойства места себе не находила. Все свечи у меня скупила. Вижу, она ими славно распорядилась.

— Они повсюду — так она велела.

— А где она, наша Айона?

— Внизу. Мира тоже там, и Бойл с Коннором, и бабуля, по-моему. — Но Брэнну он повел к шведскому столу. — Поешь?

— Поем, конечно. Все так аппетитно выглядит! Только чуть позже.

— А к этим ты по-прежнему неравнодушна? — Он протянул ей миниатюрное слоеное пирожное с кремом, сверху обсыпанное сахарной пудрой.

— Сплошной вред! Обычно я их себе не позволяю. Но сегодня уж так и быть... — Брэнна взяла пирожное и надкусила. — Вкуснотища! Ох, грехи наши тяжкие...

— Возьми второе. По случаю Нового года, Брэнна.

Она засмеялась и покачала головой.

— За вторым вернусь попозже.

— Тогда позволь проводить тебя вниз. Там ребята, там музыка...

Фин подал ей руку, дождался, пока она вложит в нее свою.

— Потанцуешь со мной, Брэнна? Забудь про вчера и про завтра! Сегодня потанцуй со мной!

Она последовала за ним туда, где играла музыка, где было тепло и все залито светом.

— Потанцую.

А ведь она чуть было не осталась дома. Все придумывала для себя отговорки, чтобы не ходить совсем или на самый крайний случай появиться ненадолго, из вежливости, и быстренько удрать. Но какую бы причину она ни изобретала, в ушах всякий раз звучало одно слово.

Трусость. Или еще хуже — низость.

Не может она быть до такой степени мелкой и трусливой, чтобы пренебречь его приглашением только из-за того, что расстраивается, находясь в его доме и видя, как он обустроил свою жизнь без нее.

В конце концов это было ее решение — чтобы он строил свою жизнь без нее. И ее долг — строить свою без него.

И она пришла.

Она немало повозилась с волосами, макияжем и платьем. Если уж она решила провожать старый и встречать Новый год в доме Фина, в его обществе, она должна быть неотразимой.

Цокольный этаж, который Брэнна считала чем-то вроде клуба, где играют в бильярд, дартс и прочие игры и звучит музыка, оказался оформлен очень в его духе. Сочные, густые краски вперемешку с нейтральными, отреставрированная старинная мебель — с новой. Какие-то безделушки и небольшие предметы обстановки, по-видимому, были привезены из дальних странствий. И масса оборудования для проведения досуга.

Огромный до абсурда плоский настенный телевизор, стол для снукера, старый аппарат для пинбола и музыкальный автомат, а в довершение — изумительный камин, отделанный коннемарским[1] мрамором и увенчанный каминной полкой из толстой, грубо отесанной доски.

---

[1] К о н н е м а р а — область на северо-западе Ирландии в составе графства Гэлоуэй, известная, в частности, добычей уникального по своему составу мрамора зеленоватого цвета.

Рядом с барной стойкой красного дерева — Фин пояснил, что отыскал ее в Дублине, — разместились музыканты, исполняющие веселые плясовые мелодии. И без того просторное помещение превратилось в настоящий танцпол благодаря тому, что вся мебель была сдвинута к задней стене.

Когда Фин повел ее танцевать, Брэнне показалось, что вернулось прошлое, с его невинными радостями, с его простотой, с ощущением, что им открыты все дороги. Но воспоминания причиняли ей боль, и она сказала себе, пусть хотя бы одна эта ночь станет вне времени.

Она подняла к Фину лицо и со смехом воскликнула:

— Ты все-таки это сделал!

— Что я сделал?

— Устроил прием года. Учти, теперь от тебя будут ждать того же и на следующий год, и через год.

Слегка шокированный, он огляделся по сторонам.

— Я думал передать эстафету Айоне с Бойлом.

— Ну, нет, у них будет свой праздник. А Новый год, мне кажется, теперь твой. Смотри, вон ваш Шон, в колпаке, выплясывает так, что только каблуки начищенных сапог сверкают. А вон ассистентка Коннора, Кайра, со своим бойфрендом — теперь уже женихом, — тот даже рубашку подобрал под цвет ее платья! А на голове у него картонная корона, глянь! А вон и моя Эйлин танцует с мужем, как будто им по шестнадцать лет, а все годы семейной жизни и дети у них еще впереди. Ты построил дом, где может уместиться чуть не вся деревня, и вот теперь ты полдеревни и пригласил.

— Никогда об этом не думал.

— Ты и так сильно затянул. А вон и Элис. Стреляет в тебя шаловливыми глазками — видимо, смирилась, что Коннор для нее навсегда потерян. Ты должен с ней потанцевать.

— Я лучше потанцую с тобой.

— Уже потанцевал. Слушай, Финбар, ты должен исполнить свой долг хозяина дома и станцевать с девушкой. А мне тут надо кое с кем переговорить.

Она сделала шаг назад и повернулась идти. Если она пойдет танцевать с ним снова, да еще не раз, понесутся кривотолки, а ей ведь с людьми дело иметь.

— Здорово, скажи? — Айона подхватила ее и быстро покружила. На ней была розовая диадема с блестящими цифрами «2014». — Замечательный вечер! Сейчас сбегаю по уборным и вернусь.

— Сбегаешь... по уборным?

— Ну да, туалеты проверю, не кончилась ли бумага, одноразовые полотенца и все такое...

— Отныне назначаю тебя ответственной за каждую вечеринку в моем доме.

— Для тебя принимать гостей или просто собрать друзей — дело привычное, — хмыкнула Айона. — А Фину это в новинку. Мне вообще-то тоже, но, мне кажется, у меня к этому есть способности.

— Упаси боже! — вздохнул Бойл, целуя ее в макушку.

Брэнна в свое удовольствие наслушалась музыки, наобщалась с гостями. Потом улизнула наверх, где вкусила деликатесов и провела некоторое время в гостиной, в обществе любителей более спокойного времяпрепровождения.

За это время она лучше познакомилась с жилищем Фина, прониклась его атмосферой. А заодно получила возможность выглянуть в окна, раскрыть свои чакры и поискать малейший намек на Кэвона.

— Он не явится.

Она стояла у высоких застекленных дверей библиотеки с выходом в сад и оглянулась на голос. В комнату входил Фин.

— Ты так уверен?

— Наверное, тут слишком много света, слишком много людей, голосов, мыслей, звуков... В любом случае сегодня он сюда не придет. Возможно, просто залег в свою нору и ждет, когда год закончится. Но сегодня его точно не будет. Напрасно ты беспокоишься.

— Быть настороже не значит беспокоиться.

— Ты беспокоишься. Это видно.

Брэнна машинально поднесла руки ко лбу и потерла складку между бровями, которая в такие минуты всегда обозначалась глубже. Он улыбнулся.

— Ты очень красивая. И это ни от чего не зависит. Тревога у тебя в глазах.

— Раз ты говоришь, он сегодня не придет, я перестану тревожиться. Знаешь, эта комната мне особенно нравится. — Она провела рукой по спинке широкого кресла, обитого кожей шоколадного цвета. — Сюда приходишь за тишиной и за вознаграждением.

— Вознаграждением?

— Когда работа закончена, хорошо устроиться в таком вот кресле подле камина, с хорошей книгой. И чтобы за окном стучал дождь, или гудел ветер, или всходила луна. Стаканчик виски, чашка чаю — что кому нравится — и собака у твоих ног...

Она повернулась к нему и протянула руку.

— А книгу выбирай любую, вон их у тебя сколько! И цвет стен мне нравится, хороший, теплый и красиво оттеняется темным деревом. Славно ты здесь потрудился.

Фин усмехнулся, и она наклонила голову набок.

— Что?

— Когда я оформлял эту комнату, я думал о тебе. Помнишь, когда мы с тобой мечтали, какой построим себе замок мечты, ты всегда говорила, что в нем должна быть библиотека с камином и большими креслами, с окнами, в которые может стучать дождь или светить солнце. И что у нее должны быть стеклянные двери, второстепенные в сад, чтобы в ясную погоду можно было просто выйти и устроиться с книжкой там.

— Я помню. — Теперь она поняла. Он превратил ее мечту в явь.

— И еще ты говорила, что должна быть отдельная комната для музицирования, — добавил Фин. — Музыка будет звучать по всему дому, но должна быть специальная комната, где у нас будет стоять пианино и все такое. Чтобы дети могли там заниматься.

Он повернулся.

— Она вон там.

— Да, я знаю. Я ее уже видела. Она замечательная!

— В глубине души я думал, что если я все это построю и если я буду иметь в виду тебя, ты придешь. Но ты не пришла.

Сейчас Брэнна видела ясно: дом был именно такой, о каком они тогда и мечтали.

— Я пришла теперь.

— Ты пришла теперь. И что это для нас означает?

Господи, неужели так бывает, что все ее сердце занято одним человеком? Именно это она сейчас чувствовала, находясь в этой комнате, в которой он воплотил ее мечты.

— Я твержу себе о том, что это для нас означать не может. С этим все понятно и все резонно. Я не вижу, что это *может* для нас означать.

— Тогда скажи, чего ты хочешь?

— То, что я хочу, сбыться не может, и теперь это еще тяжелее, чем раньше, потому что я теперь понимаю, что в этом нет ни твоей, ни моей вины. Было легче, когда я могла винить тебя или себя. Таким образом я могла воздвигнуть стену, которую лишь укрепляло разделяющее нас расстояние, ведь ты проводил здесь всего несколько дней или недель и уезжал опять.

— Ты мне нужна. Все остальное вторично.

— Я знаю. — Она вздохнула. — Я знаю. Нам надо возвращаться. Не следует так надолго бросать гостей, Фин.

Но ни один не сдвинулся с места.

Она слышала крики, шум голосов, обратный отсчет последних секунд года. Где-то за спиной стали бить каминные часы.

— Наступает полночь.

Какие-то секунды, подумалось ей, между тем, что было, и тем, что есть. И тем, что будет потом. Она шагнула к нему. Ближе.

«Пошла бы она с ним? — спросила она себя, когда он притянул ее к себе. — Нет. Нет, не сейчас. Может быть, когда-нибудь в другой раз, только не сейчас».

Вместо этого она обвила руками его шею, заглянула ему в глаза. И с последним боем часов прильнула к нему губами.

Между ними пробежала искра, электрический разряд, воспламенивший кровь и ударивший в сердце. И трансформировавшийся в тепло, которого оба давно заждались.

О, это чувство! Как долго она ждала его возвращения! Как долго ждала, чтобы ее тело, ее сердце, ее душа стали едины в порыве этой страсти, этой теплоты, этой ни с чем не сравнимой, необузданной радости.

Его губы — к ее губам, его дыхание — к ее дыханию, его сердце — к ее сердцу. И вся печаль испарилась, будто и не было.

Когда-то он думал, что его чувство к ней — это предел, сильнее любить невозможно. Но он ошибался. Сейчас, после стольких лет без нее, он любил ее еще больше.

Ее запах заполнил его, ее вкус лишил его воли. Как когда-то, она все отдала ему в одном простом поцелуе. Сладость и силу, власть и покорность, настойчивый призыв и самопожертвование.

Ему хотелось продлить эти объятия, остановить этот миг, остаться так до конца дней.

Но она высвободилась, чуть задержалась, провела рукой по его щеке, потом отступила назад.

— Вот и Новый год.

— Брэнна, останься!

Теперь она положила ладонь ему на грудь, туда, где сердце. Ответить она не успела, потому что в комнату вошли Коннор с Мирой.

— Мы просто...

— Уходим, — закончила за Коннора Мира. — Уходим прямо сейчас.

— Да. Нас тут вообще не было.

— Да ничего. — Брэнна еще чуть подержала руку на груди Фина, потом уронила ее. — Мы сейчас вернемся. Фин слишком надолго бросил своих гостей. Мы придем выпить за Новый год. За удачу. За свет. За то, что может осуществиться.

— За то, что должно осуществиться, — поправил Фин и вышел первым.

— Иди с ним! — зашептала Мира, наседая на Брэнну. — Так у тебя все в порядке?

— Да, все в порядке, но, видит бог, мне сейчас требуется выпить, и чтобы людей и шуму побольше, хоть это и противоречит моей натуре.

— Это мы устроим.

Мира обхватила Брэнну за талию, и та на миг прильнула к подруге.

— Как такое может быть, что сейчас я люблю его больше, чем любила когда-то? Тогда я готова была отдать за него все, а сейчас — еще больше.

— Любовь иногда увядает и умирает. Я это видела. Но она же может расти и расцветать. Думаю, когда это настоящая любовь, предначертанная свыше, она может только делаться больше и сильнее.

— Но ведь страдание не может быть предначертано свыше!

— Нет, конечно. Мы сами превращаем ее в страдание или в радость, а сама любовь тут не виновата.

Брэнна вздохнула и долго смотрела на Миру.

— С каких это пор ты стала такой мудрой в вопросах любви?

— С тех пор как позволила себе полюбить.

— Тогда идем и выпьем за это. За то, что ты позволила себе любить, за талант Айоны устраивать праздники, за Новый год, черт возьми, и за конец Кэвона. Мне кажется, я не прочь наклюкаться.

— И что буду я за подруга, если не наклюкаюсь вместе с тобой? Пойдем поищем шампанского.

11

Ну нет, с этим надо кончать. К половине третьего ночи по его дому продолжали шататься толпы людей, а кто-то и вовсе чувствовал себя настолько вольготно, что казалось, готов проторчать тут до весны. Фин подумал, не уйти ли наверх, запереться и предоставить гостей самим себе. Он нещадно устал, а главное — то, что при всей невероятности произошло у них с Брэнной, внесло в его душу такое смятение, что он даже не взялся бы определить свои чувства.

Поэтому во всех отношениях казалось проще запереться ото всего этого и вообще перестать что-либо чувствовать.

Что до Брэнны, то она с абсолютно довольным выражением сидела на диванчике, потягивала шампанское и болтала с самыми стойкими из гостей. Но это же Брэнна, правда? Крепка как сталь.

Для него сейчас лучше всего было бы несколько часов поспать. Завтра утром они вернутся к проблеме Кэвона — точнее, уже сегодня. И чем раньше, тем лучше. Покончить с ним означало для Фина выполнение его обязательств. И конец его личных мучений.

Одним словом, от гостей он ускользнет — к этому моменту среди них уже не осталось таких, кто был бы способен заметить его отсутствие.

Тут появилась Айона, словно прочитав его мысли. Взяла под руку, а потом и за руку.

— Проблема удачного приема в том, что народ не хочет уходить.

— Зато я хочу.

Она засмеялась, сжала ему руку.

— Остались самые упертые, сейчас начнем их потихоньку оттеснять к выходу. Друзья тебя в беде не оставят, не бойся. Минут двадцать, думаю, хватит. А тебе сейчас надо обойти комнаты и начать собирать пустую тару, поскольку обслуга два часа как отбыла. Для всех это будет сигнал к сборам.

— Как скажешь.

— Вот так и скажу.

Подавая пример, она начала собирать бутылки и стаканы и послала многозначительный взгляд Бойлу, призывая сделать то же самое.

В считаные минуты горстка «упертых» засобиралась уходить, с жаром благодаря хозяина и желая ему счастливого Нового года. А в отдельных случаях, как, например, с Шоном, пожелания сопровождались еще и несколько сентиментальными объятиями.

Магия праздника, решил Фин и занялся брошенными на столах чайными и кофейными чашками.

Он откатил их на тележке на кухню, потом попрощался со следующей группой гостей. Решил завершить уборку посуды и мусора, а потом выпроводить последних.

Весь процесс занял не двадцать минут, как обещала Айона, а полчаса, но он не роптал.

— Все, последние ушли. — Айона закрыла дверь.

— Слава тебе, господи!

— Ты доставил куче людей большое удовольствие, подарил всем незабываемый вечер. — Она привстала на цыпочки и поцеловала его в щеку. — И себе, кстати, тоже.

— Теперь, когда все закончилось, я даже вспоминаю его с удовольствием. И спасибо тебе за все.

— Я сама получила массу удовольствия. — Она оглядела гостиную, покивала. — И вроде бы в куче мусора тебе ночевать тоже не придется. Брэнна, если хочешь, я могу поехать с тобой, а свою машинку бросить здесь. Бабулю в аэропорт мне завтра везти только после обеда, я сто раз успею вернуться за машиной.

— Ты лучше с Бойлом поезжай.

— Мы поедем цугом, — объявил Коннор, натягивая куртку. — Ехать-то недалеко, но посреди ночи... Брэнна пусть едет за вами с Бойлом, а мы с Мирой будем замыкать.

— Я сегодня домой вообще не поеду. Заночую здесь.

С этими словами Брэнна бросила взгляд на Фина. Тот был настолько ошарашен, что сам удивился, как устоял на ногах.

— Вот и отлично! — Мира просияла и надела шапку. — Тогда поехали. Спокойной ночи. И с Новым годом!

— Но... — начал было Коннор, но она уже за рукав тащила его к выходу, а Айона сзади подталкивала Бойла.

— Хоть куртку-то дашь надеть? — обиделся Бойл, а Айона уже плотно закрывала за собой дверь.

Фин не двигался с места. Мысли путались, в голове звучал лишь один вопрос: «Почему?»

— Я решила, что сегодня, в этом доме, я не стану думать о вчерашнем дне. Или о завтрашнем. Может статься, мы оба потом будем жалеть, но я хочу быть с тобой. Я всегда этого хотела и, вероятно, всегда буду этого хотеть, но сейчас давай ограничимся одной этой ночью. Сейчас не время давать обеты или строить воздушные замки, и мы оба это понимаем. Но есть обоюдное желание и наконец обоюдное доверие.

— И тебе этого довольно?

— Как выясняется, да. Бог свидетель, я и так в голове крутила, и эдак, но пришла к выводу, что этого мне вполне довольно. Это решение примем мы оба. Ты попросил меня остаться — я говорю, что остаюсь.

Внутреннее смятение уступило место спокойствию, а годами жившая в нем обреченность ушла, и на смену ей пришла радость и трепетное предвкушение.

— А вдруг я уже передумал?

Брэнна рассмеялась, в ее дымчатых глазах сверкнули искорки.

— Если это так, то спорим — я быстро сумею тебя переубедить?

— Что ж, пожалуй, дам тебе такую возможность. — Он подал ей руку. — Целовать тебя здесь не стану, не то окажемся на полу. Пойдем в постель, Брэнна.

Она вложила в его руку свою.

— Мы ведь еще никогда не были вместе в постели, да? Мне любопытно, что у тебя за кровать. Весь вечер так и подмывало подняться и заглянуть в твою спальню. Пришлось приложить немалые усилия, чтобы удержаться.

— Ну, силы воли у тебя всегда было с избытком. — Он поднес ее руку к губам. — Я тысячу раз представлял тебя здесь. Много тысяч раз.

— Я себе этого позволить не могла, потому что перед воображением даже моя хваленая воля была бы бессильна. — Поражаясь собственной невозмутимости, она, в свою очередь, поцеловала Фину руку. — Как только Айона появилась у меня в мастерской, я поняла, что ты вернешься. И примешь участие в нашей миссии. И снова станешь частью меня. И я спрашивала себя, почему, ну почему, когда я наладила свою жизнь и научилась довольствоваться ею, судьба снова приводит ко мне тебя.

— И каков был твой ответ?

— Я его еще не нашла и до сих пор задаю себе этот вопрос. Но только не сегодня. Дом у тебя просто роскошный! Все эти комнаты... Каждый сантиметр пространства продуман до мелочей.

«Но ни один из этих сантиметров не может по-домашнему уюту сравниться с ее кухней», — мысленно добавил Фин.

Он распахнул дверь спальни, снова поцеловал ей руку и втянул в комнату. Свет включать не стал, а сделал движение кистью — и в камине запылал огонь. Зажглись и свечи.

— Очередная великолепная комната, — сказала она. — Роскошное мужское убежище, только не по-спартански практичное, а уютное и красивое.

А кровать-то какая! — Брэнна подошла к постели, провела пальцами по массивному изножью. — Бывалая... Старинная кровать. Прежние хозяева не снятся?

— Я ее очистил, чтобы не возникало ощущения, будто я делю постель с незнакомыми людьми из других эпох. Так что — нет, они мне не снятся. Вот ты мне снилась, и не раз.

— Это мне известно. Я даже однажды была тут с тобой во сне.

— Не только в тот раз. Ты снилась мне тысячу раз!

Брэнна повернулась к нему и вгляделась в его лицо, освещаемое отблесками света и тени от пляшущих языков пламени. Сердце, отданное этому мужчине много лет назад, казалось, сейчас займет всю грудную клетку.

— Сегодня мы не будем видеть сны, — проговорила она и открыла ему объятия.

Нервы, только что трепетавшие, казалось, под самой кожей, словно растворились. Приникнув телом к его телу, губами к его губам, она почувствовал, как в ее мире все вдруг стало на свои места.

Конечно, это было единственное, чего ей недоставало в ее жизни.

Сегодня, раз уж она решила жить одним днем, она сделает себе подарок. Отдастся во власть чувств. Раскроет свою душу, свое сердце, тело, разум, чувства. Сделает то, чему так долго сопротивлялась.

Завтра, если потребуется, она скажет себе, что это было не более чем физическое влечение, всего лишь способ снять существующее между ними напряжение во имя более великой цели. Но сегодня она не станет сопротивляться тому, что есть.

Она любит. Всегда любила и всегда будет любить.

— Я скучала, — прошептала она. — О, Финбар, как же я по тебе скучала!

— А я страдал. — Его губы порхнули по ее щекам, потом снова нашли ее губы.

Она крепко прижалась к нему, и они на несколько дюймов оторвались от пола, потом несколько дюймов превратились в целый фут, и они закружились. Она со смехом воздела руки и рассыпала вверху звезды.

— Клянусь светом этого огня и светом этих свечей, сегодня все, что есть во мне, принадлежит тебе.

— И то, что в тебе есть, для меня самое желанное и дорогое.

Он опустился вместе с нею на постель и утонул в поцелуе.

С ней, наконец он вместе с ней и волен испить до дна ее губы, волен чувствовать под собой ее тело, видеть ее волосы разметанными по подушке.

Это был ее подарок им обоим, слишком драгоценный, чтобы торопиться. И он станет смаковать этот подарок и взамен дарить все, что есть у него.

Его руки медленно продвигались вверх по ее телу, нежно захватили ее груди. Уже не тот едва распустившийся бутон, каким она запечатлелась в его памяти, а цветущая женщина.

Новые ощущения, новые воспоминания лягут поверх старых.

Он прижался губами к ее горлу, упиваясь ее запахом, именно в этом месте, запахом, который преследовал его денно и нощно. И этот запах снова принадлежит ему, им опять можно дышать как воздухом.

Он стал стягивать с ее плеч платье, и она изогнулась, облегчая ему задачу. На ее коже, молочно-белой, играли золотые блики огня и серебристые отблески рассыпанных ею звезд. Он раздевал ее так бережно, словно разворачивал бесценное сокровище.

Под его прикосновениями сердце ее затрепетало. Это ощущение, смесь волнения и наслаждения, умел дать ей только он. Каждый его поцелуй был медленным и глубоким, и казалось, он так долго пьет с ее губ, что мир успеет зашататься и опрокинуться, а потом вернуться назад.

— Ты стал терпеливее, — проговорила она, чувствуя, как у нее под кожей запела кровь.

— А ты — красивее. Не думал, что такое возможно.

Она обняла его голову, подержала так, потом взъерошила ему волосы, после чего приподнялась и оказалась над ним, и звезды теперь мерцали над ее головой.

— Ты тоже. — Она стянула с него свитер. — Колдун и воин. Много сильнее того мальчика, какого я знала. — Она положила руки ему на грудь. — Уязвленный, но не утративший верности. И отваги.

Он покачал головой. Тогда она взяла его за обе руки и прижала себе к сердцу.

— Фин, это так много для меня значит — я даже выразить не могу! Очень много значит.

Она опустилась и прижалась губами к его губам, а потом к его груди, туда, где сердце.

Она разбила ему сердце, он разбил сердце ей. Она не знала, что уготовила им судьба, даже не знала, можно ли их сердца по-настоящему излечить. Но сегодня ей хотелось, чтобы он знал, что она понимает его душу, и чтобы это было для него важно.

Чтобы переменить настроение, она легонько порхнула пальцами вдоль его ребер с левой стороны. Фин подскочил, как заяц.

— Черт!

— Ага, тут у нас по-прежнему слабое место. Вот эта маленькая точка. — Она дотронулась еще раз, и он перехватил ее запястье.

— Поосторожней, я ведь тоже помню пару твоих слабых мест.

— Но не таких, от которых бы я вопила, как девчонка. Эх, Финбар Бэрк! — Она перевернулась на спину и обхватила его торс ногами, а руками обвила шею. — Как и раньше, предпочел бы получить удар кулаком в лицо, чем терпеть легкую щекотку вдоль ребер.

— Кулаком в лицо — не так унизительно.

Она тряхнула головой и рассмеялась, глядя в потолок.

— А ты помнишь...

Она повернулась на его повисший вопрос, встретилась с ним глазами. В его глазах она прочла все. Безудержное влечение и, что еще дороже, безграничную любовь. Прошлое и настоящее пришли в столкновение, прошили ее тело подобно обжигающему ветру, воспламеняя дремлющую в ней необоримую, пылкую страсть.

— О боже, Фин...

Прочь терпение, прочь настороженное обнюхивание. Они набросились друг на друга с неистовой силой, охваченные необузданным желанием и безрассудством. Теперь ее беззастенчиво ощупывали, жадно хватали грубые мужские руки, в то время как ее руки в нетерпении тянули и стаскивали с него остатки одежды.

Теперь их ничто не разделяет, подумала она. Даже тончайшая прослойка воздуха между ними сейчас была бы невыносима. Их изголодавшиеся губы жадно сомкнулись, а они опять перекатились в желании познать друг друга еще больше, до самого конца.

Она вцепилась зубами в его плечо, впилась пальцами в его бедра.

— Войди в меня! Хочу, чтоб ты был внутри.

И когда он вошел, мир замер. Не осталось ни дыхания, ни звука, ни движения. А потом грянул гром, хриплый рев, подобный рыку дикого зверя в горах. Сверкнула молния, озарив комнату полуденным светом.

Не отрывая от него глаз, она схватила его за руки.

— Сегодня мы хозяева своей судьбы, — задыхаясь, проговорила она. — Сегодняшний день — наш. — Она выгнулась ему навстречу. — Люби меня!

— Тебя одну. Всегда только тебя.

Он целиком отдался своему желанию. Ее настойчивости. Зову собственного сердца.

Когда они одновременно достигли вершины блаженства, они стали и громом, и молнией. А над их головами зажженные ею звезды засияли ярче прежнего.

Проснувшись, Фин обнаружил, что солнце уже встало и комната залита светом. Год начался с ясного, солнечного дня. А рядом с ним спала Брэнна.

Ему захотелось ее разбудить, заняться с ней любовью в этом потоке лучей, после того как они любили друг друга в ночной темноте и до первых робких проблесков рассвета.

Но вокруг ее глаз лежали тени. Ей нужно было выспаться. Отдохнуть. Побыть в тишине и покое. И он только коснулся ее волос и улыбнулся, напомнив себе, что, разбудив Брэнну, рискуешь в лучшем случае нарваться на раздражение, а в худшем — навлечь на себя гнев.

Поэтому Фин выбрался из постели, натянул штаны и выскользнул из комнаты.

Он займется делом. Ему хотелось покорпеть, найти наконец способ покончить со всем этим, разрешить проблему раз и навсегда. И найти способ снять с себя проклятие, наложенное умирающей колдуньей много веков назад.

Если он сумеет снять это проклятие, удалить роковую отметину, они с Брэнной опять смогут быть вместе, и не на одну ночь, а на всю жизнь.

Фин уже перестал на это надеяться. И не надеялся до самой этой новогодней ночи, когда провел с ней несколько часов. Теперь в его душе с новой силой затеплилась надежда, вера в счастливый исход.

Он найдет способ, сказал он себе и решительно прошел в мастерскую. Способ покончить с Кэвоном, защитить троих избранных и всех, кто пойдет от них. Способ стереть со своего тела этот знак, очистить свою кровь от всех следов Кэвона.

Сегодня, в первый день Нового года, он возобновит свой поиск.

Фин начал с того, что еще раз проанализировал состав зелья, которое они сделали для предыдущей схватки. Сильное, эффективное — они были очень близки к успеху. Кэвон — или то, что в него вселилось, — пострадал нешуточно. Но не смертельно. Потому что то, из чего он черпает силы, не относится к разряду смертных.

«Демон, — размышлял Фин, — листая свои колдовские книги. — Демон, высвобожденный благодаря кровавому жертвоприношению и слившийся с более чем послушным хозяином. К тому же наделенным магической силой».

Кровь от отца.

Он сел, чтобы делать пометки в своей тетради.

Кровь от матери.

Пролитая сыном.

Он все записал — последовательность событий, сопровождавшие их слова, все, что он видел и что чувствовал.

Алый камень, сотворенный магией крови, самой черной из всех возможных, в результате самого подлого деяния. Источник силы, исцеления, бессмертия.

— И врата, — прошептал Фин. — Врата, через которые проходит демон и вселяется в своего хозяина.

Можно испепелить самого Кэвона, как сделала в свое время Сорка, но его не истребить, не уничтожив его камня, а вместе с ним и демона.

«Нужно второе зелье, — решил он, поднялся и начал выхаживать по комнате. — Такое, которое запечатало бы врата. Заперло бы демона в ловушку, а потом уничтожило. Без демона Кэвон существовать не может, а демон не может существовать без Кэвона».

Он достал другую книгу — из дневников, что он вел во время своих путешествий. Положив руки на стойку, он склонился и стал читать, освежать в памяти увиденное и познанное. И думать над тем, что можно сделать.

— Фин.

Сосредоточенный, погруженный в мысли о черной и белой магии, он обернулся. На ней была его старенькая застиранная сорочка из хлопка, которую он иногда надевал для работы на конюшне. Босая, нечесаная, с выражением недоумения и раскаяния на лице.

Сердце его подпрыгнуло от одного ее присутствия, еще до того, как он проследил за ее взглядом — она смотрела на свое изображение на оконном витраже.

Фин выпрямился, сунул большие пальцы в карманы брюк.

— Это правильно, что, пока я работаю, у меня за спиной стоит Смуглая Ведьма. Напоминает мне, почему я это делаю.

— Так любить нельзя. Это сплошное страдание.

— Да.

— Как же мы будем жить дальше, ведь, может статься, нам никогда не суждено быть вместе?

— А мы сделаем все возможное, чтобы это изменить. Но исходить будем из того, что имеем. Мы и так слишком долго жили друг без друга.

— Фин, мы — то, что мы есть, и от нас тут далеко не все зависит. Между нами невозможны никакие клятвы, никакие обещания светлого будущего.

— Тогда будем жить сегодняшним днем.

— Сегодняшним днем, — безучастно повторила Брэнна. — Пойду займусь завтраком. — Она повернулась идти, но обернулась. — А у тебя отличная мастерская. Очень тебе подходит — как и все в этом доме.

Брэнна спустилась вниз. Сначала кофе, решила она. По утрам чашка кофе всегда проясняет мозги.

Она начала Новый год с ним, сделала то, от чего когда-то зареклась навсегда. Но тот зарок был дан под воздействием бури эмоций, в момент сильнейшего душевного смятения. И она его держала, что правда, то правда. И из самосохранения, и из чувства долга.

А теперь нарушила. Во имя любви.

Это не конец света, сказала она себе, разбираясь с хитроумной кофемашиной Фина. И небо не пролилось огненным дождем. Да, у них был секс, много восхитительного секса, и силы судьбы, похоже, с этим примирились.

Она проснулась отдохнувшая, с легкостью в теле и мыслях, расслабленная и... счастливая, призналась она себе. Так сладко и так крепко она не спала с самого Сауина.

«Как соотносятся секс и энергия, — спросила она себя, с наслаждением делая первые глотки кофе. — Если это происходит с охотой, то это сплошной восторг — неземное блаженство, главное в жизни. Значит, секс не запрещается и надо благодарить за это богиню. Что она и сделает».

Но их будущее — дело иное. Она не станет опять строить планов, не будет прекраснодушествовать и мечтать. И пусть все ограничится одним лишь сегодняшним днем, постановила она.

Даже это уже будет больше, чем они имели прежде, и этим пока придется удовольствоваться.

Брэнна порылась в его необъятном холодильнике — которому искренне позавидовала — и нашла только три яйца, жалкий кусок бекона и один-единственный парниковый помидор.

И этим тоже придется удовольствоваться.

Фин появился как раз в тот момент, когда она закончила готовить блюдо, которое про себя назвала «омлет бедняка».

— На твои запасы, Фин Бэрк, без слез не взглянешь. Стыд и позор! Вот и довольствуйся теперь тем, что мне удалось наскрести. И еще скажи спасибо.

— Огромное тебе спасибо! Серьезно.

Она обернулась. Он надел черную футболку с длинным рукавом, но ноги, как и у нее, остались босыми. И на его лице сияла улыбка.

— Что это ты такой довольный? Радуешься жалкому омлету из трех яиц с ошметком бекона и помидоркой?

— Ты стоишь в моей старой рубашке и готовишь на моей кухне — надо быть идиотом, чтобы не улыбаться.

— А идиотом ты отродясь не был. — Брэнна поставила в кофемашину вторую кружку и нажала нужные кнопки. — Этот агрегат получше моего будет. Надо мне тоже таким обзавестись. А джем у тебя уже давно просрочен, аж смотреть противно. Придется тебе обойтись тостом с одним маслом. Я уже начала составлять для тебя список покупок. Тебе надо будет...

Он развернул ее, чуть приподнял и впился в ее губы губами. Когда к ней вернулась способность мыслить, Брэнна подумала, как хорошо, что она успела снять омлет с огня, иначе остаться бы им голодными.

Но поскольку омлету ничто не угрожало, она с чувством ответила на поцелуй.

— Идем в постель?

— Ни за что! Я потратила время и приложила всю свою изворотливость, чтобы сготовить завтрак из твоих жалких запасов. — Брэнна отодвинулась. — Бери свой кофе. Я раскладываю это по тарелкам, пока все не остыло. Как ты сам-то с завтраком обходишься?

— Раньше я Бойла умасливал, и он готовил что-нибудь на двоих, а теперь, когда он все чаще ночует не здесь, хватаю что под руку попадет. Есть такая овсянка в пакетиках, залил молоком — и в микроволновку. Очень удобно.

— Да, плохи твои дела. — Она поставила перед ним тарелку, положила и себе тоже. — У тебя здесь такой чудесный уголок, как раз для завтрака, и пропадает зря. Скоро Бойл совсем съедет — вот тогда запоешь! Думаю, когда они с Айоной переедут в свой дом, тебе сквозь деревья даже будут видны огни в их окнах. Они очень благодарны тебе за то, что ты продал им участок, поверь мне.

— Бойл мне как брат, и в этом его спасение, в противном случае я бы Айону у него отбил. Хотя готовить она совсем не умеет.

— Ну, теперь-то она хоть что-то может, не то что вначале. Большой прогресс! Впрочем, если начинать с нуля, как она, то любое изменение уже будет прогрессом. Айона, кстати, с каждым днем делается сильнее. Ее энергия еще молодая и незрелая, но в ней есть неукротимость. Может, потому огонь ей и покоряется.

«До чего же хорошо, — подумалось Брэнне, — до чего приятно — сидеть и непринужденно болтать за кофе с яичницей».

— Ну, что ее бабуля — будет снимать у тебя коттедж? — спросила она.

— Думаю, будет.

Брэнна ковыряла вилкой в тарелке.

— У нас с тобой ниточки и связи повсюду. И между нами всеми. Я долгое время старалась не придавать этому значения, но за последние месяцы не раз задавала себе вопрос: почему этих ниточек так много? Даже помимо нас с тобой, Фин. Всегда были ты, Бойл и Коннор, да и Мира тоже.

— Наша команда, — согласился он. — За вычетом Айоны.

— Ее приезд так же запрограммирован судьбой, как и все остальное. А еще этот твой домик — сам подумай: когда он понадобился Мириной матери — вот вам, пожалуйста. А теперь ты будешь сдавать его Айониной бабушке. Вы с Бойлом всегда вместе на конюшнях, а с Коннором — в вашем соколином питомнике. Теперь вот Айона с Бойлом строят дом и будут жить на участке, которым владел ты. В последние годы ты больше времени проводил в отъезде, чем дома, и все равно ты со всеми нами неразрывно связан. Кто-то скажет — обычное дело, но я в такие совпадения не верю. Больше не верю.

— А во что веришь?

— Даже сама не знаю. — Продолжая бесцельно тыкать вилкой в омлет, Брэнна уткнулась взором в пространство за окном. — Я повсюду вижу эти взаимосвязи: возьми нас троих и ту, первую, тройку. И каждый из нас теснее связан с кем-то одним из них. А разве Эймон не принял Миру за знакомую цыганку — и,

кстати, эту цыганку звали Анья, точно так, как ты назвал ту белую красавицу, что привез специально для
Аластара? Я чувствую, что Бойл с этим тоже как-то
связан, какой-то частичкой, и если постараться, то мы
обнаружим его связь с Тейган из первой тройки, помимо Айоны.

— Тут нет никакой тайны. — Фин потер плечо. —
Лично я связан с Кэвоном.

— Думаю, ваша связь не такая простая, как кажется,
она куда глубже. Ты, конечно, происходишь от него,
в тебе течет его кровь, но ваша связь не такого рода,
как моя — с дочкой Сорки Брэнног или Коннора — с
Эймоном, и так далее. Если бы ты был связан только с
ним, то как бы ты мог догадаться привезти для Айоны
Аластара, а для Аластара Анью? Это уж совсем непо-
нятно.

— Я привез Анью не для Аластара, точнее — не
только для него. Я привез ее для тебя.

Ее рука с кружкой замерла в воздухе.

— Я... Я что-то не пойму.

— Когда я ее увидел, перед моими глазами возникла
ты. Ты раньше любила ездить верхом, любила летать в
седле. Я сразу увидел тебя верхом на ней, представил,
как ты летишь через ночь, а на небе сияет полная луна.
А ты горишь, как свеча...

— Что?

— В том виде, как ты изображена на витраже у меня
наверху. Когда я его заказывал много лет назад, я видел
тебя именно такой. С жезлом в одной руке и огнем в
другой. Это было сиюминутное видение, но ясное как
божий день. Вот я и привез ее для тебя, чтобы она стала
твоей, когда ты будешь для нее готова.

Брэнна ничего не ответила, потому что на какой-то
миг лишилась дара речи. Потом поднялась, подошла к

двери и впустила собаку — пес, она чувствовала, просился войти.

Багс ластился вокруг ее ног, затем кинулся к Фину.

— Не корми его со стола, — рассеянно произнесла она и снова села. — Это признак плохого воспитания — в вас обоих.

Фин, собравшийся сделать именно это, посмотрел на собаку, которая явно на что-то рассчитывала.

Ты знаешь, где лежит еда, приятель. Давай не будем гладить леди против шерстки.

Багс, вполне довольный, скрылся в постирочной, там, где у него были миски.

— В следующий раз, когда мы дадим бой Кэвону, я возьму эту лошадку, и это сделает меня сильнее. Ты нас вооружил, ведь и Аластара, и Анью можно считать оружием против Кэвона. Ты проливал с нами кровь, вместе с нами колдовал, разрабатывал план действий — и все для того, чтобы покончить с ним. Если бы ты был связан с ним, если бы благодаря ему делался сильнее — как бы ты мог участвовать во всем этом на нашей стороне?

— Я ненавижу его и все, что он олицетворяет.

Брэнна покачала головой. Ненависть не рождает отвагу или верность. А то, что делал Фин, требовало и того и другого.

— Я была не права, когда вначале пыталась держать тебя в стороне. Вела себя как эгоистка. Я убедила себя в том, что вы с Кэвоном связаны, но теперь вижу, такой связи нет. Во всяком случае, в той форме, какой ему бы хотелось и какая ему нужна. Ты связан с нами. Я не понимаю, почему так, но это правда.

— Я тебя люблю.

О, как эти слова грели и одновременно ранили ее сердце! Она смогла лишь коснуться его руки.

— Любовь могущественна, но она не дает объяснения — логического объяснения, — почему твои чувства ко мне накрепко связали тебя с остальными.

Теперь она подалась вперед. Завтрак был забыт безвозвратно.

— В промежутке времени между первой тройкой и нами я не нашла никого, кто был бы так крепко спаян. И никто, кроме нас, не совершал во сне путешествий, приводящих к детям Сорки, и не видел их у себя. Другие тоже пытались положить конец злу, терпели неудачи, но никто не приблизился к выполнению миссии так близко, как мы. Ни в какой книге я не читала, чтобы один из трех шел в бой верхом на Аластаре, а рядом были Катл и Ройбирд. И нигде не говорится о четвертом маге, носителе клейма, который присоединился бы к тройке. Для нас, Фин, это судьба, но ты своим участием внес в нее коррективы. Теперь я в этом убеждена. Именно ты повышаешь наши шансы на успешное завершение дела, ты, на ком стоит его печать и в ком течет его кровь. Но я все равно не понимаю, почему это так.

— Ты прекрасно знаешь, что есть решения, которые принимаются не только силой, но и кровью.

— Я чувствую, что здесь нечто большее, но и того, о чем ты говоришь, может оказаться достаточно.

— Для уничтожения Кэвона этого мало. Я хочу сказать, нам не удастся его прикончить, если мы не уничтожим того, что он в себя вобрал. Это даже Сорке не удалось.

Брэнна кивнула. Она тоже пришла к такому выводу.

— Ты говоришь о демоне, с которым он заключил сделку.

— О демоне, который использовал его, чтобы освободиться. Кровь отца, кровь матери, которую он пролил и испил, плюс призывы и обещания этого демона — вот из чего он сотворил свой камень.

— И источник силы.

— Я думаю, это не только источник его силы, Брэнна. Это врата, вход в Кэвона.

— Врата! — Она выпрямила спину. — Хорошая мысль. Через камень, сотворенный самой черной на свете магией, в колдуна, продавшего душу. Это средоточие силы и одновременно вход в мир. А если врата можно открыть...

— То их можно и закрыть, — договорил Фин.

— Да, это и впрямь хорошая мысль. Значит, мы вплотную подошли к проработке плана и определению последовательности наших действий. Сначала — ослабить и заманить Кэвона в ловушку, чтобы не мог удрать и снова зализать раны. А когда мы захватим его — то есть хозяина — да еще лишим его силы, надо будет запечатать врата и тем самым запереть демона, который его питает. Затем уничтожить его и Кэвона раз и навсегда.

Брэнна снова взяла в руки вилку и стала наконец есть уже остывшую яичницу.

— Ну что, остается только вычислить, как это можно сделать и когда. И сделать.

— У меня есть некоторые соображения. Хочу тут кое-что дополнительно почитать, тогда могут появиться и еще. Несколько лет назад я провел какое-то время с одним шаолиньским монахом...

— Да ты что? Ты работал с шаолиньским монахом? В Китае?

— Захотелось на Стену взглянуть, — небрежно ответил Фин, будто говорил о привычной прогулке верхом. — У него были свои мысли насчет демонов как источников энергии. И еще я имел опыт общения с шаманами, другими колдунами, с одним мудрецом, с одним австралийским аборигеном... Я вел дневники, теперь мне надо их перечитать.

— Вижу, ты в своих поездках занимался самообразованием.

— В мире есть места с невероятной энергетикой, причем очень давнего происхождения. Для таких, как я, они как магнит. Так и тянут... Но мы с тобой, кажется, договорились жить сегодняшним днем, — напомнил он, беря ее за руки. — Если у нас будут и другие дни, я тебе эти места покажу.

Ответить ей было нечего, и Брэнна лишь сжала его руки, затем встала и начала убирать посуду.

— Задачи передо мной и тобой стоят сегодня. Никогда не занималась истреблением демонов, да и, по правде сказать, никогда толком не верила, что они есть в нашем мире. Что, как я теперь вижу, так же глупо, как не верить в магию.

— Ничего тут не убирай, я все сделаю сам. В твоем доме ведь так заведено? И, я считаю, это справедливо.

— Ну ладно. Надо мне домой ехать и тоже про демонов почитать.

— Сегодня первый день Нового года, — проговорил он и подошел к ней. — Праздник как-никак.

— Только не для таких, как мы, тем более что нас такое ждет. А кроме того, мне надо думать о хлебе насущном. И тебе, по-моему, тоже на жизнь приходится зарабатывать — хоть у тебя и персонал, и все прочее.

— Сегодня у нас верховых уроков не назначено, а прогулок верхом и с птицами — раз, два и обчелся. И у меня еще есть два часа времени до встречи с Бойлом, а потом с Коннором.

Она подняла на него глаза.

— Счастливый человек! Столько свободного времени...

— Сегодня — да. И мне кажется, ты тоже можешь часиком пожертвовать.

— То, что тебе кажется, не... — Она осеклась и прищурила глаза — хозяйская рубашка слетела с ее плеч, оставив ее голой. — Это было невежливо и негостеприимно.

— Сейчас я продемонстрирую тебе верх гостеприимства, любимая. — Он заключил ее в объятия и по воздуху перенесся вместе с нею в постель.

12

Она пробыла у него до полудня. А когда собралась уезжать, обнаружила Катла вместе с Багсом на улице, где они затеяли возню. Брэнна решила не придавать значения тому факту, что, прибыв утром на работу, конюхи должны были видеть у дома Фина ее машину.

Конечно, теперь поползут слухи, но с этим ничего не поделаешь. Она мимоходом потрепала по ушам Багса, пригласила вместе с Фином к себе в гости — поиграть с Катлом.

Потом свистом кликнула своего пса в машину и покатила домой.

Дома Брэнна сразу прошла к себе на второй этаж переодеться. Сняла нарядное платье и облачилась в теплые легинсы, уютный свитер и высокие теплые тапочки. Волосы забрала наверх. Теперь можно и к работе приступать.

В своей мастерской она поставила чайник, развела огонь. И, ощутив движение воздуха, развернулась.

Перед ней стояла старшая дочь Сорки — Брэнног, с колчаном на спине, со своим Катлом подле ноги.

— Что-то изменилось, — произнесла гостья. — Ночью прошла буря. Громыхал гром, молнии сверкали так, что видно было сквозь падающий снег. Бурю поднял Кэвон, да такую сильную, что в замке стены дрожали.

— Вы-то не пострадали? Все целы?

— Он не может к нам близко подойти. И никогда не сможет. Но пропала еще одна девушка. И еще одна женщина, ее родственница. И я опасаюсь худшего. Что-то изменилось.

Да уж, подумала Брэнна, изменилось. Но сперва надо задать свои вопросы.

— Что тебе известно о демонах?

Брэнног посмотрела на хозяйского Катла, который подошел к тезке и принялся обнюхивать его. Гость ответил тем же.

— Демоны? Они могут передвигаться, они питаются кровью смертных, пьют ее. Они могут принимать разные формы, но истинная — только одна, все остальные — обман.

— И они выискивают тех, кто готов их питать, утолять их жажду, да? — добавила Брэнна. — Мы стали свидетелями сотворения красного камня. И видели, как через него в Кэвона проник и вселился демон, с которым он заключил сделку. Они — одно целое. Сорке потому и не удалось прикончить Кэвона, что демон остался жив и исцелил его. Я думаю, у них это взаимный процесс.

— А как вы это увидели?

— Мы совершили путешествие во сне с помощью заклятия. Я и Финбар Бэрк.

— А, тот, из рода Кэвона... И вы с ним летали к логову Кэвона, перенеслись в его время? Как ты можешь ему так доверять?

— А как я могу ему не доверять? Вот же эти двое, — она показала кивком на собак, возившихся на полу и порыкивающих слюнявыми мордами, — доверяют друг другу? А Фина я знаю, понимаю его душу, и, не будь его, мы бы сейчас не знали всего того, что знаем.

— Ты с ним была.

— Была. — Хотя Брэнна чувствовала тревогу и даже неодобрение сестры, раскаиваться она не собиралась. — Значит, буря докатилась до вас. Я слышала ее, когда была с Фином, я еще подумала, что это судьба противится нашему решению. Но ты говоришь, бурю наслал Кэвон, ты чувствовала, что это его энергия или его бешенство сотрясает каменные стены. Может быть, его взбесило как раз наше соединение — это представляется мне резонным. А то, что бесит его, меня только радует.

— Я знаю, что значит любить. Будь осторожна, сестра, ведь эта любовь связывает тебя с тем, кто носит знак.

— Я осторожна с того самого момента, как этот знак появился. О своем долге я не забуду. Клянусь тебе. Я убеждена, что Фин и есть та перемена, о которой ты говоришь, столь необходимое нам оружие. Ни у одной прежней тройки его не было, а мы вместе с ним завершим нашу миссию. Мы покончим с Кэвоном и с той силой, что сделала его таким, каков он теперь. Уничтожить надо обоих, иначе это никогда не кончится, теперь мы это знаем. Так что тебе все-таки известно о демонах?

Брэнног покачала головой.

— Немного, но я узнаю больше. Демона надо звать по имени, это я слышала. Надо использовать его имя в заклинании.

— Значит, мы узнаем его имя. Как много времени прошло у вас с тех пор, как мы в последний раз говорили?

— Сегодня День хлеба с маслом, — ответила Брэнног по-гэльски.

Первый день Нового года, сообразила Брэнна.

— Как и у нас. Выходит, у нас с вами календарь совпал, это тоже что-то новое. Это будет наш год, сестра, год трех. Год Смуглой Ведьмы.

— Я стану об этом молиться. Мне пора, дитя просыпается.

— Постой. — Брэнна опять закрыла глаза и мысленно представила себе коробку, которая лежала у нее на чердаке. Потом протянула гостье маленькую плюшевую собачку. — Это для малыша. Подарок от родни.

— Собачка. — Брэнног погладила игрушку и улыбнулась. — Какая мягкая и сделана так искусно!

— Это была моя игрушка, я ее очень любила. Всего самого лучшего тебе и твоей семье в этот день!

— И тебе и твоей семье тоже. Мы еще увидимся. Когда понадобится, мы будем с вами, я буду в это верить и на это надеяться. — Гостья положила руку на голову своего пса, и они растворились в воздухе.

Брэнна положила руку на голову своей собаки и погладила ее.

— Когда-то я думала передать эту собачку своему ребенку. Но, поскольку этому не суждено сбыться, пусть будет подарком малышу моей сестры, как ты считаешь? — Катл прижался к ней теплым боком. — Ну что, нас работа ждет, да? Но сначала, я думаю, ты должен получить печеньице, ты его заслужил — за то, что проявил гостеприимство по отношению к псу нашей гостьи.

Она достала печенье и улыбнулась, видя, как ее пес смиренно ждет угощения.

— Какая я все-таки счастливая! Столько у меня в жизни любимых! — Она нагнулась, поцеловала пса в умный лоб и поднесла ему к морде печенье. Тот осторожно и деликатно взял его с ее раскрытой ладони.

Наслаждаясь тишиной, она заварила себе чаю и засела за свои колдовские книги, выбирая все, что может иметь отношение к демонам.

В ее распоряжении была вся вторая половина дня, что само по себе уже удача, и Брэнна перемежала чтение кое-какой стряпней для собственного удовольствия. Она поставила вариться курицу, решив, что куриный бульон неплохо будет заправить овощами и толстой яичной лапшой. Если народ сегодня не явится, можно будет большую часть супа сунуть в заморозку, пока не понадобится.

С наступлением сумерек она перебралась с книгами на кухню, чтобы продолжать чтение, приглядывая за супом. Она как раз налила себе бокал вина, когда вошла Айона.

— Ой, я бы тоже не отказалась. Отвезла бабулю, глаза на мокром месте — от сожаления, что ей надо уезжать, и от радости, что она приедет снова. И на сегодня дела для меня закончились, так я решила. — Айона налила себе вина. — Но тут Бойл возьми да напиши, что нагрянула группа туристов, аж двенадцать человек, которые встречали Новый год в Эшфорде, а теперь подумали, раз похмелье отпустило, почему бы не прокатиться верхом. Пришлось тащиться на работу.

Она сделала глоток.

— А рассказываю я тебе это все для того, чтобы только не спрашивать про вас с Фином, если тебе не хочется это обсуждать. Могу и еще о чем-нибудь рассказать.

— Думаю, ты уже догадалась, что у нас был секс.

— Мне кажется, мы все догадались, что это весьма вероятно. Ты рада, Брэнна?

Брэнна подошла к плите и помешала суп.

— Могу сказать, у меня такое чувство, как если бы мне наконец дали как следует почесать давно зудевший укус. И ни о чем не жалею. Да, я рада, — добавила она, видя, что Айона ждет прямого ответа на прямой вопрос. — На сегодняшний день я счастлива, и этого достаточно.

— Тогда я тоже рада. — Она подошла и обняла сестру. — Чем я могу тебе помочь? В любом смысле.

— Ужин почти готов. Можешь посидеть, почитать мои записи. Потом скажешь, что ты обо всем этом думаешь.

— Ладно. Мы с Бойлом собирались сходить куданибудь поужинать, а заночевать у него. То же самое и Мира с Коннором. Мы подумали, у вас с Фином могут быть свои планы, и решили вам не мешать. Но у тебя, вижу, целый чан супу готовится, так что...

— Ради меня вы своих планов можете не менять. Я уже решила, что большую часть этой кастрюли поставлю в заморозку. Просто пришла охота сварить суп. Кулинарные бдения освобождают голову, дают возможность подумать. — Брэнна не стала говорить, что никаких планов они с Фином не строили и что она не прочь провести вечер в одиночестве.

— Собираешься и дальше с ним встречаться — ну, то есть быть с ним, я хотела сказать?

— Давай, Айона, жить сегодняшним днем. Далеко загадывать я не хочу.

— Хорошо, но могу тебе только сказать, что сегодня Фин заходил к Бойлу обсудить кое-какие дела и вид у него был... счастливый. Умиротворенный.

— После секса всегда расслабляешься. Мы с Фином понимаем друг друга. И этого нам обоим достаточно. Мы довольны.

— Если так, я тоже довольна. — И Айона углубилась в чтение набросков Брэнны.

Брэнна сняла пробу с супа, подумала и чуть добавила розмарина.

Уткнувшаяся в ее записи Айона воскликнула:

— Врата! Ну конечно! Этот камень — олицетворение зла, он результат человеческого жертвоприношения, ради него он убил отца и мать. Лучшего пути для вселения демона и не придумать! Все очень логично. Сорка испепелила его дотла. Мы его почти добили, он ведь на наших глазах истек кровью. А потом словно воскрес. Это потому, что демоном мы не занимались. Слушай, а как мы к нему подберемся?

— Читай дальше, — ответила Брэнна. Она решила, что поест своего вожделенного супа перед самым укладыванием в постель, когда уже облачится в пижаму. Возможно, и вовсе отнесет на подносе к себе в комнату и поужинает с книжкой в руке, только с такой, которая не будет иметь никакого отношения ни к магии, ни к мировому злу, ни к демонам.

— Второе зелье, — прошептала Айона. — То есть атака с двух фронтов. И заклинание, которое запечатает врата. Но как мы закроем врата, если они были открыты с применением человеческой крови? Придется поломать голову. И... демона надо призывать по имени. — Она подняла глаза на Брэнну: — А ты знаешь его имя?

— Нет, пока не знаю. Но такой совет мне дала Брэнног из первой тройки. Она сегодня у меня побывала. Я это тоже записала. Но самое важное, на мой взгляд, это то, что мы с ней оказались в одном и том же дне. У них сегодня тоже первый день нового года. Думаю, если мы найдем способ сохранить этот баланс, их энергия станет доступна нам гораздо больше.

— А ты никого не знаешь из демонологов?

— Навскидку — нет, но... подозреваю, при необходимости мы могли бы кого-то найти. Правда, мне кажется, все может оказаться легко и просто.

— Как можно легко и просто узнать имя демона?

— А мы его спросим.

Айона откинулась к спинку стула и хмыкнула.

— Действительно, просто. Слушай, если у тебя есть желание поделиться этим с ребятами, мы могли бы собраться здесь или в пабе.

— Я думаю, ты и без меня им прекрасно все расскажешь.

— Договорились. А когда Фин ожидается? Не хочу вам здесь помешать.

— Мы... — Брэнна отвернулась к плите. — Мы конкретного времени не назначали. Лучше, если все будет происходить спонтанно.

— Ясно. Тогда я сейчас поднимусь, быстренько приму душ и переоденусь. Попрошу Бойла заехать и забрать меня. Мы можем пока вчетвером все обмозговать, а в деталях обсудим потом, уже с тобой и Фином.

— Меня вполне устраивает.

Недомолвки, подумала Брэнна, когда снова осталась одна. Лучше уж недомолвки, чем обман. Она ведь не сказала, что ждет Фина. И сейчас ей лучше ничего ни с кем не обсуждать, а дать голове отдохнуть день-другой, пока мысли не улягутся.

Может быть, лучше дать голове отдых не за книгой, а у телевизора? Посмотреть что-нибудь смешное и легкомысленное? Уж и не припомнить, когда она смотрела телевизор в последний раз.

— Я поехала! — прокричала Айона. — Если понадоблюсь — гудни.

— Счастливо!

Брэнна дождалась, пока захлопнется входная дверь, потом, улыбаясь своим мыслям, достала контейнер, в котором она поставит замораживаться суп, когда нальет себе тарелку.

Горячий суп, бокал вина, а потом — испеченный еще днем яблочный пирог с посыпкой. Тишина в доме, старенькая пижама и что-нибудь веселое по телику.

Не успела она домечтать, как дверь распахнулась.

С букетом сирени невероятных размеров ввалился Фин, за ним — Багс. Аромат сирени мгновенно наполнил воздух запахом весны и надежды. Удивляясь, где он ее раздобыл, Брэнна вздернула брови.

— Насколько я понимаю, ты решил, что охапка цветов даст тебе шанс на ужин и секс?

— Сирень ты всегда обожала. А Бойл с Коннором обмолвились, что идут сегодня в кабак, чтобы нам не мешать. Не стану же я друзей подводить!

Она достала самую большую свою вазу и пошла заполнить ее водой, а Багс с Катлом затеяли очередную свою возню.

— Как тебе моя идея поесть супу у телевизора? Поддерживаешь?

— Всецело. Идея редкая в своей гениальности.

— То-то же... Ты мой человек.

— А ты сомневалась?

— Да нет, просто лишнее подтверждение...

Она улыбнулась, взяла сирень и вдохнула ее аромат — и вспомнила, как когда-то давно, по весне, она сделала то же самое, когда он принес ей такой же огромный букет.

— А еще в программе пирог. С яблоками.

— Ммм! Обожаю!

— Пирог или меня?

— И пирог и тебя. То есть тебя и твой пирог.

— Вот! Вот потому-то мне и захотелось его испечь. У меня были прекрасные планы на этот вечер. — Брэнна на минуту отложила цветы и повернулась к нему: А теперь эти планы стали еще лучше. Можно сказать, они стали совсем идеальными по завершенности.

— И что же придает им такую идеальную завершенность?

— Не догадываешься?

— Ну, есть некоторые предположения... Не хочу быть самонадеянным...

— Но можешь смело быть таковым. Это ты... Ты придаешь моим планам блеск.

Она подошла и упала в его объятия, прижалась щекой к его плечу.

— Ты здесь, — прошептала она.

Брэнна воспринимала это как переключение. Смену направления. Многие недели занятий, планирования и расчетов ни на йоту не приблизили ее к определению эпохи и даты третьей — и, как она молилась, последней — схватки с Кэвоном. Она хронически не высыпалась, и недосыпание уже начинало сказываться, что она видела собственными глазами.

Хотя бы из чистого самолюбия и то уже требовалось изменить направление поиска.

Теперь, когда она спала с Фином — или он спал с ней, — что ж, это было чудесно, большое спасибо, только сна от этого не прибавлялось. Зато это был куда более глубокий сон и соответственно более полноценный отдых.

Тем не менее вперед она пока не продвинулась — ни в вопросе времени нападения, ни в определении точного способа, каким это надо будет сделать. Значит, придется искать в другом месте.

Что ей всегда помогало, так это монотонная домашняя суета. Работа, дом, семья — все шло по кругу одно за другим, подчиняясь единому циклу. С приходом нового года встал вопрос изготовления новых партий товара для лавки, подготовки семян и их посева на грядки в парнике. Всю дурную энергетику надо вымести прочь, защитные заклинания обновить.

Плюс ко всему от нее ждали помощи в подготовке двух свадеб.

Утро Брэнна посвятила пополнению запасов товара. Довольная тем, какими вышли новые ароматы, с подачи Миры получившие название «Голубой лед», она заполнила флаконы и баночки новой продукцией, наклеила этикетки и упаковала в коробки для отправки в деревню. Вместе со свечками, запас которых Айона изрядно пощипала ради новогодней вечеринки у Фина.

Пробежавшись по списку необходимого, Брэнна смешала новую порцию лошадиной мази в конюшню — для Бойла. Если день задастся, она потом сама ее и доставит. Подумав так, она сделала и вторую банку — для большой конюшни.

Еще надо бы съездить на рынок. Правда, очередь делать покупки — за Айоной. Однако, подумала Брэнна, нелишне было бы ей самой съездить в деревню и подкупить продуктов на свой взыскательный вкус — ее супу пробыть в морозилке долго не удалось: компания смолотила его на следующий же день, так что на рынок заехать было совершенно необходимо.

Взглянув на часы, Брэнна прикинула, что вернется не позднее чем через два часа. Тогда и начнет колдовать над «антидемонским» ядом. Закутавшись в пальто, обмотав шею ярким, красным с синим, шарфом и натянув кашемировые перчатки с обрезанными пальцами — такой подарок она себе сделала на Йоль, — Брэнна загрузила коробки в машину.

Катла нигде не было видно. Мысленно связавшись с ним, она определила, что он прекрасно проводит время в компании Багса и лошадей. Послав ему разрешение оставаться там сколько его душе угодно, она двинулась в Конг.

Половину отпущенного себе на поездку времени Брэнна провозилась с Эйлин в лавке. Потом побывала на рынке, закупила провизию и обменялась последними сплетнями с Минни О'Хара, которая знала все и обо всех — включая тот факт, что на Новый год Молодой Тим Макги (прозванный так, чтобы отличить его от отца, Большого Тима, и деда, Старого Тима) напился, как матрос. И в таком состоянии распевал, при этом страшно фальшивя, исполненные глубокого отчаяния серенады под окнами Ланы Керри — той самой, что расторгла их помолвку после трехлетнего бездействия со стороны жениха.

Было широко известно, что Молодой Тим не может взять и одной ноты, чтобы не вызвать протестующий вой всех деревенских собак. Свои новогодние серенады он начал исполнять в половине четвертого утра и продолжал до тех пор, пока девушка французского происхождения, живущая этажом ниже, некая Виолет Босетт, ныне работающая в кафе, не распахнула окно и не запустила в него старым сапогом. Для француженки, по мнению Минни, ее бросок оказался поразительно меток, она угодила Молодому Тиму прямо по башке, отчего он шлепнулся на задницу и продолжил голосить в уже более устойчивом положении.

И только тогда Лана вышла и втащила его в дом. Когда на другой день оба показались на свет божий, а это было ближе к ужину, на пальце у Ланы вновь красовалось кольцо и была объявлена дата свадьбы — первое мая.

Занятная история, думала Брэнна, выезжая из деревни, тем более что все ее участники — за исключением меткой француженки — были ей хорошо знакомы.

Такая история стоила того, чтобы потратить немного времени.

Она поехала дальней, кружной дорогой, просто чтобы продлить удовольствие, и уже почти добралась до конюшен, как вдруг заметила на обочине старика. Он стоял на коленях и тяжело опирался на палку.

Брэнна резко затормозила и выпрыгнула из машины.

— Сэр, вам плохо? — Она подошла к старику, пытаясь определить, что у него болит.

— Сэр, вы упали?

— Кажется, сердце. Дышать не могу. Не поможете мне, юная леди?

— Конечно, помогу. — Она протянула руку и выпустила в него энергетический заряд. Старик отлетел кубарем.

— Думаешь провести меня таким дешевым трюком? — Она тряхнула волосами, старик поднял голову и вгляделся в нее. — Решил, что я под оболочкой нутро твое не разгляжу?

— Ты остановилась за пределами своей защиты. — Старик поднялся и превратился в Кэвона. Он улыбался, а красный камень на его шее ритмично мерцал.

— Так ты вообразил, что я без защиты! Что ж, иди сюда! — И она презрительно поманила его. — Давай напади на меня.

По земле пополз туман, ледяными иглами пощипывая ей лодыжки; небо резко потемнело, спустились неурочные сумерки. Кэвон встал на четвереньки и оборотился волком. Зверь изготовился к прыжку — и напал.

Одним мановением рук, повернув ладони вперед, Брэнна выставила энергетический блок, и волк, ударившись в невидимую стену, оказался отброшен назад.

«Плохое решение», — подумала Брэнна, видя, как волк вновь подбирается к ней.

Она попыталась определить его имя, но уловила лишь ярость и голод в волчьем чреве.

Когда волк нанес ей удар справа, она уже была готова к тому, что за ним последует нападение человека слева, и ответила огнем на огонь, силой на силу.

Как не разверзлась под ногами земля? Такая мощная из нее выплеснулась энергия, и такой силы удар ей пришлось отразить. Земля устояла, но воздух потрескивал и шипел. Она все сдерживала и сдерживала натиск, от усилия заныли мышцы и ее энергетическая «мускулатура». Она держалась, а туман, и без того холодный, делался все более лютым.

И тут она вдруг почувствовала, как его пальцы, пальцы сидящей в нем черной твари, движутся вверх по ее ноге.

От омерзения сила ее удвоилась. Она собрала всю свою мощь и нанесла короткий удар — так, как бьют кулаком. С губ Кэвона потекла кровь, но он рассмеялся. Она допустила просчет, поддалась вспышке гнева! А он резко приблизился и сжал в ладонях ее груди.

Это продолжалось всего мгновение, но и этого было много. Теперь она сконцентрировала свой гнев, интеллект и мастерство и вызвала дождь. С неба хлынул теплый поток, рассеивая туман и оставляя на коже колдуна ожоги.

Брэнна собралась для отражения нового удара — в глазах колдуна она прочла, что этот удар сейчас последует. И тут она услышала — как услышал и он — стук копыт, боевой клич сокола, бешеный собачий лай.

— Мягкая, в самом соку... Созревшая для деторождения. Вот я тебя и оплодотворю, и ты родишь мне сына.

— Только попробуй — и я подожгу тебя, а остатки скормлю воронам. Ой, куда же ты, Кэвон? — Она раскинула руки, остановила дождь, и у нее в руках оказались ослепительно блестящий жезл и огненный шар. — Тебя спешат поприветствовать мои друзья.

— В другой раз, Сорка. Я предпочитаю общаться с тобой наедине.

Фин, с объятым пламенем мечом в руке, на ходу соскочил с Бару. Кэвон закружился туманным вихрем и улетел.

К ней подбежали Фин и Катл. Фин схватил ее за плечи.

— Цела?

— Я не пострадала. — Но при этих словах она почувствовала в груди пульсирующую боль, глубокую, черную, как гнилой зуб. — Во всяком случае, не настолько, чтобы обращать внимание...

— Ты уверена?

— Успокойтесь, — проговорила она, касаясь рукой груди Фина, где билось его сердце, и поглаживая собаку по голове. К месту событий, кто верхом, кто на машине, уже съезжались остальные. Ястребы, Ройбирд и Мерлин, одновременно опустились на крышу автомобиля Бойла. Вопросы посыпались пулеметной очередью, Брэнна едва успевала отвечать, как вдруг увидела бегущего по дороге во весь опор малыша Багса.

— Ты мой храбрец! — проворковала она, подхватив песика на руки. — Здесь слишком открытое место, — повернулась она к ребятам. — А со мной все в порядке.

— Коннор, не пригонишь ее машину? Брэнна поедет со мной. Ко мне ближе всего.

— Я прекрасно сама поведу, — начала было Брэнна, но он молча подхватил ее и усадил в седло, а потом запрыгнул сам.

— Какой безапелляционный! — сухо проворчала она.

— А ты какая бледная...

Бару пустился галопом, и Брэнна крепко прижала к себе Багса.

«Ну и пусть бледная, — подумала Брэнна. — Румянец и душевное равновесие вернутся очень быстро».

Прискакав к конюшне, Фин соскочил с жеребца, подхватил из седла Брэнну и крикнул разинувшему рот Шону:

— Коня возьми!

Сочтя сопротивление в данной ситуации неприличным, Брэнна позволила Фину отнести себя в дом.

— Ты без всякого повода устроил тут целое представление. Теперь по всему графству языки чесать станут.

— А то, что на тебя посреди бела дня и посреди дороги набрасывается Кэвон, — это уже не повод? Тебе надо выпить виски.

— Виски не буду, а вот чаю я бы выпила, если не затруднит.

Он хотел возразить, но молча развернулся и, усадив ее на диван в гостиной, широким шагом направился в кухню.

Оставшись одна, Брэнна оттянула ворот свитера и заглянула туда. На коже отчетливо отпечатались пальцы Кэвона. Так... Эту проблему лучше решать без посторонних глаз. Она поднялась.

Но тут в дом ввалились ребята.

— Минуточку! Мне надо в туалет. — Она с мольбой посмотрела на Миру, потом на Айону.

Те, смекнув, что их ждут, проследовали за ней в гостевой туалет под лестницей.

— Что такое? — налетела на нее Айона. — Что ты прячешь?

— Просто не очень хочется демонстрировать свои сиськи. — Брэнна сняла свитер, затем бюстгальтер. Мира присвистнула.

— Ой, Брэнна... — прошептала Айона и с готовностью подняла руки. — Дай-ка.

— Только давай так: твои руки поверх моих, ладно? — Брэнна прижала ладони к груди. — Я бы и сама могла, но с твоей помощью будет быстрее и проще.

Брэнна внутренне сосредоточилась, вызвала целительное тепло и лишь вздохнула, когда к ней присоединилась Айона. И еще раз — когда Мира обняла ее за талию.

— Повреждения поверхностные. Это продолжалось какую-то долю секунды...

— Но болит-то глубоко!

Брэнна кивнула.

— Да. Точнее сказать — болело. Уже легчает. Я сама виновата, что оставила ему лазейку, хоть и крохотную.

— Думаю, будет заживать быстрее и болеть меньше, если ты своей энергетикой усилишь то, что я сейчас делаю. Посмотри на меня, Брэнна. Смотри! Боль уходит — отпусти ее! Синяки бледнеют... — размеренно приговаривала она. — Ощути тепло...

Брэнна подчинилась, раскрыла чакры и соединила свою целительную силу с силой Айоны.

— Все! Чисто. Никаких его следов ни на поверхности кожи, ни в глубине тела. Ты... — Айона, продолжая мысленно обследовать повреждения, осеклась. Глаза ее полезли на лоб.

— Ой, Брэнна...

— Так. Полагаю, это следующее. — Брэнна расстегнула и спустила брюки, обнажив красные полосы на внутренней поверхности бедер.

— Мерзавец! — процедила Мира и крепко сжала подруге руку.

— Это туман. Такой коварный вид нападения. Просто прополз по коже. Поэтому и следы не такие яркие и не такие болезненные. Подлечишь, Айона? Если ты не против, конечно.

Она опять доверилась сестренке и отдалась теплой целительной волне, пока от боли не осталось и следа.

— Он хотел меня напугать как женщину. Но меня не испугаешь! — Брэнна невозмутимо застегнула брюки, надела лифчик и свитер. — Ему удалось вывести меня из себя, а это дало ему шанс если не прорвать мою защиту, то отыскать в ней маленький зазорчик. Больше такого не повторится.

Она повернулась к зеркалу над раковиной и пристально вгляделась в свое отражение — навела немного красоты.

— Ну вот, теперь все. Спасибо вам, девочки! Надеюсь, Фин уже заварил нам хорошего чаю, вот выпьем, а потом я расскажу, как все произошло.

Она вышла. Коннор, который все это время мерил шагами прихожую, при виде Брэнны остановился, быстро сграбастал ее в объятия и замер.

— Я в порядке, честное слово! Я... Коннор, не вздумай лезть мне в голову, это меня раздражает.

— Я имею право убедиться, что моя сестра не пострадала.

— Я же сказала, все в порядке!

— Он оставил следы своих лап на ее груди, — неожиданно доложила Мира. Брэнна дернулась всем телом, возмущенная таким вероломством.

— Правды все равно не утаишь. — Мира напряглась. — Это нечестно и неправильно. Да и глупо скрывать. Случись такое со мной или Айоной, ты бы сама так говорила.

Коннор начал задирать ей свитер, но Брэнна шлепнула его по рукам.

— Веди себя прилично! Мы с Айоной уже все сделали. Можешь сам у нее спросить, если мне не веришь.

— Да, теперь никаких его следов не осталось, — подтвердила Айона. — Но следы были — на бедрах, на груди.

— Он тебя лапал. — Фин говорил спокойно, но за этим спокойствием угадывались раскаты грома.

Брэнна на миг прикрыла глаза. Она даже не почувствовала, как Фин подошел сзади.

— Я позволила ему себя разозлить, так что сама виновата.

— Но ты же сказала, что не пострадала!

— Да я сама не знала, пока не посмотрела. Ничего похожего на то, что было с Коннором, Бойлом и с тобой. Оставил на мне несколько синяков. Но это, пожалуй, можно назвать осквернением, на что он и рассчитывал.

Фин отвернулся, отошел к камину и стал смотреть на огонь.

К Брэнне подошел Бойл и обнял ее за талию.

— Ну-ну, моя хорошая. Сейчас ты сядешь и выпьешь чайку. И лучше тебе плеснуть в него каплю виски.

— В эмоциональном плане я не пострадала. Я не настолько чувствительна. Но все равно спасибо. Спасибо вам всем, что так быстро примчались!

— Выходит, недостаточно быстро, — возразил Коннор и сел рядом.

Она сжала ему руку.

— Тут есть и моя вина, и я готова это признать, раз уж Мира меня устыдила — и правильно сделала! — и заставила говорить правду, как она есть. Просто, прежде чем вас вызвать, мне хотелось пару минут померяться с ним силами один на один. И не надо на меня набрасываться! Только пара минут и прошла. У меня на то были веские причины.

— Веские причины? — развернулся Фин. — Чтобы не позвать товарищей?

— Позвать, но чуть позже, — ответила она. — Я надежно защищена.

Глаза Фина гневно сверкнули.

— Надежно настолько, что ему удалось распустить поганые руки и отпечатать на тебе свои вонючие пятерни?

— Я сама виновата. Я рассчитывала, что он превратится в волка. Так и вышло. А поскольку я умею понимать собак, а волк — это почти то же самое, я решила попробовать выудить из него прозвание демона. Мы же теперь знаем, что искать надо его. Но мне не хватило времени, я только успела ощутить нечто черное и жадное. Все произошло слишком быстро. Будь у меня времени чуть больше, уверяю вас, я бы докопалась до этого имени. Я в этом не сомневаюсь!

Она взяла чашку и отхлебнула чаю — он оказался такой крепости, что мог бы свалить нескольких колдунов разом. Но Брэнне сейчас было нужно именно это.

— Он явился в образе старика. Сидел такой жаль-кенький — на обочине, как будто прихватило его, помощь ему требуется... Хотел меня провести, и это ему удалось. Но только на пару секунд! Ведь я импульсивно спешу на помощь — еще до того, как осознаю это... инстинкт целителя... срабатывает быстрее сознания...

— О чем он прекрасно осведомлен, — не упустил вставить Коннор, видимо, тоже импульсивно, мельком подумала Брэнна но не заострила на том внимания.

— Разумеется. Женщины для него — существа низшей пробы, слабые и скудоумные. И никакие магические способности не повышают их места в его иерархии живых тварей. И я ему подыграла. Прикинулась, что и в самом деле приняла его за убогого старика, — и практически тут же послала лететь вверх тормашками. Конечно, надо было сразу позвать вас, и, даю слово, впредь не промедлю!

— А дальше? — нетерпеливо спросил Фин.

— А дальше он, как водится, обернулся волком, я уже говорила....

И она рассказала, что произошло дальше, в мельчайших подробностях. Потом отставила чашку.

Коннор крепко обнял сестру.

— Как ты сказала? Скормишь его воронам?

— Брякнула первое, что на ум пришло. Но мысль-то хорошая?

— Хорошая, хорошая... А камень как вел себя?

— Вначале ярко сиял. И потом, когда он ко мне полез с домогательствами, тоже сиял. Но когда я обожгла его горячим дождем, помутнел.

Она перевела дух.

— А знаете, в глазах у него заметалось безумие. Назвал меня Соркой... Смотрел на меня, а видел ее — как было тогда в пещере при нас с Фином. Для него самая желанная женщина — по-прежнему Сорка.

— Это же надо! — Бойл сокрушенно помотал головой. — Сама подумай: на протяжении столетий оставаться тем, кто он есть, испытывать все то же вожделение — и не получать удовлетворения. Поневоле съедешь с катушек! Конечно, она для него — корень всех бед.

— А теперь на ее месте ты, Брэнна, — подвел черту Фин. — Ты на нее похожа. Я умею проникать в его мысли и знаю — в тебе ему видится она.

— Да, она живет во мне. Но в его безумии было какое-то смятение. А смятение — это слабость. Любая его слабость дает нам преимущество.

— А знаете, сегодня, когда я водила группу, я его мельком видела, — подала голос Мира.

— И я тоже, — спохватилась Айона. — Просто сказать не успела. — Она шумно вздохнула. — Он опять окреп и делается все наглее.

— Когда он не прячется, его легче найти, — резонно заметил Бойл. — Ну, ладно, мне пора на конюшню. Брэнна, если хочешь, я могу оставить с тобой Миру или Айону.

— Теперь я в порядке, и я... О черт! — Она вскочила на ноги. — Я же на рынок ездила, а все, что купила, так и осталось в машине!

— Я все сделаю, — успокоил ее Коннор.

— Ага, и распихаешь все так, что я потом ничего не найду? Я купила прекрасный кусок говядины, собиралась запечь.

— С такой меленькой картошечкой, морковкой и луковичками, да? — оживился Коннор.

Мира закатила глаза.

— Коннор, только ты способен думать о своем желудке, когда твоя сестра еле-еле пришла в себя.

— Просто он знает, что со мной все в порядке. А даже если и нет, я бы у плиты постояла — мигом бы все встало на свои места.

— Мы все выгрузим здесь, — объявил Фин тоном, не терпящим возражений. — Если собралась готовить, то можешь делать это в этом доме. Если тебе нужно что-то, чего у меня нет, мы привезем. Сейчас у меня кое-какие дела на конюшне, а потом я еще хотел поработать, но рядом с тобой все время кто-то побудет.

Он вышел — наверное, чтобы принести из машины продукты, решила она.

— Дай ему время прийти в себя, — тихонько проговорила Айона и поднялась следом. — Тебя от этого не убудет, и он не сочтет тебя слабачкой. Просто очухается и успокоится.

— Мог бы хоть поинтересоваться, чем я хочу заняться.

Коннор чмокнул ее в висок.

— Ты то же самое могла спросить у него. Ну ладно, мы погнали, к ужину жди. Если что-то понадобится — дай знать.

Когда все разъехались, Брэнна снова села и долго в задумчивости смотрела в огонь.

13

Брэнна решила, что с учетом обстоятельств все, что ей нужно для «кулинарных деяний», она себе вызовет с помощью нехитрых магических манипуляций. Ей показалось, что лучшим местом для ее занятий и изысканий будет эркер на кухне, где Фин обычно завтракает. Вдобавок, когда дойдет до запекания мяса, все будет как раз под рукой.

Фин продолжал держать дистанцию и не подавал голоса. Она прекрасно понимала, что он делает это осознанно. Ну и пусть себе характер показывает, решила она. У нее и свой норов имеется, а его демонстративное игнорирование лишь подливает масла в огонь.

А больше всего ее раздражало, что готовить на его кухне было для нее сплошным удовольствием, и избавиться от этого чувства никак не получалось. Его кухня ей безумно нравилась, в ней все было продумано до мелочей — вплоть до специального крана на гибкой штанге над самой плитой, чтобы не поднимать из мойки какую-нибудь гигантских размеров кастрюлю, а налить в нее воду уже на плите.

А сама плита... Вот чему Брэнна особенно остро завидовала. Да знай она, что ей придется то и дело готовить на большую ораву, она бы и себе завела профессиональную... шестиконфорочную...

Разве это справедливо, что мужчина, который вообще не готовит, имеет кухню, оснащенную лучше, чем у нее, — а она-то свою считала образцом с точки зрения планировки и функциональности.

Вот чем были заняты ее мысли, пока она ставила мариноваться мясо и обустраивала себе импровизированное рабочее место в его эркере.

Чашка чаю, пара печений — из магазина — и ее пес, сопящий под столом в компании Багса. В размышлениях о втором зелье время прошло незаметно. Она продумывала ингредиенты, слова сопутствующего заклятия, пыталась высчитать наиболее удачное время для приготовления яда. Потом послала отцу сообщение с вопросом о демонах — вдруг ему либо кому-то из его знакомых известно о них больше, чем ей удалось найти.

Когда, грязный после работы на конюшне, явился Фин, Брэнна уже отложила книги в сторону и, устроившись за стойкой, чистила морковь.

Он молча достал себе пива.

— Позволь тебе напомнить, что идея оставить меня на этой кухне принадлежит тебе. — Она не повысила голос, но возмущение в ее тоне слышалось явственно. — Так что, если ты намерен и дальше злиться, лучше тебе пойти куда-то еще.

Фин стоял в потрепанной куртке, еще более старом свитере, джинсах с прорехой на одной коленке и сапогах, знававших лучшие времена. Спутанные и растрепанные ветром волосы обрамляли его застывшее лицо.

Выглядел он невероятно сексуально, отчего Брэнна злилась еще больше.

— Я на тебя не сержусь.

— Тогда должна сказать, у тебя оригинальный способ демонстрировать дружеское расположение, особенно если учесть, что ты дважды приходил и уходил, не сказав мне ни слова.

— Я покупаю двух новых лошадей. Плюс веду переговоры с сокольником о продаже одной нашей молодой птицы. Это часть моего бизнеса, на котором все держится! Я погружен в эти проблемы...

— Это для меня ничего меняет.

— Ничего?

— Ничего. Прошу тебя с таким настроением уйти куда-нибудь подальше. Места в доме хватает.

— Что ж... раз ты превращаешься в какую-то жалкую идиотку...

Она физически ощутила, как кровь прилила к щекам.

— Теперь я у тебя еще и жалкая идиотка?

— С моей точки зрения — да.

— Ах, с твоей точки зрения... В таком случае я сама уйду. — Брэнна швырнула овощной нож, отодвинула ногой табурет и бросилась к выходу, но Фин перехватил ее за локоть.

Она отпихнула его с такой силой, что не будь он готов, то отлетел бы к противоположной стене.

— Брэнна, остынь! Бери пример с меня: я весь день только этим и занимался.

В ее дымчатых глазах полыхал огонь, голос дрожал от бешенства.

— Никто не смеет называть меня идиоткой — ни жалкой, ни какой другой!

— Я тебя идиоткой не называл, только посоветовал в нее не превращаться. — Его голос был холоден, как январский дождь. — В третий раз повторяю: я на тебя не сержусь. Я зол на него, но это далеко не отражает того, что я к нему испытываю из-за того, что негодяй посмел к тебе прикоснуться.

— Он отравил Коннора, чуть не убил Миру и Айону, Бойлу спалил дочерна руки, а ты из-за него оказался распростертым на полу в моей кухне. И тебя взбесило то, что он теперь знает форму моих сисек?

Он взял ее за плечи, и она увидела, что он не лжет. В его глазах плескалось нечто большее, чем гнев.

— То были ранения, полученные в бою — неважно, в честном или нет. А что он сделал сегодня с тобой —

совсем иного рода. Ты только-только вновь подпустила меня к себе — а он уже тут как тут? Ты что, не усматриваешь связи? И тебя не настораживает то, что это произошло именно сейчас? Ведь он это сделал с единственной целью — чтобы каждое мое прикосновение напоминало тебе о том, от кого я произошел, чья кровь во мне течет.

— Это не...

— Как же ты, с твоим умом, не видишь, что он вступил с тобой в контакт? Физический контакт, посредством которого он мог утянуть тебя из нашего времени и из наших мест туда, куда ему вздумается?

Брэнна хотела что-то возразить, потом примирительно подняла руки вверх и дождалась, когда он отпустит. Тогда она вернулась к стойке и снова села.

— Ты можешь называть меня жалкой идиоткой, Фин, так мне и надо. Мне это совсем не пришло в голову, но теперь вижу, что ты прав. По первому пункту: я не думала, что он преследовал такую цель, потому что ты не имеешь никакого отношения к тому, что он сделал или пытался сделать со мной. Я бы ни за что не стала думать о нем, когда я с тобой, Фин. В этом ты ошибаешься. Он хотел заставить тебя так думать, и это ему удалось.

Она протянула руку к его пиву, но качнула головой.

— Нет, пива не хочу.

Не проронив ни слова, Фин повернулся, взял бутылку вина, которое она добавила в маринад, вынул пробку и налил ей целый бокал. Брэнна не спеша отхлебнула.

— Что до второго пункта, то у меня крепкие корни. Он, может, и воображает, что стоит ему захотеть, и он утянет меня в любое место и время по собственному желанию. Но видит бог, это не в его власти. В этом смысле я приняла меры предосторожности, когда он пытался заманить Миру. Кроме того, нам прекрасно известно, каким образом он перемещается во времени. Можешь мне поверить.

— Ладно.

Она подняла брови.

— И это все?

— А что, мало?

— Он рассчитывал напугать и унизить меня, но ни в том ни в другом не преуспел. Не исключаю также, что тем самым он хотел так извратить мое восприятие, чтобы меня коробило от твоих прикосновений. Но и здесь он просчитался! Зато ему удалось кое-что другое: привести тебя в ярость. Ярость — это он как раз хорошо понимает. Ты теперь со мной спишь и, конечно, не можешь стерпеть, чтобы меня трогал посторонний.

— Нет, Брэнна, дело не в этом. — Фин взъерошил волосы. Он успокоился, но не до конца. — Точнее — не только в этом. Дело в том, кто именно тебя трогал.

— Ему знакомы только собственнические инстинкты. Сколько бы ты ему ни демонстрировал, что тебе претит та часть твоей натуры, что ведет происхождение от него, ему никогда не понять твоего раскаяния, твоего самобичевания. Для него ты принадлежишь ему, и только. Дальше твоей крови, твоей родовой принадлежности он не видит. А ты — должен. Мы все должны. Я — вижу, иначе я бы ни за что тебя к себе не подпустила, при всех моих чувствах.

— Чего я по-настоящему хочу, так это его крови. Хочу, чтобы она пролилась от моих рук.

— Я это знаю. — Да, это ей хорошо знакомо. Она и сама не раз испытывала то же желание. — Но это — жажда мщения, а одной местью его не одолеть. А так... Мы хоть и маги, но ничто человеческое нам не чуждо.

И мы имеем право жаждать возмездия, тем более что он его заслужил.

— Ты так спокойно об этом говоришь... Я так не могу.

— Это оттого, что я сегодня заглянула ему в глаза, — он стоял ближе, чем ты сейчас. И ощущала на себе его руки, их обжигающий холод. Но страшно мне не было. Раньше — да. Даже когда во мне бурлила энергия, способная, казалось бы, сокрушить все и вся, к ней примешивался страх. Но сегодня этого не было. Мы стали сильнее. Каждый из нас в отдельности теперь сильнее его, при всем его могуществе. А вместе мы его погибель.

Фин обогнул стойку и снова положил руки ей на плечи, только теперь очень нежно.

— Брэнна, на сей раз мы должны его остановить! Во что бы то ни стало!

— И, я уверена, мы это сделаем.

«Во что бы то ни стало», — мысленно повторил он и легонько коснулся губами ее лба.

— И еще я должен тебя беречь.

— Считаешь, мне нужна защита, Фин?

— Нет, я так не считаю, но это не значит, что я не буду тебя защищать. Это не значит, что я не должен.

Он еще раз поцеловал ее в лоб.

Во что бы то ни стало.

А бизнес требовал его внимания. Дела не станут ждать, пока у него будет настроение ими заниматься. Надо было вести бухгалтерию, кому-то звонить, делать ответные звонки, и казалось, поток бумаг на его столе, ждущих его внимательного прочтения и подписи, никогда не иссякнет.

Фин рано усвоил, что для успеха бизнеса мало им владеть и мечтать о том, как на тебя прольется золотой дождь. Конечно, он был очень признателен Бойлу с Коннором за то, что они вели повседневные дела, выполняли бумажную работу, составляли график работы, принимали текущие решения, когда это требовалось. Но от собственных обязанностей это его никак не освобождало.

Даже во время поездок Фин всегда оставался на связи, будь то по телефону, скайпу или электронной почте. Но когда он был дома, то считал своим долгом выполнять любую каждодневную, в том числе, грязную работу. Что подразумевало и уход за лошадьми — он обожал этот физический контакт и эмоциональную связь с животными. Для него это означало не просто пройтись скребницей или вычистить копыта пробойником — чистка лошади, дача корма или работа на препятствиях давали ему возможность проникнуть глубоко в душу каждого животного.

В равной степени он не имел ничего против уборки в соколином питомнике или обсушивания мокрых перьев, что требовало и терпения, и времени. Он находил большое удовлетворение в том, что участвовал в обучении молодых птиц, и особенно подружился с самочкой, которую они назвали Сэсси, что означало «бойкая» и полностью соответствовало ее нраву.

Дни хоть и медленно, но становились длиннее, но в них по-прежнему не хватало часов, чтобы выполнить все намеченное или необходимое. Но он знал, где хочет находиться. Дома, в Ирландии.

Фин стоял с Коннором в вольере питомника, кидал синий мячик собаке — это был темпераментный спаниель их секретарши по кличке Ромео — и думал, что дома он уже почти год. С тех пор как ему исполнилось двадцать, так долго на одном месте он еще не задерживался.

Конечно, дела, природная любознательность и поиск ответов на вопросы опять позовут его в дорогу, но Фин искренне надеялся, что отныне многомесячные отлучки ему не грозят. Впервые с того момента как на нем появилась родовая отметина Кэвона, он снова чувствовал себя дома.

— Мне кажется, зима и сезонное снижение спроса — самый удобный случай, чтобы опробовать комбинированные верховые и соколиные прогулки, о которых мы договорились.

— И тогда любителям приключений мы сможем предложить нечто большее, чем экзотический досуг. — Коннор пнул мячик ногой, и пес стремглав полетел вдогонку. — Цены я уже проработал — если решим попробовать. Бойл по обыкновению бурчит что-то невнятное, из чего я заключаю, что он не возражает.

— Я тоже. Потребуется внести дополнения в лицензию и подкорректировать договор со страховщиками, но я этим займусь.

— Слава богу, мне с этим возиться не придется!

Теперь мячик запустил Фин.

— Есть еще такая вещь, как согласование графиков, это уж вы с Бойлом стрясайте. Вы с Мирой прекрасно обращаетесь и с лошадьми, и с ястребами, Айона вроде тоже с птицами делает успехи.

— В том числе и верхом. Итого три человека для проведения таких прогулок у нас уже есть. Ты будешь четвертым. — Коннор ухмыльнулся.

Фин обернулся к приятелю.

— Я не водил туристов... дай подумать... Собственно, я их водил только первые несколько месяцев, пока мы с Бойлом тут все налаживали.

— Ну, ты можешь пойти с кем-нибудь в паре в качестве подмастерья.

Коннор занес ногу, чтобы стукнуть по мячику, но Фин оказался проворнее, перехватил мяч и, прежде чем послать далеко вперед, вспомнил детство и немного покатал его от ноги к ноге.

— Что, сыграем? — оживился Коннор.

— Ловлю на слове. Но только когда будет время. То есть не раньше, чем я набросаю новый буклет, чтобы показать вам с Бойлом. А вы пока соображайте, кого вам еще поставить на такие комбинированные прогулки. Нужно, чтобы человек еще и с небольшой группой туристов мог управиться — думаю, для начала надо будет брать не больше шести человек, а лучше и того меньше. Никто сразу на ум не приходит?

— Да есть люди с опытом соколиной охоты... Пожалуй, Брайан подойдет. Он больше других жаден до всего нового и не боится экспериментировать.

— Тогда ты с ним поговори, и, если он заинтересуется, пусть начинает тренироваться, посмотрим, как у него пойдет. Для начала надо будет провести несколько пробных маршрутов — просто с друзьями, с персоналом. Если все пойдет как надо, начнем продавать экскурсии, скажем, с марта месяца. Контрольный срок — последняя декада марта.

— Нормально. Как раз будет время все до ума довести.

— А сейчас я немного прокачусь с Сэсси. Схожу на конюшню, возьму коня, и посмотрим, как она поведет себя с всадником в седле. Мерлин будет с нами, поможет ей, если потребуется. И еще хочу посмотреть, как они поладят. Есть у меня задумка — спарить их хочу.

Коннор заулыбался.

— Я как раз хотел с тобой это обсудить. На мой взгляд, пара прекрасная. Они отлично дополняют друг друга: он — воплощенное достоинство, она — разбитная штучка. Думаю, они нам чудесное потомство произведут.

— Предоставим это им решать.

Фин взял мешочек с приманкой, поскольку самочка еще требовала вознаграждения, натянул перчатку и надел птице путцы. Довольная, что ее берут на охоту, она стала прихорашиваться, потом склонила голову набок, следя за человеком взглядом, который иначе как кокетливым не назовешь.

— Уверена в своей привлекательности, да? — С птицей на руке Фин подошел к воротам, повернул в сторону конюшен и кликнул Мерлина.

Его ястреб показался в небе, затем неспешно и элегантно спланировал вниз — покрасоваться вздумалось, решил Фин. Сидящая у него на руке Сэсси расправила крылья.

— Хочешь присоединиться, да? Тогда обещай, что будешь себя хорошо вести и полетишь куда я тебя направлю. — Он ослабил путцы, поднял руку и проследил взглядом, как птица взмыла вверх.

Две птицы покружили вместе, поиграли, исполнив пару резких разворотов, и Фин подумал, что они с Коннором не ошиблись, пара отличная.

Он с удовольствием прогуливался по лесу, узнавая каждое дерево, каждый изгиб тропы, каждый запах. Он рассчитывал, что учует Кэвона, но нет, этого не случилось, и путь от птичьей школы до конюшни он проделал в компании одних ястребов, парящих в небе.

На подходе к конюшне Фин невольно залюбовался: обширная территория, с левадой, стоянкой для пикапов и легковых автомобилей, и все это великолепие сейчас довершалось величественной головой коня Цезаря, выглянувшего в этот момент из открытого окна денника. Конь поприветствовал Фина негромким ржанием, и тот прошел прямо к нему, погладил, потер шею и произнес несколько ласковых слов, после чего вошел в дверь конюшни.

Бойла он застал в конторе, перед монитором компьютера.

— Почему люди задают столько идиотских вопросов? — ворчал тот.

— Они потому тебе кажутся идиотскими, что ты знаешь ответы. — Фин присел на угол стола — это было единственное свободное от бумаг место. — Я только что от Коннора, из питомника, — начал он и обсудил с Бойлом планы относительно новых комбинированных туров.

— Айона это дело любит, в том никаких сомнений. А Брайан... Конечно, еще совсем зеленый, но, насколько я мог видеть и слышать, работает добросовестно, и я знаю, что и наездник он неплохой. Я не против попробовать.

— Тогда детали проработаем позже. Если я тебе здесь не нужен, я сейчас возьму Цезаря. Со мной Мерлин и молоденькая самочка, хочу попробовать прогуляться верхом с обоими. Заодно прикинем варианты маршрута.

— Будь осторожен! Сегодня рано утром мы с Айоной были в новом доме, смотрели, как там дела продвигаются. Она видела волка, видела, как его тень крадется между деревьев.

— А сам не видел?

— Нет, я спиной стоял, разговаривал с плотником. Айона говорит, так близко он еще никогда не подбирался, хотя она обнесла дом защитой.

— Я заскочу проверю.

— Буду признателен.

Фин оседлал Цезаря, который с нетерпением бил копытом, догадавшись, что его ждет быстрая прогулка вместо обычного топтания на месте. Он вывел коня, запрыгнул в седло, а отойдя на открытое место, надел перчатку, взял приманку и подозвал Сэсси.

Она изящно опустилась и набросилась на курятину с такой суетливой жадностью, словно месяц ничего не ела. Поев, птица угомонилась. Они с Цезарем смерили друг друга взглядами, потом жеребец отвернулся — какое ему дело до какой-то там птицы!

— Правильный подход, одобряю, — похвалил коня Фин и поднял его в галоп, чтобы испытать обоих.

Молодая птица поначалу испугалась и раскинула крылья — еще одно зрелище, достойное кисти художника, — и, если бы Фин ее не успокоил, она бы взмыла в небо.

— Все в порядке. Это просто другая разновидность полета. — Ему не удалось убедить ее окончательно, и она еще немного повозилась, но осталась сидеть у него на руке. Удовлетворенный, Фин пустил коня легким кентером и повернул к лесу, давая птице сигнал лететь.

Сэсси вспорхнула на сук, где ее уже поджидал Мерлин.

— Молодец. Какая же ты умница! Мерлин, ты лети вперед, а мы за тобой.

Его ястреб попетлял в кронах деревьев; самочка повторяла его маневры. Фин вел коня, следуя за их полетом, теперь уже величавой поступью.

В течение следующих тридцати минут Фин приучал Сэсси к разным видам аллюра, то сажая ее себе на перчатку, то опять отпуская лететь.

Прохладный сырой воздух прорвался мелкой моросью, но никого это не смутило. Все наслаждались свободой.

Мысленно Фин рисовал маршрут, решив, что для комбинированных туров такая петля как раз подойдет — можно будет продемонстрировать, как птицы, танцуя, порхают с ветки на ветку и вновь и вновь возвращаются на руку в перчатке, не нарушая при этом неторопливого аллюра лошади.

Один край этой петли пролегал достаточно близко от реки, так что можно было расслышать ее шепот, а другой уводил далеко, создавая ощущение, что ты попал на соколиную охоту в какое-то другое время.

В воздухе запахло снегом. «К ночи, — подумал Фин, — начнется снегопад, запорошит поля и леса, и какое-то время снег пролежит, погрузив природу в тишину и покой».

А придет весна — и зацветет терновник, а за ним и полевые цветы, которые Брэнна срывает для букетов и ворожбы.

«Придет весна, — подумал Фин, — и он сможет спокойно гулять с ней по лесу, ничего не опасаясь. Во всяком случае, он на это надеялся».

С мыслью о Брэнне он повернул коня. Решил ее проведать. Лошадь и птиц можно ненадолго оставить у нее во дворе, а самому присоединиться к ее изысканиям.

Выбравшись на тропу, Фин снова пустил Цезаря кентером и рассмеялся, увидев несущегося им навстречу Багса с высунутым языком.

— Ну вот, и собака при мне. Теперь у меня все три советчика в сборе. Мы заскочим к Брэнне. У нее для всех вас наверняка найдется что-нибудь вкусненькое. Потом глянем на новый дом Бойла — и вернемся домой.

Явно довольный таким планом, Багс весело трусил рядом с конем.

При подъезде к большому поваленному дереву и густым зарослям плюща, закрывающим вид на развалины домика Сорки, Фин опять сбавил шаг.

Багс негромко зарычал.

— Ну да, он где-то тут. Я его тоже чую.

Фин приказал Сэсси оставаться в воздухе, а Мерлину велел спуститься на перчатку.

Сквозь плети лиан наползал туман. Фин быстрым и точным движением поднял Багса за шкирку и устроил перед собой в седле.

Он чувствовал, что его влечет какая-то сила, манит пройти сквозь заросли, изведать то, что ему уготовано, чем могут одарить его силы зла.

— Ну, если это лучшее, что ты мог бы мне предложить... — Фин пожал плечами и тронул поводья, разворачивая коня.

Из зарослей выскочил волк, с блестящей черной шерстью и пульсирующим алым камнем на шее. Цезарь в страхе отпрянул, но Фин удержался в седле и успел подхватить чуть не упавшего с лошади Багса.

К немалому изумлению Фина, Сэсси камнем ринулась вниз, ударила по зверю, снова взлетела, примостилась на суку и воззрилась на волка.

«Умная девочка, — подумал он. — Умная и горячая».

— Повторяю: если это лучшее, что ты можешь мне предложить...

Фин бросил Цезаря вперед и резким взмахом руки разверз землю под волчьими лапами. Конь прыжком одолел глубокую трещину, а зверь исчез.

За спиной Фина раздался смех. Он опять повернул коня.

Над расселиной, на ковре из тумана, парил Кэвон.

— Ошибаешься, мой мальчик. Далеко не лучшее. Лучшего ты еще и не пробовал. Побереги себя, ибо в конечном итоге ты все равно придешь ко мне. Я твою натуру знаю.

Фин поборол в себе желание атаковать его еще раз, но, проведя столько лет в бизнесе, он прекрасно знал: повернувшись спиной, можно произвести на противника куда более сильное впечатление.

Поэтому он спокойно и не спеша двинулся прочь.

— Побереги себя! — Это был не окрик, скорее шепот. — А когда я с тобой закончу, я приведу к тебе ведьму, к которой тебя так тянет, и она станет твоей навеки.

От нахлынувшего на него бешенства Фин ощутил желание вернуться и все-таки нанести удар.

Но он не стал оборачиваться, заровнял расселину, продолжил движение и вскоре покинул пределы леса.

Привязав коня возле дома, он спрыгнул на землю и прижался щекой к голове Цезаря.

— Ты сегодня оправдал свое имя — бросился без колебаний, стоило только тебя попросить. — Движением фокусника он показал коню пустую ладонь, затем повернул кисть, и в руке оказалось яблоко.

Предоставив Цезарю грызть награду, он подозвал Сэсси.

— И ты тоже. Такая юная и такая бесстрашная! Будешь у нас настоящей охотницей! — Он посигналил Мерлину. — Сейчас поохотитесь вместе у Брэнны на поле. И можете какое-то время посидеть под навесом у Ройбирда. А ты, дружок... — нагнулся он к Багсу, — бьюсь об заклад, для таких, как ты, в этом доме найдется печеньице.

Вместе с Багсом Фин вошел в мастерскую.

— А вот и моя награда, — проговорил он, видя, как Брэнна вынимает из небольшой печки противень с печеньем.

— Вы как раз вовремя. — Она поставила противень на печку и повернулась. — Что-то произошло, — мгновенно догадалась она.

— Не бог весть что, но этот бобик заслужил угощенье, если у тебя есть.

— Есть, конечно.

Она достала из банки два «собачьих» печенья, видя, что дремавший подле очага Катл уже проснулся, чтобы поприветствовать своего маленького приятеля.

— Ну, а я лучше съем вот этого, — объявил Фин и схватил печенье из первой партии, уже остывшей на решетке. — У меня были дела дома, потом в соколином питомнике и на конюшне. Ты, наверное, слышала, мы собираемся с весны начать комбинированные конные прогулки с птицами.

— Это все замечательно, но что все-таки случилось?

— Я решил сам опробовать такой маршрут. Взял Цезаря, Мерлина и хорошенькую самочку по имени Сэсси, которой предстоит спариться с Мерлином, когда она сочтет себя готовой.

— А как она к этому относится? — оживилась Брэнна, спешно ставя чайник, поскольку Фин уже успел схватить второе печенье.

— Нашла его симпатичным. И ему она тоже понравилась. Так вот. Я задумал проработать пару подходящих маршрутов и нанести их на карту, и, когда мы проезжали мимо большой конюшни, к нам присоединился Багс. В такой компании я повернул в вашу сторону, имея в виду поработать с тобой часок-другой. Потом мы оказались в том месте напротив домика Сорки.

— Мог бы и обойти его стороной.

— Ты права. Но мне не захотелось обходить. Благодаря чему я теперь знаю, что самочка, которую я выбрал для Мерлина, ему идеально подходит.

Фин рассказал, как все было, принял из рук Брэнны чашку с чаем и стал раздумывать, не позволить ли себе еще сладкого.

— А он наглеет, — заметила Брэнна.

— Его наглости хватает только, чтобы говорить колкости. Собственно, в этом его сегодняшняя вылазка и заключалась. Он хотел спровоцировать меня на вторую атаку, а я подумал, что, лишив его этого удовольствия, нанесу ему куда более серьезный удар — по самолюбию.

— Он хочет, чтобы мы поняли: самая элементарная прогулка по лесу ни для кого из нас не будет безопасной, — согласилась Брэнна. — Говорит колкости — в расчете нас деморализовать. Обложить, чтоб мы не высовывались.

— Он более уверен в себе, чем раньше. Во всяком случае, мне так показалось.

— Дважды мы пускали ему кровь, даже больше, а в последний раз были очень близки к тому, чтобы его прикончить.

— Но не прикончили, — подхватил Фин. — Он всякий раз исцеляется. И он знает, что нужно лишь добраться до своего логова и зализать раны. Знает, что он может вновь и вновь вступать с нами в схватку, и готов возвращаться до бесконечности. Когда игрок азартен, он рассчитывает, что настанет день — и удача отвернется от соперника. Опять вопрос времени, Брэнна, а временем пока распоряжается он.

— Он убежден в своей непобедимости. Точнее — в непобедимости того, что в нем заключено. Но я над этим работаю.

Она подошла, постучала пальцем по тетради.

— Я позвонила отцу, он позвонил кое-кому еще, и теперь я разработала состав, который, мне думается, позволит взять этого демона. Параллельно я работала над текстом заклятия. Но нам нужно имя. Боюсь, если мы не призовем демона по имени, ничто не сработает. Это подтверждают и люди, с которыми консультировался отец.

Фин взял себе третье печенье и, подойдя к ней поближе, начал читать из-за ее плеча.

— Сушеное крыло летучей мыши — лучше всего из Румынии? Это из Трансильвании, что ли? Где жил граф Дракула?

— Да. Говорят, лучше всего оттуда.

— Шерсть из хвоста стельной самки яка. — Фин повел бровью. — Глаз саламандры и песий язык не класть. Ну, извините, ребята, — с легким галантным поклоном обратился он к Катлу и Багсу.

— Ты можешь сколько угодно насмешничать над шекспировскими ведьмами — а это все оттуда, между прочим, — но я руководствовалась лучшими источниками, какие смогла отыскать.

— Аконит, ягоды белладонны — растолочь. Настойка амазонской бругмансии — ее еще, по-моему, называют «трубы ангела»? Лепестки армянского болиголова, сок манцинеллы. Что-то из этого мне известно.

— Это все яды. И все — природные. Некоторые из них мы использовали в составе зелья, которое делали для Кэвона, но среди этих ингредиентов есть совсем экзотические, с какими мне еще дела иметь не доводилось. Наверное, какие-то придется заказывать. Еще потребуется вода, освященная служителем церкви, но это самое несложное. Связующим веществом остается кровь. Понадобится твоя. Твоя кровь, прядка волос, кусочки ногтей.

Фин пробурчал что-то нечленораздельное.

— Я уже начала прикидывать дозировку и сопроводительный текст. Насчет того и другого данные моих консультантов несколько расходятся, а слова-то в заклинании должны быть правильными и точными! От этого многое зависит. Если с зельем все сделаем как надо, оно должно выйти черным и густым. Оно не будет ни пропускать свет, ни отражать его.

Фин подошел и стал массировать ей плечи.

— У тебя тут все сковано. А ты должна быть не напряжена, а довольна. Расслабься, Брэнна, ты здорово продвинулась!

— Но это не прибавит нам шансов на успех, если мы неправильно выберем время, а в этом отношении я никакого прогресса не достигла.

— Я об этом размышлял. Возможно, Остара, весеннее равноденствие?[1] Мы пробовали летнее солнцестояние, поскольку это самый длинный световой день в году. Остара — тоже свет, момент перелома от мрака к свету.

— Я постоянно к этому возвращаюсь, все время ломаю голову. — Она запустила пальцы в прическу, нащупала и заново заколола выбившиеся из волос шпильки. — Но ничего убедительного на ум не приходит. А мы не имеем права ошибиться. Не исключено, что Остара — правильный выбор, просто все другие заботы застилают мне это.

Он развернул ее, продолжая массировать плечи.

---

[1] Весенний праздник Колеса года, середина весны, праздник равновесия, когда день по длительности равен ночи, приходится на весеннее равноденствие 20—21 марта.

— Можно попробовать составить заклятие и зелье с расчетом на Остару и посмотреть, как это все будет сочетаться. Конечно, при условии что нам попадется стельная самка яка.

Как он и рассчитывал, она улыбнулась.

— Отец сказал, он знает человека, который может добыть что угодно. Не бесплатно.

— Значит, заплатим. И начнем. У меня еще есть часок свободного времени, я помогу тебе с заклятием. Но вечером, мне кажется, ты могла бы и отвлечься, освободить голову ото всего этого.

— Ты так считаешь?

— Я думаю, ты должна сходить со мной поужинать. У меня есть на примете одно местечко, тебе оно очень понравится.

— Сходить поужинать? И что же это за местечко такое?

— Необыкновенное! Романтическое и элегантное, а еда — вообще пища богов. — Он намотал на палец прядку ее волос. — И ты могла бы надеть платье, в котором была на Новый год.

— У меня есть и другие платья, но в заведение, где подают пищу богов — приготовленную не мной, а кем-то другим, — я бы пошла в наряде Евы.

— Ну, если ты так хочешь... Правда, я бы предпочел созерцать тебя в наряде Евы без посторонних, после десерта.

— Финбар, у нас что, свидание?

— Вот именно. Ужин в восемь, но заеду я за тобой в семь, чтобы у тебя было время до еды еще полюбоваться городом.

— Городом? Каким еще городом?

— Париж называется, — ответил он и поцеловал ее.

— Ты предлагаешь нам слетать на ужин в Париж?

— На шикарный ужин в Городе Света.

— Париж... — повторила Брэнна и попробовала убедить себя, что это легкомысленно и глупо. Но не убедила. — Париж! — снова повторила она и сама поцеловала его.

14

— И как это было? В Париже? — уточнила Айона. — С тех самых пор нам так и не удалось поговорить об этом без мужиков.

— Это было чудесно. Прямо дух захватывает. Огни, голоса, еда... И вино, разумеется. На несколько часов перенеслись в совершенно другой мир.

— Романтично? — Айона завязывала изящные джутовые бантики на кусках мыла — пастельных оттенков и более ярких тонов.

— Да.

— Не могу понять, почему именно это тебя так беспокоит. — Она будто прочла ее мысли.

— Меня романтика не увлекает. Это коварная штука, она ослабляет решимость и туманит мозги. — Брэнна отмерила молотые сухие травы. — А я сейчас этим рисковать не могу.

— Вы же любите друг друга!

— Любовь не всегда дает ответ на все вопросы.

Пока Айона помогала с товаром для магазина, Брэнна занималась сырьем для магических обрядов. Впереди была новая схватка, а Кэвон мог напасть в любую минуту. Нужно было иметь наготове полный набор лечебных средств на любой случай.

— Для тебя любовь — это и есть ответ, и я этому рада, — продолжала Брэнна, отмеряя в небольшой котелок шесть капель экстракта настурции. — Тебе любовь придает сил, целеустремленности.

— А ты считаешь, у тебя все наоборот? Что тебя она ослабляет?

— Я думаю, что такое возможно, причем сейчас — больше, чем когда-либо, а этого я допустить не могу. И Фин, и я знаем, что мы можем жить друг без друга. Мы уже это проходили. И неплохо справлялись. Мы понимаем, что жить надо сегодняшним днем. А все остальное подождет, пока не разделаемся с Кэвоном.

— Но с ним — с Фином, я имею в виду, — ты счастливее, — заметила Айона.

— Любая женщина будет счастливее, когда может рассчитывать на более или менее регулярный и добротный секс. — Айона фыркнула, но Брэнна жестом призвала ее к молчанию, подержала обе руки над котелком и быстро довела отвар до кипения. Теперь она что-то забормотала, одной рукой притягивая луч света, другой — струи голубого дождя. На мгновение засияла радуга, потом и она дугой ушла в горшок.

Брэнна оставила самый тихий огонь, котелок едва заметно кипел.

Удовлетворенная, она повернулась к Айоне и увидела, что та пристально за ней наблюдает.

— Слежу за тем, что ты делаешь, — пояснила Айона. — Так у тебя красиво получается, так грациозно! И все вокруг залито идущей от тебя энергией.

— Это восстановительное зелье, оно у нас должно быть под рукой вместе с мазями и бальзамами, которые я уже наготовила. — Брэнна постучала по дверце шкафчика, который считала своей боевой аптечкой.

— На бога надейся, а сам не плошай.

— Хороший принцип.

— Ты его придерживаешься и в отношениях с Фином?

— Когда я с Фином, и не только в постели, я невольно вспоминаю, почему я его полюбила. В нем столько доброты! А я хотела об этом забыть. Юмор, целеустремленность, верность. Сейчас мне, наоборот, хочется все это помнить, меня это вдохновляет. И нашей сплоченности тоже способствует. Если я буду помнить, какой он на самом деле, я смогу целиком ему доверять. Во всем. И мне кажется, я всегда ему доверяла, при всем своем внутреннем сопротивлении. А теперь я могу ему верить и верю, поэтому мне всегда есть на кого положиться.

— Придет сегодня?

— Я ему сказала, что необходимости нет. Мы еще не все ингредиенты получили, поэтому варить вредоносное зелье пока не можем. У него есть работа, у меня — своя. А тебе я очень признательна за то, что уделила мне сегодня столько времени.

— А мне нравится заниматься товарами для твоей лавки, это для меня вроде развлечения. Чем больше я сделаю, тем больше у тебя высвободится времени для работы над ядами против демона. Еще я сегодня хочу вывести на прогулку Аластара. И кстати, рассчитываю, что ты тоже составишь нам компанию.

— Прокатиться верхом?

— Я видела, ты умеешь ездить в седле, а Мира говорит, что ты теперь уделяешь этому гораздо меньше времени, чем раньше.

«Да, действительно», — подумала Брэнна, потому что лошади напоминали ей о Фине. Но теперь... Он привез для нее Анью, а она даже не удосужилась проверить, есть ли у них с этой лошадкой взаимопонимание.

— Если все запланированное у нас сделано, я не против. К тому же если мы с тобой поедем кататься просто в свое удовольствие, то тем самым натянем нос Кэвону.

— Мы теперь что ни день встречаем его... — Айона машинально складывала куски мыла в разноцветные стопки. — Рыщет вокруг.

— Я знаю. Я его тоже вижу. Он теперь частенько мои границы прощупывает.

— Мне сегодня приснилась Тейган. И мы разговаривали.

— И ты только сейчас мне об этом говоришь?

— Ну, типа как в гости забежала. Мы сидели перед камином, пили чай. У нее уже виден животик, и она дала мне пощупать, как малыш толкается. Рассказала про своего мужа, а я ей — про Бойла. И что меня поразило — ты как раз тоже говорила, что мы все связаны, — ее муж с Бойлом так похожи! Тот же темперамент, та же любовь к лошадям, к земле.

— Бойл связан с первой тройкой через мужа Тейган? Да, это возможно.

— О Кэвоне разговора не было, даже странно, правда? Просто пили чай, говорили о ее муже, о будущем ребенке, о Бойле, о наших свадебных приготовлениях. А в конце она дала мне небольшой амулет и сказала, что он для Аластара.

— Он у тебя?

— Я утром, как пришла, сразу ему к уздечке прицепила. У меня тоже был в кармане амулет, который я сделала тоже для Аластара — бывает же! — так я его отдала ей.

— Мы все обменялись оберегами, каждый — со своим двойником из другой эпохи. Уверена: это больше, чем вежливость. Что-то из нашего времени попало к ним, а из их времени — к нам. Когда пойдем биться с Кэвоном, надо непременно взять их с собой.

— Только мы пока не знаем когда.

— Да, и меня это жутко огорчает, — созналась Брэнна. — Но все равно мы не можем ничего предпринимать, пока у нас нет всего необходимого для истребления этого демона. Остается лишь надеяться, что к нужному моменту мы все будем знать.

— Демоны и визиты родни из далеких веков. Сражения, смерчи, свадьбы. До чего же изменилась моя жизнь по сравнению с тем, какой была всего год назад! У меня такое чувство, что я прежде и не жила вовсе. Скажи, я не глупость делаю, что затеваю подобие праздничного ужина для Бойла по случаю годовщины? Может быть, мне изменяет чувство реальности? Я хочу сделать ему сюрприз, приготовить что-то действительно вкусное, чтобы он ел не из одной вежливости. Как думаешь, получится?

Удивленная и растроганная, Брэнна обернулась к Айоне — та выстраивала по-новому свои башни из кусков мыла.

— Конечно, получится!

— У меня до сих пор стоит перед глазами, как он в тот первый день объезжал Аластара. И как они оба чуть в меня не въехали. А теперь они оба — мои. Вот я и хочу, чтобы тот день стал нашим праздником.

— И станет.

В голове у Брэнны шевельнулась какая-то мысль. Она помолчала, пытаясь ее ухватить, но тут распахнулась дверь.

На пороге стояла соседка, добродушная бабуля.

— Добрый день, миссис Бейкер.

— И тебе, Брэнна. О, я вижу, и Айона тут. Надеюсь, я вам не помешала?

— Ну что вы. Чайку не выпьете? — предложила Брэнна.

— Если тебя не затруднит, я бы не отказалась. Собственно, я за чаем и пришла-то. Есть у тебя тот сбор, что ты от простуды делаешь? Если есть — я бы прямо тут у тебя и купила, и в деревню бы не пришлось ехать.

— Есть, конечно. Давайте-ка снимайте пальто и садитесь поближе к огню. Чувствуете, что заболеваете?

— Да не я! Муж у меня совсем расхворался. Своими жалобами меня с ума сведет. Зато сейчас вот выпью чайку в компании симпатичных девушек, у которых хватает ума не плакать, что жизнь кончена, из-за какой-то несчастной простуды, — глядишь, и останусь в здравом уме. Ой, до чего же мыло красивое! Как цветные леденцы в жестяной банке.

— Никак не решу, какое мне больше нравится, но раскупается лучше всего вот это. — Айона дала старушке понюхать ярко-красный кусок.

— Чудесно пахнет! Вот за то, что я еще не заткнула его ударом сковородки по голове, я себе сейчас сделаю подарок — куплю кусочек такого мыла.

— Заслуженный подарок!

— Мужчины... Что с них взять? Несколько раз чихнул — и с ним уже забот больше, чем с целой оравой грудничков. Слышала, Айона, ты замуж выходишь? Вот скоро сама убедишься.

— А я надеюсь получить на свадьбу в подарок подходящую сковородку, — отшутилась Айона, вызвав у миссис Бейкер приступ безудержного смеха. Старушка аж за живот схватилась.

Поскольку приглашение поступило, она сняла пальто и шарф и устроилась у камина.

— Тут у вас и Катл, оказывается! Хорошее дело: собака, огонь, чашка чаю. А я когда из дома выходила, то он мне в лесу примерещился — гляжу, рыщет вдоль опушки. Я его даже окликнула, а потом гляжу — это и не Катл вовсе. Большая такая черная псина, и я подумала даже: боже правый, да это волк! Но тут он взял и исчез. — Она щелкнула пальцами. — Глаза-то уж старые, вот и подводят.

Брэнна переглянулась с Айоной и внесла поднос с чаем и печеньем.

— Бродячая, наверное. Вы раньше эту собаку видели?

— Нет, что ты, и надеюсь больше никогда не увидеть. У меня аж мурашки побежали, честное слово, когда я ее по ошибке окликнула и она ко мне повернулась. Даже хотела вернуться в дом, до того перепугалась. Уж лучше, думаю, мистер Бейкер со своим нытьем, чем такой зверь страшный. — Старушка отведала печенья. — Брэнна, до чего же у тебя все вкусно! Вот спасибо, уважила!

— Да на здоровье. У меня еще есть укрепляющая настойка, можно ее добавлять в чай для мистера Бейкера. При простуде это очень помогает, да и спать будет лучше.

— А сколько стоит?

Они еще поболтали с соседкой, записали на ее счет чай и настойку, а мыло вручили в подарок. Потом Брэнна послала Катла ее проводить, чтобы быть уверенной, что та благополучно добралась до дому.

— Интересно, он специально ей показался, — задалась вопросом Айона, когда они остались одни, — или его присутствие — если это он — становится более осязаемым?

— А я вот гадаю, не потерял ли он осторожность, такое ведь тоже может быть. Рыщет по округе, как соседка сказала, в расчете нас растревожить, и даже в тени не прячется. Но, поскольку ему внимание посторонних ни к чему, я заключаю, что это все-таки была беспечность.

— Ему уже невтерпеж.

— Может быть. Но придется ему подождать, пока мы не будем готовы. Я сейчас закончу укрепляющую микстуру, которую начала, и мы отправимся на прогулку. Не станем себе отказывать в удовольствии прокатиться верхом.

— Рассчитываешь, что он на нас выскочит?

— Во всяком случае, не рассчитываю, что этого не произойдет. — Брэнна вызывающе вздернула подбородок. — Хочу дать ему отведать, на что способны две женщины, наделенные магической силой.

Брэнна была даже довольна, что Фин укатил куда-то. Будь он дома или на конюшне, он бы не одобрил их с Айоной затею, а то и настоял бы, чтобы поехать с ними.

Она обулась в сапоги для верховой езды, которые не надевала уже лет сто, и ощущение оказалось приятным. А еще больше она обрадовалась тому, что сумела самостоятельно оседлать Анью.

— Мы с тобой пока не очень хорошо знакомы, поэтому ты дашь Айоне знать, если я что-то сделаю не так, идет? — Она обошла лошадку спереди, погладила ее по щекам, заглянула в глаза.

— Да он за одну красоту и изящество бы тебя взял! И того и другого у тебя в избытке. Но он понял, что ты предназначена мне, а я — тебе. Если так, я для тебя сделаю все, что в моих силах. Можешь считать это клятвенным обещанием. А сегодня я сделала для тебя вот это, — добавила Брэнна и ярко-красной лентой вплела в гриву кобылы амулет. — Это тебе для защиты, и мне неважно, моя ты или чья-то еще — я все равно тебя защищу.

— Она считает, ты почти не уступаешь ей в красоте, — перевела Айона.

Брэнна рассмеялась и принялась за подгонку стремян себе по росту.

— Вот это, я понимаю, комплимент!

— Вы будете шикарно смотреться, когда ты на нее сядешь — а она, между прочим, мечтает произвести впечатление на Аластара.

— Ну что ж, давай произведем это впечатление!

Вдвоем с Айоной они вывели лошадей из конюшни. Брэнна с легкостью вскочила в седло, будто проделывала это каждый день.

— Какой у нас план? — Айона перегнулась через седло и потрепала Аластара по холке.

— Иногда лучше пустить все на самотек.

Они шагом дошли до дороги. Рядом трусили Катл с Багсом.

— А вот ястреба я кликнуть не сумею, — посетовала Айона.

— Они сами явятся, если будет нужно. Хотя... это неплохая мысль, да? Прокатиться в компании всех наших советчиков. Что скажешь, если пойти галопом?

— Скажу да.

Анья сразу послушалась наездницы и пустилась бодрым кентером, снова поразив Брэнну грацией. И кокетством — для того чтобы оценить движение, которым лошадка тряхнула гривой, Брэнне не требовался дар общения с лошадьми, каким обладала Айона.

Она оглянулась, увидела, что верный Катл чуть замедлил бег, дожидаясь малыша Багса, и заулыбалась, такое удовольствие излучали обе собаки.

Брэнна полностью сбросила напряжение и дала себе насладиться прогулкой.

Скоростью. Прохладным воздухом, который уже начинал пробирать до костей, свидетельствуя о надвигающемся очередном снегопаде. Запахами деревьев и лошадей, ритмичным стуком копыт.

Наверное, она слишком давно не садилась в седло, если даже небольшая верховая прогулка так подняла ей настроение.

Брэнна чувствовала, что настроена со своей кобылкой на одну волну. Фин был прав. Впрочем, в таких делах он никогда не ошибается, признала она. Как бы то ни было, отныне Анья принадлежит ей, и их партнерство начинается как раз в этот момент.

Они свернули на тропу, уводящую в чащу, где воздух сделался еще студенее. В тенистых местах еще с осени пятнами лежал снег. На ветке щебетала какая-то пичуга.

Наездницы сбили шаг и теперь шли легкой рысью.

— Анья и Аластар надеются, что мы еще выйдем на открытое место и снова поднимем их в галоп.

— Я не против. Я больше года в седле не сидела. Уже забывать стала, насколько хорошо в лесу зимой. Тихо, безлюдно.

— Я, наверное, к этому никогда не привыкну, — призналась Айона. — Не научусь принимать все как должное. Уж и не счесть, сколько за этот год провела экскурсий, а все равно каждый раз — как первый.

— А не скучно тебе вот так тащиться еле-еле с неумехами? Ты ведь искусная наездница!

— Со стороны может показаться, что это действительно скучно, но — нет. Люди обычно попадаются интересные, а потом сама посуди: катаюсь верхом в свое удовольствие, а мне же еще и платят. И потом, — Айона сделала многозначительное лицо, — я еще и с боссом сплю. На круг выходит, я в сплошном выигрыше.

— На обратном пути можем сделать небольшой крюк и проехать мимо вашего дома.

— Я ждала, что ты это предложишь. Сегодня должны — если все сложится — начать ставить гипсокартон. Коннор молодец, находит время тоже поучаствовать.

— Он строить любит. И умеет.

Они синхронно повернули к реке, чтобы прогуляться по берегу.

Похолодало, и Брэнна заметила первые клочья тумана.

— Мы не одни, — шепнула она сестренке.

— Ага. Очень хорошо.

— Последи, чтобы лошади не волновались, ладно? А я собак успокою.

Он явился в облике мужчины, красивого и сурового, облаченного в черный плащ с серебряной каймой. Брэнна заметила, что он дал волю тщеславию и не поленился поработать над лицом, которое теперь светилось здоровьем и румянцем.

Он отвесил им глубокий поклон.

— Юные леди! Вы чудесно смотритесь этим зимним днем!

— Тебе больше заняться нечем, — огрызнулась Брэнна, — как только тратить время, шныряя там, куда тебя никто не звал?

— Но ты же видишь, мои усилия вознаграждены и предо мной сразу два цветка из вашей троицы. Ты собралась замуж за смертного? — обратился он к Айоне. — Будешь тратить свои способности на того, кто не в состоянии отплатить тем же? Я мог бы дать тебе намного больше.

— Ты ничего не мог бы мне дать, ты и мизинца его не стоишь!

— Он строит тебе дом из дерева и камня, а я мог бы подарить тебе дворец. — Колдун простер руки, и над холодной темной рекой проплыл дворец, сверкающий серебром и золотом. — Вот настоящий дом для такой, как ты, тем более что у тебя никогда своего дома и не было. Но ты всегда о нем мечтала. И *это* могло бы стать твоим.

Айона сконцентрировала энергию и окрасила видение в черный цвет.

— Оставь себе.

— Я заберу твою силу, и ты останешься на пепелище. А ты? — повернулся он к Брэнне. — Спишь с моим сыном!

— Он тебе не сын.

— В нем течет моя кровь, этого ты отрицать не можешь. Бери его, отдавайся ему — тебя это только ослабляет. Так или иначе ты понесешь мое семя. Лучше выбери меня, прямо сейчас, пока я еще даю тебе право выбора. В противном случае, когда я приду за тобой, ты получишь не наслаждение, а боль. Выберешь его — и его кровь, кровь всех, кого ты якобы любишь, будет на твоих руках.

Она подалась вперед в седле.

— Я сама решаю, кого и что выбирать. И я выбираю свой дар и право, данное мне по рождению. Я выбираю свет, чего бы это ни стоило. Сорка потерпела поражение, но мы одержим верх. Ты сгоришь дотла, Кэвон.

Теперь она простерла вперед руку, и над холодной черной рекой встал огонь. Сквозь пламя и дым донесся вопль Кэвона — или того, в чьем обличье он сегодня явился.

— Вот тебе мой подарок!

Он приподнялся на фут над землей. Айоне пока удавалось удерживать лошадей.

— Тебя я стану смаковать с особым наслаждением. Заставлю тебя смотреть, как я выпускаю кишки твоему братцу, как четвертую жениха твоей сестры. Ты увидишь, как я рассеку горло той, кого ты мнишь своей сестрой, настолько вы с ней близки. Ты будешь смотреть, как я насилую твою маленькую сестренку. И только тогда, когда земля взбухнет от их крови, я прикончу тебя.

— Я Смуглая Ведьма Мейо, — сухо проговорила Брэнна. — И я — твоя погибель.

— Можешь меня высматривать, — молвил он, — все равно ничего не увидишь!

Он исчез. Растворился в тумане.

— Такие угрозы... — Айона смолкла и повела рукой в сторону огня над рекой, откуда все еще неслись вопли. — Не против?

— Хм-мм... Мне это даже нравится, только... — Брэнна отмахнулась. — Это не угрозы, во всяком случае, он понимает их скорее как обещания. Мы еще увидим, как он их сам нарушит. Я надеялась, он примет облик волка хоть на несколько секунд. Мне нужно имя того, кто его породил.

— Сатана, Люцифер, Вельзевул... Не подходит?

Брэнна улыбнулась.

— Боюсь, что нет. Это демон калибром поменьше, и Кэвон нужен ему так же, как он — Кэвону. Чувствуешь — в воздухе от этой парочки осталось зловоние? Давай все же пустим коней в галоп и съездим посмотреть, что там с вашим домом.

— «Из дерева и камня»?

— Из очень крепкого и надежного дерева и камня. И настоящего.

Айона кивнула.

— Брэнна, что, если... Что, если, пока ты была с Фином, ты забеременела?

— Невозможно. Я приняла меры предосторожности.

С этими словами она подняла лошадь в галоп.

Она угостила Анью морковкой, затем насухо ее обтерла, за каким занятием и застал ее Фин, когда появился в конюшне. Айона тоже была тут.

— Говорят, верхом каталась?

— Каталась. Вспомнила, как я это люблю. — Она прислонилась щекой к лошадке. — Ты же сам говорил, нам с ней надо поближе познакомиться.

— Я не имел в виду, что ты поедешь одна.

— Я была не одна. Я была с Айоной, а она — со мной, и еще с нами были Аластар, Анья и собаки. Эй, не вздумай ускользнуть из-за того, что Фин злится! — сказала она Айоне. — Что еще за трусость? Не узнаю! Мы побеседовали с Кэвоном — ну, можно сказать, только обменялись любезностями. Потом расскажем, когда все ребята соберутся.

— Еще как расскажете! — Он хотел схватить Брэнну за локоть, но Анья боднула его в плечо.

— А, так ты теперь на ее стороне?

— Послушай, она же моя как-никак. И она не хуже меня понимает, что ничего страшного не произошло и мы рисковали не больше, чем любой из нас, когда оказывается на улице. — Она помолчала. — Подозреваю, вы все захотите не только слушать, но и поесть.

— Я бы точно не отказалась, — с радостью согласилась Айона.

— Соберемся здесь, — предупредил Фин.

— А из чего я готовить стану?

Он все же взял Брэнну за локоть, но на сей раз аккуратно.

— Ты мне уже много раз вручала список покупок. Там на кухне запасов на неделю.

— Как и положено в уважаемом доме. Тогда решено. Айона, я пойду прикину, что можно приготовить на знаменитой кухне Финбара, а ты, будь добра, оповести остальных, хорошо?

— Ты нарочно искала с ним встречи! — с укором проговорил Фин.

— Нарочно? Нет. Но я понимала, что могу с ним столкнуться.

— Ты знала, что он на тебя нападет.

— Ни на кого он не нападал — во всяком случае, не в той форме, о которой ты говоришь. Словесно — да. Думаю, он почву прощупывал. Я рассчитывала, что он явится в волчьем обличье и у меня будет шанс еще раз попытаться вызнать имя его демона, но он предстал перед нами в облике человека.

Войдя в дом, она сняла куртку, отдала ее Фину.

— И мы чудесно прокатились, а возвращались специально такой дорогой, чтобы посмотреть, как идут дела на стройке нового дома. Отличный будет дом, просто отличный! Большое открытое пространство, наподобие студии, и в то же время несколько укромных уголков. Очень уютно! А поскольку мы возвращались с той стороны, то мне и твой дом предстал иначе. Эта твоя комната, где все окна смотрят на лес... Как там должно быть приятно сидеть и смотреть в окно, причем круглый год! Вроде уединенная, а в двух шагах — уже деревья.

Говоря все это, Брэнна рылась в холодильнике, в морозильной камере, в кухонных шкафах.

— Тут у нас куриные грудки... Хорошо. У меня есть один рецепт — пальчики оближешь. Коннор его обожает. Такие пикантные получаются! Ты, Фин, как насчет чего-то пикантного? — Она бросила на него лукавый взгляд.

— А ты? — Он притянул ее к себе и куснул за нижнюю губу.

— А я на добро всегда отзываюсь. А если еще вина мне нальешь, то сможешь рассчитывать и на большее...

Он повернулся, нашел бутылку, прочел этикетку.

— Ты хоть отдаешь себе отчет, что было бы со мной, если бы он что-то с тобой сделал?

— Даже не думай об этом! Мы не должны допускать таких мыслей, ни ты, ни я. Близость, которая у нас есть — у нас с тобой и с ребятами, — это очень сильное, настоящее и глубокое чувство. И мы не можем думать о плохом.

— Брэнна, я не думаю. Я чувствую!

Она положила руки ему на грудь.

— Значит, мы не должны позволять себе это чувствовать. Если из-за него мы перестанем рисковать там, где это необходимо, считай, он уже сделал нас слабее.

— А если мы перестанем прислушиваться к своей интуиции, это сделает нас слабее вдвойне.

— Вы оба правы. — Вошла Айона. — Мы вынуждены к себе прислушиваться. Мне все время страшно за Бойла, но мы все равно делаем то, что должны. Благодаря интуиции мы и держимся.

— А между прочим, ты права, — согласилась с ней Брэнна. — Ты, например, чувствуешь врага, но это тебя не останавливает, — повернулась она к Фину. — И я тоже. Могу дать тебе слово, что буду себя защищать всеми возможными способами. А уж в них я толк знаю.

— Это правда. Айона, я собираюсь открыть вино. Ты будешь?

— А что мне остается?

— Фин, когда разберешься с пробкой, можешь почистить картошку.

— Айона, душа моя, — ангельским голосом пропел Фин, — ты же не откажешься почистить картошечку, правда, милая?

Брэнна не успела и возразить, как Айона уже сняла куртку.

— Буду помощником повара. Между прочим, Брэнна, не вижу, почему бы тебе не взять меня в обучение и не показать, как и что ты готовишь. Неважно что. Возможно, я как раз это блюдо решу приготовить на праздничный ужин для Бойла.

— Для праздничного ужина это будет несколько простовато. Это же блюдо на скорую руку, — начала было возражать Брэнна. — Хотя... Все, я поняла! Из любви к... Как же я раньше не догадалась?

— О чем? Что ты имеешь в виду? — не поняла Айона.

— Время. День, когда мы прикончим Кэвона. Он же все время был перед самым моим носом! Так, мне нужна моя книга! И астрологические карты. Я должна быть на сто процентов уверена. Вот на этом столе и разложим, это быстро.

Она схватила из рук Фина бокал, прошла к обеденному столу и щелкнула пальцами в воздухе. Моментально на столе возникли аккуратная стопка ее книг по магии, ноутбук, блокнот.

— Айона, как почистишь картошку, разрежь каждую на четыре части и сложи в большой противень. Сейчас включи духовку, пусть пока нагревается. Поставь на сто семьдесят пять.

— Это я могу, но...

— Мне нужно двадцать минут. Максимум — полчаса. Да... Потом польешь картошку оливковым маслом, ложки четыре. Хорошенько встряхнешь, чтобы все кусочки промаслились. Посыпь перцем и молотым розмарином. На глаз, это ты умеешь. В духовку на тридцать минут, потом скажу, что делать дальше. К тому времени я освобожусь. А сейчас — тихо! — прикрикнула она и резко села, не дав Айоне и рта раскрыть.

— Терпеть не могу, когда она говорит «примерно» или «на глаз», — проворчала Айона. — Или еще хлеще того — «до готовности»!

— У меня глаза тоже имеются, но у тебя наверняка выйдет вернее.

— В крайнем случае возьмем среднее между твоим и моим «глазом», может, и угадаем.

Айона старалась изо всех сил — скребла, чистила, резала, поливала, перемешивала, посыпала. И жалела, что рядом нет Бойла — тот хотя бы сказал, правильно ли она действует. Она вопросительно взглянула на Фина, тот развел руками, и противень отправился в духовку. Айона взвела таймер.

Оставалось только пить вино и надеяться. Они с Фином внимательно следили за Брэнной.

Та, придав себе деловой облик — откуда-то достала заколку и собрала волосы на затылке, закатала рукава свитера до локтей, — она сосредоточенно смотрела то в книгу, то в компьютер, делая какие-то пометки и расчеты.

— А вдруг таймер прозвенит, а она еще не освободится? — переживала Айона.

— Мы с тобой сейчас в свободном плавании. А ей лучше не мешать, не то нам несдобровать.

— Все! — Брэнна хлопнула ладонью по тетради. — Хвала всем богиням, я закончила! Это так просто, настолько очевидно! Ответ был совсем близко, да только я все время смотрела мимо.

Она поднялась, решительным шагом прошлась взад-вперед по кухне и налила себе второй бокал.

— Годовщина. Конечно! Что же еще?

— Годовщина? — У Айоны глаза полезли на лоб. — Моя? Годовщина моего приезда и нашего с вами знакомства? Но ты говорила, что это не то. Или годовщина нашего знакомства с Бойлом? Ты о какой годовщине говоришь?

— Нет, не твоя. И не ваша. Годовщина Сорки. Ее гибели. Годовщина ее смерти, того дня, когда она умерла сама и обратила Кэвона в пепел. Именно в этот день, только в наше время, мы все и завершим. Обязаны! Не саббат и не эсбат[1]. Не священный праздник. А день Сорки.

— То есть день, когда первые трое обрели свое могущество, — подхватил Фин. — Тот день, когда они возникли — а значит, возникли и вы. Ты права! Все лежало на поверхности, но никто из нас не видел.

— Зато теперь видим. — Она подняла бокал. — И можем исполнить наш удел до конца.

15

Она словно родилась заново. Зарядилась новой энергией.

Брэнна с большим удовольствием хлопотала у плиты, где ей с успехом помогала Айона, потом с удоволь-

---

[1] Праздники, выпадающие на дни весеннего равноденствия.

ствием уселась с друзьями в гостиной, несмотря на то что разговор крутился преимущественно вокруг Кэвона.

А может быть, ее настроение как раз этим и объяснялось.

Тем, что теперь ей все стало ясно — как это можно и надо будет сделать. И как, и когда. Все опасности пока сохранялись, придется встретить их с открытым забралом. Но теперь в ней поселилась вера — как верили Коннор с Айоной.

Правое дело и свет одержат верх над тьмой.

И разве не чудесно завершить вечер, сидя в бурлящей, окутанной паром ванне, допивая последний бокал вина и следя в окно за медленным кружением пышных снежинок?

— Ох, Финбар, и удивил!

Он развалился напротив нее, лениво прикрыв глаза.

— Неужели?

— Честное слово. Подумать только: мальчишка, которого я знала с детства, выстроил большущий дом, да еще с таким вкусом и комфортом! И этот мальчишка объехал весь мир и успешно ведет бизнес. И что главное — ведет его у себя на родине. Могла ли я вообразить десять лет назад, что буду вот так нежиться в твоей роскошной ванне, когда за окном идет снег?

— А что бы ты могла вообразить?

— Предположим, что-то намного меньше и скромнее. Твои мечты оказались смелее моих, и ты их прекрасно воплотил.

— Но некоторые мечты остались такими же, как были.

Она лишь улыбнулась и ступней в пенной воде провела по его ноге.

— Ощущение такое, будто мы в каком-нибудь швейцарском шале, и мне это нравится. Удивляюсь только, почему ты не поставил эту джакузи в той большой комнате с окнами, что выходят на лес? Она как раз очень уединенная.

Он отпил вина.

— Ту комнату я обустраивал с мыслью о тебе.

— Обо мне?

— С надеждой, что когда-нибудь мы, как и планировали, поженимся, и ты будешь жить здесь со мной. И устроишь там себе мастерскую.

— О, Фин... — Его мечты настолько совпали с ее сокровенными желаниями, что у нее защемило сердце.

— Ты же любишь работать с обзором, так, чтобы взгляду было просторно и чтобы можно было смотреть в окно и чувствовать себя как на воле. А в комнате при том чтобы было укромно. Вот и выходит, что застекленная комната с видом на лес — как раз то, что нужно, чтобы обеспечить уединение и простор...

Она не сразу решилась ответить — не хотела, чтобы он слышал, как дрожит ее голос, но, когда заговорила, он все равно дрожал.

— Будь у меня возможность мановением волшебной палочки изменить то, что у меня есть, сделать мою жизнь воплощением моей мечты, у меня получилось бы именно это: жить и работать здесь, у тебя. А пока у нас есть эта умопомрачительная ванна. Тоже немало.

Брэнна поставила бокал на подставку, переместилась к Фину и всем телом прижалась к нему.

— И у нас есть сегодняшний вечер.

Он провел рукой по ее волосам, которые веером разошлись по воде.

— Только сегодня. И никаких завтра.

— Да, только сегодня. — Она прижалась щекой к его лицу. — Я с тобой, ты со мной. Я и не надеялась — не позволяла себе надеяться, — что у нас это когда-нибудь будет. В сегодняшнем дне для меня — весь мир. В сегодняшнем дне и в тебе. Этим нельзя насытиться, но все равно. — Она чуть отодвинулась. — Для меня это — все.

Она скользнула губами по его губам, потом приникла к нему поцелуем, вложив в него всю нежность, на какую была способна.

Она отдала бы ему все, чем богата. И это *все* означало любовь. Больше, чем тело — тело было лишь оболочкой для преданного сердца. А сердце это всегда принадлежало ему и всегда будет ему принадлежать, и отдать его было для нее так же легко, как дышать.

— Поверь, — прошептала она. — Сегодня.

Поцелуй был нежным — хотя с ее практическим складом она порой могла забыть о нежности, — но в этот раз в нем были нежность, желание и утешение.

Любовь ее жизни.

Он знал, что она ему дарит и чего ждет от него. Он примет этот подарок и отдаст ей взамен то, что есть у него. Забудет обо всех других желаниях и поверит, что в сегодняшнем вечере заключен весь мир.

Волшебство состояло уже в том, что она была мягкой и податливой, что, обнимая ее, он ощущал у себя на щеке тепло ее дыхания. Страсть вспыхнула в нем, а снег за окном безмолвным занавесом отгораживал их от всего мира.

Очень нежно, чуть дыша, он взял в ладони ее грудь — перед его мысленным взором еще стояли грубые отметины, оставленные негодяем, с которым он был одной крови. Сердце ее билось в его ладони, и он поклялся, что никогда не обидит эту женщину и отдаст жизнь, чтобы защитить ее от любого зла.

И что бы ни принес с собой завтрашний день, ничто не заставит его отступить от этого обета.

Ее руки скользили по его коже, пальцы нащупали знак, поставленный на его плече. Даже от столь легкого прикосновения — ее прикосновения — его пронзила резкая боль, до самой кости. Но такую цену он готов заплатить не торгуясь.

Их руки скользили под водой, даря невыразимое наслаждение, а вода размеренно клокотала и вихрилась вокруг их тел, нарушая тишину ночи.

Все чувства были обнажены, эмоции били через край, и от растущего желания пополам с удивлением у Брэнны перехватывало дыхание и заходилось сердце.

Как получается, что нежность вызывает такой дикий жар — как будто по жилам идет ток, а в животе пылает огонь? И все равно хочется, чтобы каждый миг длился целую вечность?

Когда она оседлала его и впустила в себя, глубже, глубже, еще глубже, она знала, что никогда больше не подпустит к себе ни одного другого мужчины. При всех физиологических потребностях никто, кроме него, не способен до такой степени тронуть ее сердце и завладеть душой. Двигаясь над ним, она запустила пальцы ему в волосы и держала лицом к себе, чтобы он мог видеть ее, видеть то, что у нее в душе. Чтобы он знал.

Они медленно двигались к апогею, вода вокруг них бурлила и светилась, их тела заливало море света. Когда они сорвались в пропасть, не размыкая объятий, свет потоком хлынул наружу и озарил мягкий снежный занавес, который все опускался и опускался.

Потом, в его постели, обмякшая и сонная, она свернулась калачиком, прижавшись к нему всем телом. Сегодня превратилось в завтра, а она продолжала крепко держаться за него, за свою любовь.

Прошло еще немало драгоценных дней, прежде чем Брэнне удалось добыть все компоненты для смертоносного зелья в приличных количествах, ведь состав и пропорции еще предстояло установить экспериментальным путем.

Коннор наблюдал, как она за стойкой раскладывает яды по отдельным банкам и закрывает плотно притертыми крышками.

— Опасная штука, Брэнна.

— Для этого они и нужны.

— Будь, пожалуйста, поосторожнее. — Она испепелила его взглядом, но лицо Коннора сделалось еще более неумолимым. — Я прекрасно знаю, что ты всегда осторожна. А еще я знаю, что тебе прежде не доводилось работать с такими сильными ядами и ты никогда не составляла столь смертоносного зелья. Имею я право тревожиться за родную сестру?

— Имеешь, имеешь. Только это излишне. Пока я ждала доставку, я о них все прочитала. Мира, забери его, а? Вам обоим пора на работу, а вы тут у меня над душой стоите.

— Раз эта гадость понадобится нам не раньше апреля, какая необходимость заниматься ею теперь? — удивилась Мира. — Может быть, подождешь немного?

— Как совершенно справедливо заметил Коннор, такого я еще никогда не делала. Мне может понадобиться время, чтобы подобрать нужные пропорции, возможно даже, придется заказывать еще, пока все не получится как следует. Это дело тонкое.

— Надо, чтобы мы с Айоной занимались этим вместе с тобой, — снова встрял Коннор.

«Терпение», — приказала себе Брэнна — и сумела удержаться от колкости, хотя запасы ее терпения явно истощались.

— Если мы втроем засядем здесь и не будем выходить по многу часов, а то и дней кряду, Кэвон сразу учует, что мы что-то затеваем. Лучше, если мы все будем вести свой обычный образ жизни. — Пересилив раздражение — ведь беспокойство Коннора было продиктовано любовью, — она повернулась к нему: — Мы это все уже обсуждали.

— Обсуждать — одно, а делать — другое.

— Мы могли бы немного сдвинуть наши графики, — предложила Мира, оказавшаяся меж двух огней. — Кто-то может проводить с тобой час-другой с утра, другой — в середине дня, а третий пораньше удерет с работы.

— Ну, хорошо. — Все, что угодно, лишь бы они убрались. — Только не сегодня утром, потому что вы оба стоите в расписании. Я пока буду только толочь и выделять эссенции. Готовить ингредиенты, одним словом. И я прекрасно понимаю, с чем имею дело. А кроме того, к полудню я жду Фина, так что нас будет двое.

— Понятно, — ответила Мира, прежде чем успел возразить Коннор, и потащила его за руку. — Мне пора бежать, не то Бойл с меня шкуру сдерет. Брэнна, обещай, что погудишь, если тебе понадобится помощь.

— Не сомневайся.

Коннор подошел и быстро ее поцеловал.

— Смотри не отравись!

— А я как раз собиралась, в порядке эксперимента... Но раз ты так просишь...

Дверь за ними закрылась, и она издала вздох облегчения. И вдруг обнаружила, что Катл сидит рядом и смотрит на нее в упор.

— И ты туда же? С каких это пор меня все стали считать идиоткой? Если так рвешься помочь — иди на улицу и патрулируй территорию. — Она подошла к двери и распахнула ее. — Я намерена закрыть мастерскую непроницаемым пологом, да еще и дверь замкнуть. Не хватало, чтобы кто-то забрел за бальзамом для рук, когда я тут ядами занимаюсь. Ты мне очень поможешь, Катл, если дашь знать, когда вдруг учуешь поблизости Кэвона.

Брэнна закрыла за собакой дверь и вновь вздохнула с облегчением.

Она накинула магический занавес на окна, чтобы никто без ее ведома не мог заглянуть и увидеть, что она делает. Потом заговорила двери, чтобы никто без ее ведома не мог войти.

Потом вернулась к стойке и очень аккуратно принялась за дело. Первым на очереди был аконит.

Работа была кропотливая, ибо предосторожность требовала, в частности, чтобы каждый ингредиент был очищен от примесей. И чтобы после него была тщательно вымыта посуда и инструмент.

Рассказывали, что те, кто практикует черную магию, порой травятся ядовитыми растениями, способными вызывать неведомые болезни, только дотронувшись или вдохнув их запах.

У нее не было ни времени, ни желания заболеть.

И Брэнна промывала и очищала, после чего какие-то растения целиком укладывала в чистые склянки, от других брала только лепестки или ягоды и толкла в ступке либо добывала экстракт выпариванием.

Снаружи, словно через тонкую вуаль, за ней следил Фин. «Молодец, что накинула занавес на мастерскую», — мысленно похвалил он, потому что даже отсюда была различима белладонна и бругмансия, правда, амазонская она или какая другая, он мог лишь догадываться.

Брэнна пользовалась ступкой и пестиком — прилагаемое усилие и камень сами по себе способствовали эффективности изготавливаемого зелья. То и дело Фин замечал краткую вспышку света или, наоборот, тонкой струйкой вьющийся над чашей или банкой дымок непроглядной черноты.

По сторонам от него стояли обе собаки. Неизвестно, что привело сюда Багса — желание пообщаться с Фином или с Катлом, — но сейчас веселый конюшенный бобик словно соревновался с крупным псом Брэнны в способности к долготерпению.

Интересно, подумал Фин, наступит ли то время, когда я смогу смотреть через окно на Брэнну и не испытывать за нее тревоги? Если такое когда-нибудь и сбудется, то явно не сегодня.

Он подошел к двери и открыл ее.

У Брэнны играла музыка, и Фин удивился, зная, что чаще всего она работает в тишине. Но сегодня она трудилась под плач скрипок.

Бог знает, что она сказала собакам, только обе дальше дверей не пошли и снова сели ждать. Фин снял куртку.

Брэнна через воронку засыпала растертое в порошок вещество в склянку и плотно закрыла.

— Хотела убрать, прежде чем собаки начнут тут мельтешить и махать хвостами... Нежелательно, чтобы в банки попали какие-то пылинки или волоски.

— Я думал, ты давно от всяких пылинок бесповоротно избавилась.

Она отнесла воронку, ступку и пестик к плите, где стояла кастрюля, и аккуратно погрузила в кипящую воду.

— Предпочитаю гонять пыль с помощью тряпки и щетки, так оно лучше получается. А что, уже есть двенадцать?

— Почти час. Я задержался. Ты что, с самого утра работаешь, как Коннора с Мирой проводила?

— Да, и хорошо продвинулась. Нет-нет, пока не трогай меня! — Она шагнула к раковине, тщательно вымыла руки, после чего протерла лосьоном.

— Видишь, я держу слово? — сказала она. — Я сверхосторожна.

— Здесь ничего не может быть «сверх». А сейчас ты сделаешь перерыв, поешь и выпьешь чаю.

Не давая ей возразить, Фин взял ее под локоть и увел на кухню.

— Если ты голоден, надо было тебе захватить что-нибудь навынос, пока в деревне был. Здесь тебе в лучшем случае светит сэндвич, да еще радуйся.

Фин выдвинул для нее стул и указал на него рукой.

— Сядь, — велел он и поставил чайник.

— Я думала, ты поесть хочешь.

— Я сказал, это тебе надо поесть. Я, впрочем, тоже не отказался бы. А сэндвич я и сам могу слепить. Я, кстати, делаю отличные сэндвичи, поскольку это практически единственное, что я готовлю.

— Послушай, ты же небедный человек, — удивилась она. — Мог бы и кухарку себе завести!

— Зачем мне кухарка, если я в половине случаев питаюсь здесь?

Он открыл холодильник, а Брэнна, не вставая, сначала диктовала, где что взять, а потом успокоилась и предоставила Фину самому разбираться.

— Коннор уже напел?

— В этом не было необходимости. Я и сам считаю, что тебе лучше работать не одной, а с кем-то. И, пока работаешь, ничего в рот не брать.

— Я и так ничего не беру. Сижу голодная.

Она следила, как он готовит сэндвичи с салатом, ветчиной, сыром, выкладывает их на тарелку, а сбоку — картофельные чипсы. Потом Фин заварил чай и церемонно подал еду на стол.

Поскольку Фин не удосужился разрезать сэндвичи пополам, Брэнна поднялась за ножом.

— Ну ты и привереда!

— Еще какая! И спасибо тебе. — Брэнна откусила кусочек и вздохнула. — Даже не думала, что так проголодалась. Эта часть работы довольно муторная, но я все равно увлеклась.

— Что еще надо сделать?

— На данном этапе ничего. У меня уже есть порошки, настойки и экстракты, еще кое-какие плоды и лепестки надо будет измельчать свежими, непосредственно перед использованием. Я все тщательно промывала, это тоже требует времени, а инструменты всякий раз кипятила во избежание примесей. Теперь, думаю, пусть отлежится, отстоится, а завтра начну смешивать.

— Не начнешь, а начнем, — поправил он ее. — Я максимально разгрузил себе ближайшие дни и теперь буду трудиться с тобой, пока все не сделаем, если только срочно не выдернут на конюшню или в питомник.

— Но я не знаю, как долго это продлится.

— Брэнна, я же сказал: пока все не сделаем.

Она пожала плечами.

— Ты как будто не в своей тарелке. Встреча неудачно прошла?

— Нормально прошла.

После небольшой паузы она продолжила расспросы.

— Опять лошадей покупаешь? Или птиц?

— Посмотрел одного годовичка и договорился о покупке, уж больно он мне приглянулся. Теперь, когда у нас есть Айона, мы набрали больше учеников на конкур. Я подумал, пусть она его заездкой займется, родословная у него отличная. Если согласится, мы сможем еще увеличить набор, а ее поставим на этот участок главной.

Брэнна вскинула брови.

— Айона говорит, ей хватает прогулок с туристами, но, думаю, от этой идеи она будет в восторге. Если ты об этом подумываешь, значит, она педагог хороший?

— Она — сама естественность, ученики ее обожают. Пока у нее только три постоянные ученицы, все совсем юные, но родители на нее не нарадуются. Причем две из этих трех пришли не сразу, а благодаря сарафанному радио. Начиналось-то все с одной.

Брэнна покивала и опять впилась зубами в сэндвич, а Фин погрузился в молчание.

— Так и не скажешь, что тебя гложет? — спросила она. — Я же вижу. И слышу. От меня не скроешься! Это как-то связано с нашими отношениями?

— В наших отношениях мы дальше одного дня не заглядываем, мы же договорились. — Фин вдруг почувствовал, что говорит с излишней резкостью, и не стал продолжать. Потом добавил: — К нам с тобой это отношения не имеет. К тому, что происходит между нами. — Он опять помолчал. — Ко мне во сне является Кэвон, — признался он. — Три ночи подряд.

— Почему ты не сказал раньше?

— А что тут можно сделать? — повысил голос Фин. — К себе он меня не тянул. Мне кажется, он хочет избежать полноценной схватки, поскольку это для него слишком большой расход энергии, вот он и проникает в мои сны, соблазняет посулами, искажает образы. Прошлой ночью, например, показал мне тебя.

— Меня?

— Ты была с мужчиной. Соломенные волосы, светло-голубые глаза. Американский акцент. Вы были вместе, в какой-то незнакомой комнате, похожей, я бы сказал, на номер в отеле. Вы смеялись и снимали друг с друга одежду.

Брэнна под столом сцепила руки.

— Его зовут Дэвид Уотсон. Примерно пять лет назад он был здесь, в Конге. Фотограф из Нью-Йорка. Мы с удовольствием с ним общались и провели две ночи вместе перед самым его отъездом в Америку. Кэвон тебе не только его мог показать. Их не много, но больше, чем один Дэвид Уотсон. А ты что, Финбар, за все эти годы ни разу ни с одной женщиной не был?

Она встретилась с ним взглядом. Сейчас его глаза были темно-зелеными и смотрели несколько угрожающе.

— Женщины, конечно, были. Я старался их не обижать, но все равно в большинстве случаев они понимали, что служат мне всего лишь утешением, если не сказать — временной заменой. Брэнна, я, конечно, никогда не рассчитывал, что ты станешь вести монашеский образ жизни, но тяжело было видеть тебя с другим мужчиной, тем более что отвернуться и не смотреть было не в моей власти.

— Это он так тебя изводит. Мертвым ты ему не нужен, поскольку он рассчитывает соединить то, чем обладаешь ты, и то, что есть у него. Подержать тебя на роли сына, каковым ты совсем не являешься. Он причиняет тебе вред, не оставляя следов.

— Его след на мне уже оставлен, в противном случае мы бы с тобой не искали утешения на стороне. Мне его замысел понятен не хуже, чем тебе, Брэнна. Но от этого не легче.

— Мы можем поискать способ его заблокировать.

Фин покачал головой.

— У нас и без того дел невпроворот. Я разберусь. И есть еще что-то... Я не могу разглядеть или расслышать, но у меня чувство, словно ко мне пытается пробиться что-то другое. Помимо Кэвона.

— Что-то?

— Или кто-то. Я бы не стал ставить блокировку, пока мы не узнаем. Такое ощущение, будто на Кэвона что-то напирает, хочет найти себе местечко. Не могу объяснить. Когда я просыпаюсь, у меня чувство, что где-то вне пределов слышимости звучит голос. Я его пока не слышу. Буду прислушиваться дальше, может, скажет чего.

— Тебе бы лучше спокойно спать, чем прислушиваться к каким-то голосам. Фин, я не могу изменить того, что было за эти годы.

Он встретил ее взгляд.

— Я тоже.

— Тебе было бы легче, если бы мы сейчас не сошлись? Если бы, как раньше, общались только по делу? Ведь если бы он не мог меня использовать против тебя, то...

— Нет ничего тяжелее, чем быть без тебя.

Брэнна поднялась, обогнула стол и села к нему на колени.

— Может быть, мне назвать тебе имена тех, с кем я была? На случай если такие сны будут повторяться? Могу и описание добавить, чтобы не было неожиданностей.

Фин помолчал, потом потянул ее за волосы.

— Ничего более изуверского придумать ты не могла? Она дернула головой.

— Зато ты почти улыбнулся. Фин, давай я сегодня помогу тебе уснуть? — Она поцеловала его в щеку. —

А ты потом за это станешь трудиться с удвоенным усердием. А нечто, которое пытается к тебе пробиться заодно с Кэвоном, пускай обождет.

— Была, помнится, у меня в Лондоне одна рыженькая, Тильдой звали. Глаза у нее были, как колокольчики, а смех сладкий, как голос сирены. И ямочки на щеках.

Брэнна прищурилась, скользнула пальцами к его горлу и сжала.

— Отомстить вздумал, да? Что, теперь квиты? Ничья?

— Поскольку ты еще не видела впечатляющей прыти Тильды, то я бы сказал, что до ничьей еще далеко. Но спать я сегодня явно буду слаще, раз о Тильде заговорил.

Он прижался лбом ко лбу Брэнны.

— Я не дам ему себя извести. Или нас.

Задняя дверь распахнулась, и влетела Айона.

— Ой.

— Мы тут перекус устроили, — сообщила Брэнна.

— Оно и видно. Вам обоим надо пойти посмотреть. — Не дожидаясь ответа, она стремительно прошла назад в мастерскую.

Войдя вслед за ней, Брэнна с Фином как вкопанные встали перед окном: ровно по границе защиты вокруг всего дома копошилось несметное количество крыс.

Катл зарычал, и Брэнна успокаивающим движением положила руку ему на голову.

— Не нравятся ему гости, — спокойно проговорила она.

— Я начала жечь их огнем, но потом решила, лучше тебе самой посмотреть. Потому и обошла сзади.

— Я все сделаю. — Фин шагнул к выходу.

— Только не жги их там, где они есть! — предостерегла его Брэнна. — На снегу останутся гадкие черные пятна, придется потом возиться.

Фин метнул на нее взгляд, качнул головой и как был, без куртки, выскочил на улицу.

— Соседи! — Брэнна с досадой втянула воздух и выставила блок, сделав Фина невидимым для посторонних.

«И как раз вовремя», — отметила она про себя, потому что он уже пустил в ход свои колдовские способности и заставил крыс отступать назад. При этом те издавали отвратительный тонкий визг. Усилием воли он преодолевал чужую, миллиметр за миллиметром отодвигая грызунов от дома.

Брэнна хотела было помочь, но увидела, что помощь не требуется.

Фин вызвал ветер, который поднял и потащил грызунов, свившихся в омерзительный, кишащий гадкой живой массой клубок. Потом он разверз землю и с помощью того же ветра загнал туда крыс. И только после этого прибегнул к огню, отчего воздух огласил дикий визг.

Когда все смолкло, Фин вызвал дождь, загасил огонь и заставил землю сомкнуться над пепелищем.

— Здорово! — восхитилась Айона. — Тошнотворно, но здорово. Я не знала, что он так легко управляется со стихиями — вжик-вжик-вжик.

— Рисовался, — заметила Брэнна. — Перед Кэвоном.

Фин стоял на месте, весь на виду, словно провоцируя ответную реакцию.

Он высоко поднял руку и кликнул своего ястреба. Мерлин золотой молнией упал вниз и, повинуясь движению хозяйской руки, метнулся в чащу леса.

Фин описал руками круг — сперва наружу, потом внутрь — и исчез в клубах тумана.

— О боже, боже мой! Кэвон! — ахнула Айона.

— Это не его туман, — с неестественной невозмутимостью возразила Брэнна. — Этот туман Фин сам сделал. Он пошел за ним.

— А что нам-то делать? Надо звать ребят и идти Фину на подмогу.

— К Фину мы идти не можем, потому что мы не знаем, где он. Надо, чтобы он нам это позволил, но пока этого не видно. Он хочет сделать все сам.

А Фин летел, скрытый туманом, и глазами ему служили глаза Мерлина. Этими глазами он проследил, как волк пронесся лесом. Он не оставлял ни следа, ни тени.

Достигнув реки, он подобрался, подскочил, поднялся в воздух и, подобно выпущенному из пращи камню, перелетел над черной ледяной поверхностью воды. И в этот момент у Фина резко ожгло то место на плече, где была отметина.

«Значит, Кэвону не прошло даром то, что он объявился по эту сторону реки», — догадался он.

Скрытый от глаз туманом, Фин следовал за волком, пока не почувствовал, что в воздухе что-то изменилось и затрепетало. Тогда он кликнул Мерлина, замедлил движение — и в следующее мгновение волк исчез.

Возможно, Фин и хотел разобраться самостоятельно, но Айона все равно всех созвала. Брэнна молча, с бесстрастным выражением заваривала чай.

— Ты такая спокойная! — Айона выхаживала из угла в угол, готовясь к худшему. — Как тебе это удается?

— Я так зла, что у меня вот-вот кровь вскипит. И если не напускать на себя спокойный вид, недолго и дом спалить.

Айона подошла и сзади обхватила ее руками.

— Ты же знаешь, что с ним все в порядке. И что он в состоянии за себя постоять.

— Знаю отлично, но это мало что меняет. — Она потрепала Айону по руке и пошла доставать вазу для печенья, а сердце от бешенства, словно кулаками, колотило ее по ребрам. — Я так и не спросила, почему ты сегодня раньше обычного.

— Да мы решили с сегодняшнего дня начать работать посменно. У меня, правда, в четыре урок на большой конюшне, но до этого времени Бойл меня отпустил. — Айона кинулась к двери. — А вот и ребята. А, слава богу! И Фин тут. И, кажется, в полном порядке.

Брэнна промолчала, и Айона распахнула дверь настежь.

— Входи же! — недовольно бросила она. — Даже куртку не надел!

— Мне было тепло.

— Станет еще теплее, когда я тебя взгрею по первое число, — пригрозил Бойл. — Что еще за фокусы — в одиночку гнаться за Кэвоном, накрывшись каким-то дурацким туманом?

— Да я, видишь, кое над чем работал, а тут представилась возможность испытать в деле. — Фин тряхнул волосами, размял плечи. — Можешь меня ругать и даже поколотить, только это ничего не изменит. Но если тебе от этого станет легче — пожалуйста, я готов.

— А я, пока он надирает тебе задницу, буду тебя держать! — подхватил Коннор, сбрасывая куртку. — Ты не имеешь прав в одиночку пускаться за ним в погоню!

— Имею, и даже очень полное право.

— Но мы все-таки команда, — не упустила вставить Айона.

— Команда. — Поскольку это была Айона, Фин смягчил тон. — И каждый из нас в отдельности — звено этой команды.

— Эти звенья взаимосвязаны. Если с тобой что-то случится, это отразится на всех. — Мира взглянула на Брэнну, та продолжала заниматься чаем. — На всех нас.

— Он не знал, что я там, не видел, что я его преследую и слежу, куда он денется. Я был надежно замаскирован. Над этим я как раз и работал. Потому и решил попробовать.

— И никому не сказал, что задумал? — возмутился Коннор.

— Послушайте, пока не испробуешь, ведь не узнаешь, работает или нет.

Он подошел к Брэнне.

— Я вызвал этот туман, частично использовав силы, доставшиеся мне от него. А чтобы довести это все до ума, у меня ушла не одна неделя. Да что там неделя — не один месяц, если уж говорить точно, потому что работать приходилось урывками. И сегодня я увидел шанс это все испытать. А если по правде, так ли уж это сильно отличается от верховой прогулки в лес, предпринятой с одной целью — посмотреть, что будет, а?

— Да, но я ездила не одна, — скупо возразила Брэнна.

— Я тоже был не один, — столь же сухо парировал он. — Со мной был Мерлин, и я смотрел на все его глазами. Он над нами насмехается, и вы с ним отчасти поквитались. Но согласись, если все будет выглядеть так, будто мы вообще ничего не предпринимаем, он быстро поймет, что мы затеваем что-то серьезное. Иначе зачем бы я стал устраивать это крысиное шоу? Мне их было жалко...

Не на шутку раздосадованный, Фин поднял обе руки.

— Здесь что, совсем никому не доверяют?

— Дело не в доверии, — возразила Айона. — Мы за тебя испугались. Я сначала подумала, что Кэвон устроил тебе засаду, но Брэнна объяснила, что туман этот — твой. Но мы тебя не видели и не знали, где ты. Потому и заволновались.

— За это, сестренка, я прошу прощения. Извини меня, что пришлось за меня понервничать. И вы тоже извините, но ты, Айона, — особенно, ведь ты была единственной, кто встал тогда на мою сторону, практически меня не зная.

Айона вздохнула.

— Ловко выкрутился!

— Но это же правда! — Он подошел и поцеловал ее в лоб. — Сознаюсь, я поддался искушению — увидел свой шанс и воспользовался. И благодаря этому мы теперь знаем больше, чем раньше, — если это может меня хоть как-то реабилитировать.

— Фин прав, — быстрее всех отреагировала Брэнна. — Я, конечно, разозлилась, и мне еще надо до конца успокоиться, как и вам всем, но, если говорить с практической точки зрения — а по-другому мы не можем, — то Фин прав. Он применил свое мастерство и силу. А я все никак не могла понять, зачем ты так явно рисуешься перед Кэвоном. Это было даже неприлично.

Фин недоуменно вскинул бровь, а Брэнна повернулась к Коннору:

— Не принесешь поднос с чаем к камину, а? Банки на стойке, конечно, плотно закрыты, но я не хочу, чтобы рядом с ними была какая-то еда.

— Вы бы видели, как Фин со стихиями управлялся — хоп-хоп! — принялась разливаться Айона. — Ветер, огонь, земля, вода — все пошло в ход. Зрелище было страшное.

— Что тут скажешь? Все с перебором, — уколола Брэнна. — Но теперь я хоть вижу, зачем все это делалось.

— Что сделано, то сделано. — Бойл развел руками и взял себе кружку с чаем. — И все же хотелось бы услышать, что мы такого узнали, чего не знали раньше. И, поскольку никто не пострадал, давайте как-то побыстрее, а то меня ждет работа.

— Он бежал в обличье волка, точнее — в виде его тени, потому что не оставлял следов на снегу. Быстро бежал, очень быстро. Но все-таки это был бег, а не полет. Думаю, силы бережет. — Фин схватил печенье и, рассказывая, ходил по комнате. — Взлетел он только тогда, когда надо было переправиться через реку, и в тот момент у меня пятно огнем горело. Ему не проходит даром, когда он переходит на этот берег. Я теперь знаю: если болит пятно, значит, он переправился сюда, так уже было. Дальше он опять побежал лесом, свернул к озеру. Он притомился, путь-то неблизкий, а потом я почувствовал какую-то перемену, понял, что что-то надвигается. Поэтому сбавил скорость и подозвал к себе Мерлина. Волк исчез. Переместился в другое время. В свое собственное время. И в свое логово.

— А ты сможешь найти дорогу туда? А, вижу, что сможешь, иначе бы ты так самодовольно не ухмылялся, — уличил приятеля Коннор.

— Я смогу найти дорогу до того места, где волк перенесся во времени. И думаю, мы выясним, что логово Кэвона оттуда совсем недалеко.

— И как скоро мы сможем туда отправиться? — спросила Мира. — Сегодня вечером?

— Я как раз свободен, — поддержал ее Коннор.

— Нет, не сегодня, — покачала головой Брэнна. — Надо кое-что подготовить на случай, если мы его найдем.

Нам могут какие-то вещи понадобиться. Если мы что-то и обнаружим, то это будет в нашем времени. Однако...

— Ты хочешь сказать, когда мы его найдем, нам надо будет перенестись в его время? — Бойл нахмурился над чашкой. — И дать ему бой там?

— Нет, не угадал. У нас пока не готово все, что нам понадобится, а время мы должны выбрать сами. Вот если бы нам удалось что-нибудь оставить в его пещере... Так, чтобы он не видел... А мы чтобы смогли видеть его. И слышать. Тогда мы и имя демона бы узнали. И можно было бы знать его планы до того, как он начнет их осуществлять.

— Всем идти нельзя, — возразил Фин. — Это слишком рискованно. Если попадем в ловушку — считай, всем конец. Пойдет кто-то один.

— И ты, конечно, считаешь, что это должен быть ты. — Брэнна вздохнула.

Он кивнул.

— Конечно. Я могу туда перелететь, укрывшись туманом и не оставляя следов, отнести твой магический кристалл — ты ведь его имела в виду? С его помощью видно лучше всего. А потом незаметно выйти и вернуться назад.

— А если он окажется там, в пещере? — Айона ткнула Фина в плечо. — Тогда тебе несдобровать.

— А вот на этот случай двое из нас, не меньше, должны будут его выманить и на какое-то время задержать, — рассудил Коннор и улыбнулся Мире. — Как, готова?

— Полна рвения.

— Итак... — Взяв себе печенье и сунув еще одно в карман про запас, Бойл начал подводить черту. — Четверо идут туда, куда сегодня довел его Фин, и там караулят. Коннор с Мирой привлекают внимание Кэвона, чтобы он вышел на них и оставил пещеру пустой. Если мы ее отыщем, то Фин берет кристалл, переносится во времени аж в тринадцатый век, прячет кристалл в пещере, возвращается, и мы все идем в паб отмечать свой успех.

— Это — в самых общих чертах. — Брэнна коснулась его руки. — А детали мы еще продумаем. Все до мелочей. То есть спешить не будем. И никто пока к этому месту близко не подходит! — Она строго посмотрела на Фина. — Договорились?

— Договорились, — нехотя выдавил он. — И еще у меня есть некоторые соображения относительно деталей этого мероприятия.

— У меня тоже.

Довольная, почти забыв о своем праведном гневе, Брэнна наконец и себе взяла печенье.

16

Прошла без малого неделя, прежде чем Брэнна окончательно удовлетворилась результатом подготовки, а ведь все эти драгоценные дни и часы она могла посвятить усовершенствованию ядовитого зелья. И все же она не считала, что потратила время зря.

На осуществление задуманной операции времени будет в обрез, причем в какие-то моменты группа окажется разобщена, вот почему каждый этап необходимо было продумать самым доскональным образом.

Начать решили во второй половине дня. Таким образом можно было не нарушать привычного хода вещей, и в то же время в их распоряжении оставался целый час светового дня.

У себя в мастерской Брэнна бережно уложила в мешочек подобранный ею и заряженный магический кристалл.

— Старайся положить его где-то повыше, лицевой стороной к алтарю, тогда он будет показывать все, что происходит внизу, — наставляла она Фина. — Двигаться туда и обратно ты должен максимально быстро.

— Ты это уже говорила.

— Повторить не мешает. У тебя будет искушение задержаться — на твоем месте у меня бы оно точно было, — посмотреть, что еще там можно найти полезного, что разузнать. Но помни: чем дольше ты там пробудешь, в его жилище, в его времени, тем больше вероятность, что ты оставишь после себя какие-то следы или что он тебя учует.

Она сунула мешочек с кристаллом в кожаную сумку и протянула Фину какой-то пузырек.

— Если что-то пойдет не так, если он вернется раньше, чем ты закончишь, это на несколько минут его нейтрализует — тебе хватит, чтобы вернуться ко мне, к Айоне с Бойлом, в наше время. Но это только на самый крайний случай!

Пузырек она убрала в отдельный мешочек и тоже положила в сумку. Посмотрела на нее, словно жалея, что без предстоящей рискованной операции никак не обойтись.

— Не нужно пока рисковать всем и всеми, — произнесла она.

— Поскольку ты — в числе этих «всех», можешь быть уверена, что не буду.

— Ни к чему из принадлежащего ему не прикасайся. И не надо...

— Брэнна. — Он сжал ее лицо ладонями, повернул к себе и посмотрел ей в глаза. — Мы с тобой уже обо всем поговорили.

— Конечно. Ты прав. И тебе пора. — Она протянула ему сумку, прошла за курткой. — Айона с Бойлом будут с минуты на минуту.

Они помолчали.

— По правде говоря, мне все же не по себе. — Она не знала, поможет ли такое ее признание, но твердо знала, что притворяться глупо, если не сказать опасно. — Чем ближе мы к завершению — а я верю, что мы с ним покончим, — тем сильнее у меня в душе разлад. Не то чтобы я все время боролась с сомнениями — тут что-то другое. Сама никак не разберусь, что у меня внутри творится, и от этого чувствую себя не в своей тарелке.

— Насчет сегодняшнего расслабься. Хотя бы на этот счет не беспокойся.

Она могла лишь постараться, тем более что места сомнениям не оставалось, да и тянуть было некуда, поскольку Айона с Бойлом уже были здесь.

Брэнна взяла короткий меч и прикрепила ножны к поясу.

— Лучше быть во всеоружии, — лаконично бросила она.

Вошли Айона с Бойлом.

— Коннор с Мирой в пути.

— Тогда нам тоже пора. — Брэнна ухватила за руки Фина и Бойла, за другую руку Бойла ухватила Айона, и они полетели.

Сквозь стужу и сырость, ветер и лес, на тот берег реки, затем к озеру, где у них за спиной во всем своем величии вырос замок Эшфорд.

Они мягко опустились среди деревьев, в незнакомом Брэнне месте.

— Здесь?

— Отсюда я его потерял. Как-никак со времен Мидора и его пещеры несколько веков прошло, — напомнил Фин. — Многое изменилось — дома, дороги... Но думаю, как и в случае с хижиной Сорки, место, где возник Кэвон, в той или иной форме сохранилось.

— Тишина-то какая! — Бойл внимательно оглядывал местность. — Гнетущая тишина.

Фин кивнул, у него ощущение было такое же.

— Мы, ирландцы, народ суеверный и умеем понастроить жилья вокруг заколдованной горы, не потревожив ее, не стронув ни камешка. И держаться подальше от того места, где по сей день таится тьма.

Он обернулся к Бойлу:

— Мы договорились держаться вместе, но если разделиться, можно будет охватить бóльшую территорию.

— Останемся вместе! — мгновенно отреагировала Брэнна, будто ждала, что он это предложит. — Что, если тьма до сих пор таится? — Она вынула жезл с наконечником из прозрачного горного хрусталя. — Тогда ее отыщет свет.

— Что-то не припомню, чтобы это входило в наш план.

— Лучше быть во всеоружии, — повторила она свои слова и направила жезл к небу, пока хрустальный кончик не замерцал ярким светом. Она вгляделась в кружащего над ними Мерлина.

— Его логово будет как раз посередине между моим жезлом и твоей птицей. Жезл отклоняется к северу.

— Значит, на север и двинем. — Бойл снова взял Айону за руку, и все вчетвером устремились туда, куда указывал жезл.

По другую сторону реки Коннор с Мирой шли по лесу. Он связался с Ройбирдом, летевшим кронами деревьев, и с Мерлином, который следил за продвижением остальных участников операции в другом лесу.

— Как я рад, что у нас наконец выдалось время поохотиться вместе! В прошлый раз был всего час, да и то очень давно.

— Мне надо больше практиковаться, — беспечно отозвалась Мира, хотя в горле у нее все пересохло. — Чтобы быть готовой, когда запустим комбинированные прогулки.

— Тогда надо было поехать верхом.

— И так неплохо. — Она подняла руку в перчатке и с удовольствием следила, как к ней слетает Ройбирд, однако соколиная охота сейчас служила ей лишь уловкой.

— А ты не хотела бы иметь свою птицу? — спросил Коннор.

Она изумленно повернулась.

— Вот уж о чем не думала...

— Надо тебе завести свою. Самочку, если найдешь такую, которая будет с тобой разговаривать. И тогда мы твою и мою птицу спарим.

От этих слов Мира заулыбалась, предложение показалось заманчивым. А что? Нормальная идея.

— Мне еще не доводилось самостоятельно ухаживать за птицей.

— Я тебе помогу, да ты и сама справишься. Ты же мне сколько раз помогала с Мерлином, пока Фин по миру кочевал? Вот дом будем строить — и для птиц место предусмотрим. Если ты, конечно, не раздумала насчет дома.

— Об этом я тоже еще толком не думала. Я и свадьбой-то никак не займусь. — Она пустила Ройбирда в небо. — Да еще о Кэвоне думать надо...

— Сегодня мы о нем думать не будем, — объявил Коннор, при том что все мысли у обоих были заняты только колдуном. — Сегодня мы следуем за Ройбирдом, куда он — туда и мы. Ты бы спела, Мира, а? Что-нибудь радостное, чтобы Ройбирд еще выше взмыл.

— Радостное, говоришь? — Она взяла его руку и стала ею размахивать в такт ходьбе. Шутливо, да, но она испытывала потребность в этом тесном физическом действии, поскольку оба знали: на музыку может прийти Кэвон.

На то и был расчет.

Она решила спеть что-то народное. О! «Разбойник»! Как раз то, что надо. Веселая, и куплетов много — пока все споешь, глядишь, Кэвон и подтянется. Если сложится.

Коннор подхватил припев, и Мира засмеялась. В любой другой день она была бы счастлива вот так прогуляться вдвоем, с пернатым хищником высоко в небе, с песней, по живописному лесу, где в весенних проталинах земля мягкая-мягкая, а в тенистых местах, куда не достает солнце, еще лежат островки снега.

По тому, как он сжал ей руку, Мира поняла, что план сработал. Настало время им исполнить свою роль.

Голос ее не дрогнул ни тогда, когда она увидала стелющиеся по земле первые клочья тумана, ни тогда, когда Ройбирд опустился на ветку неподалеку — златокрылый воин, изготовившийся к обороне.

— Я могу заставить тебя умолкнуть одной силой мысли.

Из тумана возник Кэвон. Мира перестала петь и выхватила меч, но колдун лишь заулыбался.

— Видишь — ты и замолчала. А ты, ведьмак, ставишь под угрозу свою даму, когда вот так разгуливаешь с ней по лесу без своей сестрицы. Уж она-то вас бы защитила!

— Защитить свою даму я и сам сумею, если потребуется. Но мне кажется, ты уже знаешь, что она и сама прекрасно за себя постоит. Однако... — Коннор провел пальцем по клинку, отчего меч стал светиться, — немного моей даме поможем.

— Что ты за мужик, что ставишь женщину впереди себя?

— Не впереди, а рядом, — поправил Коннор, выхватил свой меч и воспламенил его.

— И оставляешь незащищенной, — гнул свое Кэвон, метнув в Миру черную молнию.

Коннор мгновенно вызвал порыв ветра, который направил молнию в землю.

— Незащищенной? Никогда!

На той стороне реки события развивались следующим образом.

Колдовской жезл в руках Брэнны теперь мерцал все чаще.

— Уже близко.

— Вон там. — Фин указал на густые заросли увенчанного толстыми черными шипами кустарника и вьющиеся плети лиан с красными ягодами — как застывшими каплями крови. — Там, в глубине, и есть пещера Мидора. Я чувствую, как меня тянет. Так же явственно, как чувствовал ожог, когда Кэвон оказался по нашу сторону реки. Путь свободен.

— Что-то не похоже, что свободен, — заметила Айона. — Без риска для жизни туда не пройти. — Она на пробу постучала плоской стороной клинка о шип, прислушалась к металлическому звуку удара стали о сталь и покачала головой. — Верная смерть!

— Я через эти заросли не пойду, а перенесусь в другое время. Впрочем, когда все будет позади, мы непременно сюда вернемся, уже в полном составе, и сожжем эти колючие плети, а потом очистим землю солью и освятим.

— Постой! — Брэнна взяла его за руку. — Коннор мне еще не сообщил, заглотнул ли Кэвон приманку.

— Он мне сообщил. Он уже рядом с ними, и чем быстрее я войду и выйду, тем меньше Коннору с Мирой придется его удерживать. Пора, Брэнна. Быстрей!

Цепенея от ужаса, она очертила круг и, смирившись с неизбежным, выпустила его руку.

— Здесь, где царит и смерть, и мрак, — хором нараспев повторяли они, — мы шлем того, на ком есть знак, через пространство и года. Несите вы его туда, о силы света и добра! Свершится наша воля пусть, его мы отправляем в путь. Пусть свет троих к нему пробьется, и он назад сюда вернется!

— Возвращайся ко мне, — тихо добавила Брэнна, хотя эти слова были уже не из заклинания.

Фин не сводил с нее глаз.

— Как скажешь. Да сбудется воля твоя!

Вызванный им туман закружился, и Фин исчез.

— Это недолго. — Стараясь утешить сестру, Айона обняла ее за плечи.

— Какой мрак! И холод. А он совсем один!

— Нет, не один! — Бойл взял ее за руку и крепко сжал. — Мы рядом. Мы с ним.

Но в этом холоде и в этом мраке Фин и вправду был один. Энергия здесь была настолько плотная, что он не чувствовал ничего, что творилось за пределами этой пещеры. На земле, там, где Кэвон держал в оковах, а потом убил свою мать, засохла кровь.

Он с ужасом рассматривал сосуды, в которых плавали куски тела женщины, что произвела колдуна на свет, — их Кэвон хранил для нужд своей черной магии.

Казалось, знакомый Фину мир, тот мир, в котором он жил, остался не на расстоянии нескольких веков, а вовсе никогда не существовал. Высвободив демона, придав ему облик и способность к передвижению, Кэвон превратил пещеру в собственную преисподнюю, где горели на его леденящем огне обреченные.

Пахло серой и кровью — застарелой и совсем свежей. Его непреодолимо потянуло к алтарю, где под знаком из скрещенных, пожелтелых от времени костей стоял кубок. Ему захотелось испить, но он устоял.

Испить.

В этом волнообразно колеблющемся, как морская гладь, ледяном воздухе изо рта Фина при каждом выдохе вырывался пар. И, несмотря на это, он весь взмок от пота.

Зловонные капли собирались на стенах и ритмично падали на пол. Этот равномерный звук будил что-то неизведанное у него в жилах.

Дрожащей рукой Фин полез в сумку, открыл чехол и достал кристалл.

На какой-то миг рядом с ним словно оказалась Брэнна — воплощение теплоты и силы, напоенная таким сиянием, что ему удалось умерить свой пульс и унять дрожь в руках. Окутанный облаком тумана, он поднялся и скользнул вверх по мокрой стене пещеры. На камне были высечены какие-то символы, он узнал древнеирландский алфавит огам, хотя прочесть ничего не удалось.

Фин засунул кристалл в небольшую расщелину, идущую по краю каменистого выступа. Только бы произнесенное Брэнной заклятие не подвело, только бы его могущества хватило, чтобы сделать кристалл невидимым для столь сгущенного зла!

Какой глубокой и чарующей была эта тьма, какие дивные в ней пели голоса! И одновременно в ней жили вопли и стенания несчастных, обреченных пролить жертвенную кровь. Мольбы о пощаде, которым не суждено сбыться.

Да и зачем являть милость каким-то ничтожествам? Их плач, вопли страждущих — вот подлинная музыка, приглашение к танцу, призыв к насыщению.

Тьму надо питать. Лелеять. Почитать.

Тьма вознаградит. Навечно.

Фин повернулся к алтарю и сделал шаг. И еще один.

— Что-то долго. — Брэнна обхватила себя руками, силясь побороть лютый, пробирающий до костей холод, причиной которого на самом деле был страх. — Уже темнеет. Он там уже больше получаса, это слишком долго.

— А Коннор? — спросила Айона. — Он же...

— Я знаю, знаю. Они с Мирой не смогут столько времени отвлекать Кэвона. Отправляйтесь к Коннору. Вы с Бойлом идите к Коннору с Мирой, помогите им. А я буду пробиваться к Фину. Что-то не так, что-то произошло. С того момента как он прошел, мне ни разу не удалось к нему пробиться — ни мысленно, ни в ощущениях.

— Только в пещеру не заходи. Брэнна! В пещеру ты не пойдешь! — Бойл взял ее за плечи и легонько встряхнул. — Мы должны верить, что Фин вернется, а тобой мы рисковать не можем. Без тебя все прямо тут и закончится, причем не для Кэвона.

— Фина может подвести его происхождение, зов крови, как бы сильно он ему ни сопротивлялся. А я могу его вытащить. И надо успеть это сделать. О боже, Кэвон! Он возвращается! Фин...

— А мы вдвоем сможем его вытащить? — Айона схватила Брэнну за руку. — Мы должны попытаться!

— Если бы мы все разом... Тогда, возможно, и получилось бы... Ну, слава богу!

Фин, окутанный редеющим и блекнущим туманом, рухнул на колени у ее ног, и Брэнна рывком нагнулась к нему.

— Он идет, — выдавил Фин. — Дело сделано, но он возвращается. Надо уходить! Скорее! Кто-нибудь мне поможет?

— Мы тебя подхватим. — Брэнна обвила его руками, переглянулась с Айоной и Бойлом, кивнула. — Мы тебя перенесем, — повторила она и обхватила его еще крепче. Они полетели.

Его кожа была холоднее льда, и, неся его над верхушками деревьев, над озером и над залитым огнями замком, она все силилась его согреть, но тщетно.

Они влетели прямо в дом, она развела огонь до гула в трубе и только после этого рухнула перед ним на колени.

— Смотри на меня, Фин, я должна видеть твои глаза.

На мертвенно-бледном лице глаза его горели огнем, но это были его глаза, глаза Фина, и ничьи больше.

— Я с собой ничего не унес, — еле слышно проговорил он. — И не наследил. Только твой кристалл оставил.

— Виски! — крикнула она, но Бойл уже подоспел и вложил Фину в руки стакан.

— Такое ощущение, словно прошагал сотню километров по Арктике без единого привала. — Фин залпом осушил стакан и безвольно запрокинул голову. Вошли Коннор с Мирой.

— Цел? — с порога выдохнул Коннор.

— Цел, только чуть не загнулся — закоченел и измучен. А вы?

— Несколько поверхностных ожогов, сейчас я ими займусь.

— Мои Коннор уже залечил, — уточнила Мира и придвинулась к Фину. — Раскудахтался надо мной, как квочка. Фин, чем тебе помочь?

— Да я в порядке.

— А по тебе не скажешь. Брэнна, может, какое-нибудь снадобье принести?

— Никакого снадобья мне не потребуется. Виски — как раз то, что надо. Ты, кстати, сама-то что раскудахталась?

Мира опустилась в кресло.

— Рядом с тобой сейчас даже призрак будет выглядеть как после десяти дней в тропиках.

Понемногу отогреваясь, а это было болезненно, Фин улыбнулся.

— Ты тоже румянцем не блещешь.

— Он все кидался на нее и кидался, — сказал Коннор и, к изумлению Миры, поднял ее на руки, такую видную барышню, сел на ее стул, а Миру усадил к себе на колени. — Он бы предпочел атаковать меня, но ему пришла охота порисоваться. Ему потребовалась Мира, захотелось сделать ей больно, вот он и колотился о ее защиту в поисках малейшего зазора. Поначалу мы хотели подержать его еще, дать вам побольше времени, но все и так затянулось дольше, чем мы рассчитывали, и вопрос уже встал так: или биться всерьез, или отступать.

— Коннор вызвал смерч. — Мира покрутила пальцем в воздухе. — Небольшой по вашим меркам, но эффектный. Потом превратил его в огненный столб. Тут-то Кэвон и удрал восвояси.

— Дольше отвлекать его мы были не в силах, — подытожил Коннор.

— Вы и так долго продержались, — успокоила его Брэнна. — Давайте-ка мы все выпьем виски, — решила она. — Коннор, дай взгляну на твои ожоги, я их мигом залечу!

— Я сделаю. — Айона насильно усадила Брэнну назад. — А ты оставайся с Фином.

— Я здоров! — возмутился тот. — Вся беда в холоде, в этом все дело. Такой пронизывающий, обжигающий — как будто жизнь из тебя вымораживает. Лишает воли. Сильнее, чем в прошлый раз! — Он повернулся к Брэнне: — Мы с тобой такого не видели и не чувствовали.

Она села на пол.

— Рассказывай.

— Было темнее, намного темнее, чем тогда, когда мы с тобой были там во сне. И холоднее. А воздух — гуще. Такой густой, что трудно дышать. На огне стоял котел, и пахло серой. И голоса. Пение. Слов я не разобрал, но расслышал достаточно, чтобы уловить, что поют на латыни, а временами на древнеирландском. Так же — и вопли и мольбы о пощаде, которые доносились вместе с пением. Крики обреченных на заклание. И все это — как эхо, издалека. Однако запах крови я ощущал отчетливо.

Он глотнул виски, собрался с мыслями.

— И меня туда потянуло. Эта тяга шла изнутри. Какая-то потребность, более сильная, чем раньше... Так и разрывало на части! Я выложил кристалл, нашел там углубление в камнях, высоко на стене напротив алтаря.

Теперь он вертел стакан в руках и вглядывался в глубину янтарной жидкости, как будто в ней отражалось все произошедшее.

— Когда я расстался с кристаллом, эта тяга уси-
лилась. И значительно. Можно сказать, соблазн стал
неодолимым. На алтаре стоял кубок, а в нем — кровь.
И мне захотелось ее отведать. Так и тянуло выпить.
Кровь невинных, это я по запаху понял. Безвинная
кровь, и испей я ее — я тут же превратился бы в того,
кем было написано на роду. Почему я этому воспроти-
вился? Ведь мне хотелось этого — воплотить предначертанное, обрести свою славу! И я шагнул к алтарю,
потом еще ближе. Теперь песнопения заполнили всю
пещеру, а крики истязуемых звучали для меня почти
музыкой. Я потянулся за кубком. Я уже протянул к нему руку, осталось только взять. Просто взять и выпить.

Фин, помолчав, залпом опрокинул в себя виски.

— И сквозь все эти вопли и это пение, сквозь ко-
лебания этого плотного воздуха я услышал твой голос. — Он посмотрел на Брэнну. — Я услышал тебя.
Ты сказала: «Возвращайся ко мне!» — и это было то,
чего душа моя жаждала сильнее всего остального. В чем
она нуждалась больше всего, больше, чем в той крови,
которую я уже ощущал на вкус. Тогда я шагнул назад, а
воздух... Воздух сделался еще холоднее и сгустился так,
что у меня легкие будто забились мокрыми тряпками.
Голова кружилась, меня мутило и трясло.

Он отставил стакан.

— Надо, чтобы вы это знали. Знали все. Знали, насколько далеко я зашел. Я был на волосок от того, чтобы переметнуться. И если бы это произошло, мы бы с
вами вот так сейчас не сидели...

— Но ты же не взял кубок! — подала голос Айона. —
Ты вернулся.

— Но что-то внутри меня отчаянно жаждало этой
крови...

— И все равно ты к ней не прикоснулся! — настойчиво возразил ему Коннор. — И теперь сидишь у камина и попиваешь виски.

— Да я был в шаге от предательства!

— Чушь собачья! — оборвала его Брэнна и решительно поднялась. — Ерунда это все, Финбар. И нечего уверять, будто ты вернулся ради меня. Ты вернулся не ради меня одной, но и ради любого из нас. Ты вернулся ради себя. Из уважения, какое ты испытываешь к своему дару, к своему естеству, из неприятия всего, что воплощает собой Кэвон. Так что не городи чепухи! Я вначале не позволяла себе доверять тебе, но ты из раза в раз доказывал, что я заблуждаюсь. И я не потерплю, чтобы не верил самому себе! — Она помолчала. — Пойду подогрею жаркое. Все голодные.

Брэнна вышла, Мира покивала головой и тоже встала.

— Все сказано яснее некуда, нечего и добавить! Айона, пойдем поможем Брэнне.

После ухода девушек Бойл сходил за виски и налил Фину еще.

— Если собрался себя жалеть, лучше делать это в подпитии.

— Да кто тебе сказал, что я себя жалею? Ты не слышал, о чем я говорил?

— Слышал, — вальяжно протянул Коннор. — Мы все слышали. — Он вытянул ноги и развалился в кресле, тоже со стаканом виски в руке. — Мы слышали, что ты выдержал бой, и с внутренними врагами, и с внешними, и одержал победу. Так что будь здоров. Я тебе скажу еще кое-что, что я знаю так же точно, как и то, что меня зовут Коннор О'Дуайер: ты бы скорее перерезал себе горло, чем причинил вред Брэнне. Или любому из нас. Так что допивай, братишка, свое виски, и хорош дурака валять!

— «Дурака валять», — проворчал Фин и разом шарахнул в глотку стакан.

Хорошо зная Фина, Коннор и Бойл оставили его наедине с его мыслями.

Фин дождался, пока все собрались в кухне и расселись, но сам остался стоять.

— Я вам очень признателен, — торжественно начал он. Прозвучало почти как вступление к проповеди.

— Помолчи, черт бы тебя побрал, и сядь лучше поешь, — зычно выкликнул со своего места Бойл.

— Это ты помолчи! Я вам благодарен и имею право об этом сказать.

— Мы все поняли и приняли к сведению. Что еще? – обыденным тоном бросила Брэнна и положила ему жаркого. — На-ка вот... Умолкни, черт побери, и ешь!

Фин полоснул по ней взглядом и, махнув рукой, снял пробу с наваристого жаркого из говядины с перловкой, ощутил, как горячая еда проходит к закоченелому желудку и по животу растекается тепло...

— А что тут, кроме мяса-то? Перловка, картошка?.. Что-то еще... — легко переключился он.

Брэнна одобрительно усмехнулась.

— Вот так-то лучше.

— Очень вкусно! — Коннор подцепил себе добавки. — Объедение! Так что, Фин, у тебя есть еще одна причина помолчать. Работай челюстями. Полезнее для здоровья.

— Ну и прекрасно. — Фин протянул руку к хлебнице. — Тогда вы не услышите остального...

— А что — остальное? — встрепенулась Айона.

Фин с загадочным видом не спешил раскрыть рот. Потом лениво сказал:

— Что вы на меня вытаращились? Я умолк, как мне и было рекомендовано.

— А я тебе ничего такого не говорила, — сладко заулыбалась Мира. — И мне очень интересно, так что можешь рассказывать мне.

— Ладно. Раз тебе интересно. Исключительно для тебя. Так вот, Мира, — он потянул паузу, дожевывая кусок мяса, и ровным голосом доложил: — Скажу, что там на стенах были письмена. Старинные. Огамом[1].

— Огамом? — живо уточнил Коннор. — Ты уверен?

Чувствуя, что еда возвращает ему силы, Фин в две секунды умял еще полтарелки.

— Мы с Мирой разговариваем.

— Да хватит тебе! — со смешком пробурчал Бойл и потянулся за хлебом. — Значит, огамом. И что же написано там огамом?

Фин смерил его долгим надменным взглядом. Вздохнул.

— Таланты мои бесчисленны, — он снова слегка попозировал, — но не простираются столь далеко, чтобы читать огам. Но сам факт надписей на стенах говорит о том, что в пещере кто-то бывал задолго до Кэвона. Надписи высоко, с магическими знаками — так что пещерой пользовались в темных целях.

— Есть места, которые служат средоточием тьмы. Или света, — заметила Брэнна.

— Там я чувствовал только тьму. Это будто... его источник. Тени там движутся как живые. И на алтаре, когда я подошел близко, я увидел рядом с кубком кости на блюде. Еще там были три черных свечи. И книга в кожаном переплете. А на переплете тиснение — вот

---

[1] Язык и алфавит древних кельтов, а также их своеобразный тайный язык с зашифровкой некоторых слогов и букв.

этот знак. — Он коснулся своего плеча, совсем уже не рисуясь. — Этот самый знак.

— Значит, этот знак появился задолго до того, как Тейган камнем ранила Кэвона и оставила ему шрам. И до того, как его прокляла Сорка. — Айона взглянула на всех вопросительно. — На нем знак его демона? Или подтверждение его собственных заслуг перед силами зла? Прости, — поспешила добавить она, повернувшись к Фину.

— Ничего страшного. — Фин снова взялся за ложку. — Рядом с книгой лежал колокольчик, опять-таки серебряный, с рукояткой в виде вставшего на задние лапы волка.

— Колокольчик, книга, свечи, кости и кровь. Изображение знака Кэвона и изображение волка. — Брэнна задумалась. — Значит, у него уже тогда были эти предметы. Символизирующие то, чем он стал. Старые они?

— Очень старые, за исключением свечей. А свечи... Они были сварены из человечьего жира, смешанного с кровью.

— Фу, гадость какая! — поморщилась Мира.

— Его инструменты, — рассуждала Брэнна, — по-видимому, передавались от отца к сыну. Или от матери к сыну или дочке. Так они перешли к нему и стали служить интересам тьмы. Хотя мы не знаем, возможно, и его родитель этим баловался... Как не знаем и того, почему он выбрал себе именно эту пещеру.

— А может, он был там каким-нибудь стражником, — предположила Мира. — Кем-то, кто был наделен властью и охранял демона — или как его там... держал его взаперти....

— Логично, — согласилась с ней Брэнна. — Неважно, был Кэвон порождением света или же тьмы, а может, чего-то промежуточного. Мы знаем, что выбор он сделал сам.

— Есть еще кое-что, — сказал Фин. — В пещере стоит восковая фигура женщины, руки и ноги связаны черной материей, в коленопреклоненной позе — как будто молится.

— Сорка. — Брэнна покачала головой. — Его одержимость ею началась очень давно. Но ему так и не удалось ни связать ее, ни поставить на колени.

— Почти восемьсот лет — немалый срок для одержимости. Как и для смертельной обиды, — заметила Айона. — Как видим, это его безумие началось много веков назад.

— Соглашусь.

— И еще, — продолжал Фин, — у этой фигуры была кровь на животе и между ног.

Брэнна медленно отложила ложку.

— Она потеряла дитя — как раз в начале той зимы. У нее был выкидыш, от которого она так и не оправилась. Развилась какая-то страшная болезнь, исцелиться от которой она не сумела. Раздирающие боли в животе.

— Он убил ее ребенка? — Казалось бы, прошло много веков, но Айона все равно не могла сдержать слез. — У нее во чреве? А он мог это сделать?

— Этого я не знаю. — Потрясенная не меньше, Брэнна поднялась, налила себе вина и принесла бутылку на стол. — Возможно, она не была к этому готова, не приняла должных мер предосторожности? Если он нашел способ... У нее на попечении трое детей, а муж — далеко, ушел воевать с мужчинами своего клана. И за ней охотится Кэвон. Возможно, она невольно открыла ему какое-то свое уязвимое место, в какой-то момент потеряла бдительность...

— Но мы не потеряем. — Фин тронул ее за руку. — И мы ничего ему не откроем. Ничего не дадим. А заберем все. Теперь он и за это должен ответить.

— Она горевала. Когда читаешь в ее книге об этой утрате, то так и слышатся рыдания. Да, — тихо проговорила Брэнна. — Он должен за это ответить. И за все остальное.

17

Она удвоила усилия. Торопиться было нельзя ни в коем случае. Работа над смертоносным ядом не терпит спешки. Но каждую свободную минуту Брэнна использовала для того, чтобы поработать над составом зелья.

Стоило кому-то из ребят появиться у нее в мастерской, как он немедленно получал задание — магического или какого-либо иного рода. Она почти не выходила, если не считать непродолжительных прогулок по погруженному в зимний сон саду, чтобы проветрить голову от формул, заклинаний и ядов.

Но даже во время этих коротких прогулок Брэнну не оставляли мысли о том, сколько капель настойки «труб ангела» — бругмансии — надо добавить в яд. Пять — не много? Четыре — не мало? А толченые ягоды добавлять сразу, как приготовишь, или дать им настояться?

— Тут все имеет значение, — бормотала она себе под нос, педантично выставляя в ряд склянки с ингредиентами для сегодняшнего опыта. — На одну каплю ошибешься — и начинай сначала.

— Ты говорила, что вчера четыре капли не сработали, значит, сегодня добавь пять, — предложил Коннор.

— А если надо шесть? — Она с досадой глядела на банки, словно могла заставить их поведать ей тайну. — А может, правильный не этот рецепт, а другой, который я нашла в другой книге? Тот, в котором говорится про пять бледных поганок из-под дуба?

— Если хочешь знать мое мнение — чем больше яда, тем лучше.

— Здесь не может быть «больше» или «меньше». Это тебе не суп на кухне варить. — Она и сама слышала, что говорит с раздражением, но ничего не могла с собой поделать. — Все должно быть как положено, Коннор, тем более что я чувствую, что это может стать для нас последним шансом. Если провалимся, то в лучшем случае придется ждать еще год до новой попытки. А в худшем — демон увидит, что мы поняли, как к нему подобраться, и найдет способ оградить себя.

— Брэнна, ты слишком нервничаешь. Это на тебя не похоже — дергаться и менять свое мнение.

Конечно, он прав, внутренне согласилась она, излишнее волнение лишь больше закрывает от нее очевидное. Брэнна нажала пальцами на глазные яблоки.

— Просто я все острее ощущаю, что время поджимает. И на меня давит мысль, что на этот раз мы не можем промахнуться, больше шанса нам никто не даст. А что, если мы так до конца жизни и будем отвешивать Кэвону одни шлепки и только сдерживать его, пока не вверим нашу миссию следующей тройке? Думать об этом невыносимо! Вот будут у вас с Мирой дети... Неужели ты захочешь взвалить на них этот груз?

— Да ты что? Конечно, нет. Но мы не провалимся.

Он положил руки ей на плечи и помассировал мышцы.

— Отбрось эти мысли! Если так и будешь во всем сомневаться, не услышишь своей интуиции, а в ней вся сила.

— Я уже в третий раз за этот яд принимаюсь. Так что мои сомнения имеют под собой основания.

— Значит, забудь про эти основания. Такой рецепт, сякой рецепт... Забудь все это! Прислушайся к себе: как тебе самой кажется? Что тебе интуиция подсказывает? Может, это и посложней, чем суп варить, но ты-то зелья готовишь с четырех лет!

Он демонстративно захлопнул все книги, понимая, что к этому моменту она и так все знает наизусть.

— Вот теперь что ты скажешь? Иди не от головы, а от ощущений!

— Я скажу... — Брэнна в нетерпении тряхнула волосами. — А куда, черт побери, Фин запропастился? Мне его кровь нужна, она должна быть свежая!

— Обещал быть до двенадцати. Значит, жди. Может, пока поработаем с тобой над заклятием? Слова придумаем? А когда он явится, пустишь ему кровь — и начнете.

— Ладно-ладно.

«Пора перестать нервничать и дергаться — и заняться наконец делом», — приказала она себе.

— Сначала у нас идет святая вода. Вот что у меня получилось. «Святую воду наливаем, в нее все яды добавляем. Белладонну разотрем, размочив, туда введем, ни капли сока не прольем. Шерсть от яка измельчаем, с манцинеллой растираем и крыло летучей мыши в этой смеси растворяем. В ход пускаем лепестки — «трубы ангела» сначала, аконит, чтобы гуще стало. Все кладем и после ждем, настояться им даем. После...» — Она умолкла.

— О чем задумалась, Брэнна? — встревожился Коннор.

— Думаю я вот что: а не поспешила я в прошлый раз? Пожалуй, на этом этапе надо подержать на огне подольше, дать провариться.

— Так. Значит, пишем: «Размешать и вскипятить, дать подольше побурлить...»

— «Все проварим хорошо, над котлом чтоб пар пошел». Да, конечно, я поспешила. Надо было дать покипеть и немного увариться. Ладно. — Уверенно кивнув, Брэнна записала что-то еще. — И грибы, надо еще попробовать добавить грибов. Да, верно, это будет то, что нужно.

— Ну вот, другое же дело! — Коннор ободряюще пихнул сестру локтем.

— «Бледная поганка, варись, варись, непробудной ночью для злодея обернись». Нет, для демона это не подойдет. — Она вычеркнула строчку и начала сначала. — «Возьми поганки, две и три, и вместе с зельем провари. Чтоб яд они смогли отдать, подольше надо подержать».

— Так лучше, — согласился Коннор.

— И еще лепестки болиголова. Так. «Болиголов в котел кидаем, смерть на злодея накликаем».

— Лучше «Смерть к злодею призываем».

— Да, так будет лучше. — Она переправила. — Пожалуй. «Кровь по капельке введем — еще крепче зелье станет, если в демона вольем — сердце биться перестанет. Сила трех, соединись! Воля трех, осуществись! Так велим, да будет так!»

Она отбросила карандаш.

— Что-то у меня сомнение...

— А мне нравится. Звучит как надо. Брэнна, заклятие сильное. И в то же время слог строгий, простой. Мы же призываем смерть! Кучерявость тут ни к чему.

— Это ты верно сказал. Черт побери, яд же еще должен загустеть! Почернеть. А мы об этом — ни слова. «Гуще, гуще и черней яду сделаться велю»...

— «И чем гуще, тем верней демон встретит смерть свою», — закончил Коннор.

— Мне нравится, — кивнула Брэнна. — Надо записать по горячим следам, а то забудем.

— Слушай, раз без Фина ты начать не можешь, то почему бы... — Коннор умолк — Фин как раз возник на пороге. — А вот и он. Тебе сейчас будут кровь пускать, приготовься, приятель.

Фин остолбенел.

— Вчера пускала, и немало. И позавчера.

— Нужна свежая.

— Свежая ей нужна! — проворчал Фин, скидывая куртку. — А что ты сделаешь с той, что набрала вчера? И накануне?

— Все надежно законсервировано и убрано — кто скажет, когда может понадобиться? Но сегодня я хочу начать все с самого начала. Я кое-что изменила в заклинании.

— Как, опять?

— Да, опять! — отозвалась Брэнна с таким же раздражением. — Его надо было доработать. Коннор тоже согласился...

— Меня не впутывай! — Коннор, открещиваясь, поднял руки. — Вы тут сами, вдвоем, разбирайтесь. И вообще раз Фин здесь, я отваливаю. Кажется, потом на смену придет Бойл, так что, если перегрызетесь, он тут за вами приберет.

Он сгреб свою куртку, шапку, шарф и побыстрее удалился. За ним увязался Катл — видимо, тоже понял, что лучше пока под ногами не мешаться.

— А что ты такой злой? — накинулась Брэнна на Фина.

— Это я злой? А ты что такая? Вон и складка над переносицей твоя знаменитая обозначилась — ну, та, которая означает, что ты на пределе эмоций и вот-вот сорвешься.

Брэнна, рассвирепев еще больше, потерла лоб пальцами, пытаясь разгладить предательскую складку.

— Я не злая. Хотя... да! Я очень зла, но не на все и вся, как ты думаешь, и не на тебя. Просто я не привыкла к таким откровенным неудачам, как с этим проклятым зельем.

— Ошибиться с составом еще не значит потерпеть неудачу.

— Угадать с составом — значит добиться успеха, следовательно, ошибиться — значит потерпеть неудачу.

— Брэнна, не зря же это называется практической магией — тут практика нужна, и ты это прекрасно знаешь. Надо пробовать и пробовать. Метод проб и ошибок.

Она хотела возразить ему, но ограничилась тяжким вздохом.

— Вот я и пробую. В прошлые разы я думала, что подошла к решению куда ближе, — ан нет. Если я и дальше буду так промахиваться, придется снова заказывать ингредиенты.

— Значит, начинаем сначала. — Фин подошел к ней и поцеловал. — Брэнна, добрый день!

Она хмыкнула.

— И тебе, Финбар. — Она с улыбкой вынула нож. — Итак...

Она думала, он засучит рукав, но он снял свитер целиком.

— Возьми из пятна, — подсказал он. — Из пятна, Брэнна! Сразу надо было оттуда брать.

— Надо было, ты прав. Как это я не подумала... Видимо, от переутомления. Но имей в виду, тебе будет больно, Фин! Будет жечь...

— Ну, будет... И что из того? Оттого, что это делается с враждебной знаку целью. Не терзайся, Брэнна, потом я утешусь печеньем.

— А ты хитрый!

— А ты как думала?

Она шагнула к нему с ритуальным ножом и чашей наготове.

— Только блокировку не ставь! — Она приблизила к нему лицо. — Может быть, боль — важная составляющая. Пусть боль придет — а потом уйдет.

— Ладно.

Действуя резко и быстро, концом ножа она сделала поперечный надрез на пентаграмме. Подставила чашу под струйку крови и почувствовала, как ему больно, притом что Фин не издал ни звука и не шелохнулся.

— Ну вот, достаточно, — прошептала она, отложила нож, схватила лоскут чистой белой ткани и прижала к ране.

Затем поставила чашу рядом со склянками, вернулась к Фину и стала бережно залечивать неглубокую ранку.

Он ничего не успел понять, да Брэнна и сама не поняла, как это вышло, только она вдруг приникла губами к клейму.

— Не надо! — Ошеломленный, отпрянул он в ужасе. — Я не знаю, как это может тебе навредить!

— Ничего это клеймо мне не сделает — как и ты не сделал ничего такого, чтобы его заработать. Годами я винила в этом тебя, а надо было винить Сорку — точнее, ее беду. Она причинила тебе вред, нарушила нашу самую священную заповедь и навредила тебе — и многим до тебя. Невинным. Если бы я могла, я бы сняла с тебя это проклятье.

— Не получится. Неужели ты думаешь, я не пробовал? — Фин натянул свитер. — Ворожба, служители церкви, знахарки, юродивые, адепты черной и белой магии — его ничто не берет. Как только до меня доносился слух, что где-то, в каком-то уголке земли проклятье могут снять, я немедленно мчался туда.

Так вот в чем причина его внезапных отлучек! Вот зачем он все время куда-то стремительно уезжал!

— Ты никогда не говорил...

— А что я мог сказать? — вскинулся он. — Этот зримый знак того, что во мне течет *его* кровь, уже ничем не изменишь, его никакими средствами не убережешь — я все перепробовал. Ни заговором, никаким ритуалом не снимешь проклятья, которое она наложила со своим последним вздохом. Его ни выжечь нельзя, ни вырезать. Я даже думал ампутировать руку, но побоялся, что оно просто появится в другом месте.

— Ты... Господи, Фин!

Он, конечно, проговорился, но слово вылетело...

— Хорошо еще, что я тогда был сильно пьян, потому что с одной рукой или двумя — проклятье есть проклятье. Слава богу, это безумное геройство — так мне в мои двадцать два года казалось — утонуло на дне почти целой бутылки «Джеймисона».

— Не смей калечить себя! — воскликнула она, потрясенная. — Не смей и думать об этом, слышишь?

— Да смысла нет. Мне об этом сто раз говорили, когда я все эти попытки предпринимал. Проклятье умирающей ведьмы — да еще той, что пожертвовала собой ради детей, чтобы оградить их от самого черного из зол? Такое проклятье — штука мощная.

— Когда мы закончим, я помогу тебе найти способ. Мы все тебе поможем.

— Спасибо, но это я должен сделать сам. Если такой способ есть — я найду его. Я никогда не оставлю поисков, потому что из-за этого клейма ты не можешь подарить мне завтрашний день. Я даже не смею тебя об этом просить и сам не могу дать тебе будущее. И мы никогда не сможем иметь детей. — Он кивнул. — Вот, вижу, ты и сама понимаешь. Никто из нас не захочет произвести на свет ребенка, зная, что он обречен нести это бремя.

— Да, не захочет. — Брэнна чуть не стонала. Отчаяние и осознание жестокой реальности надрывали ей сердце. — То есть... когда все закончится, ты снова уедешь.

— Когда все закончится, разве мы с тобой сможем, как сейчас, быть вместе, зная, что у нас никогда не будет той жизни, какую мы себе представляли? Зная, что вот это, — он коснулся клейма под повязкой, — будет стоять между нами и после конца Кэвона? Пока я ношу на себе его знак, конец никогда не наступит по-настоящему и проклятье Сорки будет жить на мне вечно. На мне и во мне. А потому я никогда не перестану искать способ его снять.

— Выходит, ее проклятье вернулось втройне. Ты, я, та жизнь, которая могла бы у нас быть, — это его жертвы.

— Зато у нас есть сегодняшний день. Я и не надеялся, что мы с тобой снова будем вместе.

— А я думала, этого будет достаточно — что мы опять вместе. — Брэнна шагнула в его объятия и крепко прижалась к нему.

— И лучше нам этот день не тратить понапрасну.

— А мы и не будем его тратить понапрасну. — Она подняла к нему лицо, потянулась губами к губам. — Будь моя воля — я бы предпочла, чтобы мы были обыкновенными людьми.

Он выдавил из себя улыбку.

— Быть обыкновенной — это не про тебя.

— Просто женщиной, которая варит мыло и свечи и держит в деревне симпатичную лавчонку. А ты — просто мужчиной, у которого есть две конюшни и школа ловчих птиц. Если бы это было в моей власти... Однако...

Он посмотрел на стойку, где были разложены ее ведовские книги и расставлены банки и склянки.

— Будь мы обычными людьми, мы не могли бы сделать то, что должно быть сделано. Давай лучше опробуем твой заговор, не то ты опять скажешь, что кровь свернулась, а тебе нужна свежая.

«Долг, — подумала она. — И предназначение. Ни тем ни другим пренебрегать нельзя».

Она достала котел, развела тихий огонь.

Долгий процесс требовал не только скрупулезной точности и упорства. Брэнна мысленно велела себе забыть предыдущие неудачные попытки и рассматривать нынешний опыт как первый. Токсичная смесь пузырились и дымила, а они с Фином держали руки над котлом, заставляя варево медленно-медленно перемешиваться.

Когда дошло до заключительной стадии, Брэнна набрала полную грудь воздуха.

— Гуще, гуще и черней яду сделаться велю, — монотонно забормотала она.

Фин подхватил:

— И чем гуще, тем верней демон встретит смерть свою.

— Сила трех, соединись, — хором пробубнили они. — Воля трех, осуществись! Так велим. Да будет так!

Брэнна почувствовала перемену, ощутила исходящую от нее и от Фина энергию, усилие воли. Они взялись за руки, объединяя эту силу и волю, давая им слиться и тем самым приумножиться.

Она отсекла все остальное и сфокусировалась на одном этом слиянии, на их предназначении, и сердце в груди начало отбивать барабанный ритм, а тепло и запахи ее мастерской исчезли.

Остался только свет, яркий, ослепительный, он поднимался в ней, растекался от нее во все стороны. И соединялся с тем, что поднималось и распространялось от него.

Слияние, физическое, сокровенное, духовное, мощное, нарастающее подобно буре, пронзило ее, как оргазм.

Голова ее запрокинулась. Она воздела руки — ладони вверх, пальцы широко расставлены. И заговорила не своим голосом:

— Готово средство против тьмы. Закаленное на огне веры и света. На земле Священной Жертвы Смуглой Ведьмы трое, трое и еще трое восстанут вместе против зла, порожденного тьмой. Будет кровь, и будет смерть. — Она была в каком-то дурмане. — Взять коня, сокола, собаку и вызвать демона по имени. Позвонить в колокольчик, открыть книгу, зажечь свечу и назвать имя. Белым огнем, слепящим, ярким, объять его камень и запечатать врата. Будет кровь, и будет смерть. Будь то демон, смертный или маг — будет кровь, и будет смерть.

Глаза ее, сделавшиеся совсем черными, закатились. Фин успел ее подхватить, не дав ей упасть. Брэнна просто обмякла и сложилась, как кукла-марионетка с обрезанными ниточками.

В тот момент, когда он подхватил ее на руки, она прижала ладонь к его плечу.

— Все в порядке. Просто голова закружилась.

— Сядь! Сядь тут. — Фин опустил ее на диванчик у очага, зашел в кладовку и тщательно осмотрел там все, пока не нашел то, что искал.

Он не стал возиться с плитой, а приготовил чай щелчком пальцев и добавил туда шесть капель эликсира и отнес ей.

— Пей и не спорь! — приказал он. — Это твое же средство.

— Понимаешь... Стою там, залитая всем этим светом и этой огромной энергией, а в котле наше зелье все перемешивается, густеет, булькает. Потом словно вижу себя со стороны, и тебя тоже, и отчетливо слышу слова, которые произношу, — а на самом деле рот у меня закрыт. У меня и раньше случались такие озарения, когда видишь то, что только еще должно произойти. У нас у всех они бывали. Но чтобы так мощно и так внезапно — никогда. Да в порядке я, говорю же тебе. Честное слово!

Или почти в порядке, про себя уточнила Брэнна и выпила сдобренный бальзамом чай.

— Просто когда видение ушло, было ощущение, что меня выжало как лимон. Но только на короткий миг.

— У тебя глаза были чернее ночи, а голос раздавался, как в горах эхо.

— Я была не я.

— Это точно. Что на тебя нашло, Брэнна?

— Сама не знаю. Но сила и свет этого видения поглотили меня без остатка. И еще, Фин, это было невыразимо прекрасно. Это то, что живет в нас, но многократно усиленное — будто разом зажглись тысяча солнц, вовне и внутри. Не знаю, как объяснить.

Она выпила еще чаю и почувствовала, что приходит в себя.

— Надо записать. Все, что я тебе рассказала. Жалко будет, если забуду.

— Я не забуду, не волнуйся. Буду помнить каждое слово.

Брэнна улыбнулась.

— Все равно лучше записать. Средство мы сотворили — думаю, в этот момент все и сработало.

— Зелье густое и черное, как деготь.

— Надо запечатать текст финальными словами, поставить зелье в темное место, а над флаконом произнести формулу.

— Я сделаю.

— Нет-нет, варили же вдвоем, и думаю, это тоже имеет значение. Так что давай и все остальное сделаем вместе. Фин, я совершенно здорова, уверяю тебя!

В подтверждение своих слов Брэнна отставила чай и поднялась.

— Делать надо быстро. Не хочу, чтобы зелье свернулось и нам пришлось все начинать сначала.

Фин внимательно вгляделся, желая убедиться, что с ней все в порядке.

После того как они запечатали положенным текстом заклятие, Брэнна достала из шкафа под стойкой две приземистых бутыли, обе — из непрозрачного черного стекла.

— Две?

— Мы много сделали — я подумала, запас лишним не будет. Вдруг с одним флаконом что-то случится, до событий или во время, — тогда у нас будет второй.

— Мудро и, как всегда, практично. Женщины всегда такие запасливые? — хмыкнул Фин для разрядки. Она, ответив ему беглой улыбкой, полезла за воронкой, но Фин покачал головой. — Не думаю, что в данном случае это верное решение. Я, конечно, отдаю должное твоему практицизму, но мне кажется, для такого случая надо прибегнуть к колдовству.

— Пожалуй, ты прав. Тогда один флакон твой, другой — мой. Надо сделать быстро, сразу закрыть пробкой и опять-таки запечатать словами. — Она коснулась рукой одной бутыли. — Это тебе. — Затем второй. — А это мне. — И вместе с ним прошла к котлу. — Из котла прямо в бутыль, чтобы ни капли не осталось ни в воздухе, ни на полу.

Она взяла Фина за руку, другую руку выставила вперед. Он сделал то же самое. Из котла взметнулись две тонких струи тягучей черной субстанции и, описав дугу, аккуратно скользнули каждая в свой флакон. Когда поток иссяк, они подняли в воздух наглухо притирающиеся затычки и направили их каждую в свое горлышко.

— Прочь от света зелье это! Крепко закроем, лишь для дела откроем.

Испытывая невероятное облегчение, Брэнна сотворила внутри котла белый огонь, дабы от смертоносного содержимого не осталось и следа.

— Береженого бог бережет, — сказала она и пошла убрать флаконы подальше в шкаф, где у нее хранились склянки с использованными ингредиентами, а также яд, уже приготовленный для Кэвона. — Хотя нет. Лучше я этот котел уничтожу. Все равно он больше ни на что не годится. Жаль. Служил мне верой и правдой. — Потом она заговорила дверцу шкафа. — Теперь никто, кроме наших, его не откроет.

Она прошла к другому шкафчику и достала бутылку светло-зеленого стекла в серебряной оплетке и два бокала.

— А это что?

— Это вино моего изготовления, я его держу для особых случаев — так... сама не знаю для каких. Кажется, сейчас именно такой. Мы сделали то, что должны, и скажу тебе честно, Фин, я не надеялась, что мы это сделаем, что у нас получится. Всякий раз, когда я была совершенно уверена, мы терпели неудачу. А сегодня? — Она разлила золотистое вино по бокалам и один протянула ему. — Сегодня мы не оплошали. Так что...

Ему не требовались слова. Фин прикоснулся к ее бокалу своим.

— Давай за сегодняшний день и выпьем. — Он глотнул, чуть наклонил голову. — Ну что... Тут, я вижу, еще один твой талант раскрылся. Вино великолепное! Легкое и в то же время выразительное. Со вкусом звезд.

— Можешь считать, что я туда их бросила щепотку. Да, вкусно, — согласилась Брэнна. — Сегодня мы это заслужили. И, если мне не изменяет память, тебе еще положено печенье.

— Ты обещала, — напомнил он. — Но мне теперь кажется, мы оба заслужили кое-что поинтереснее печенья. — Он обвил ее рукой за талию. — Держи вино крепче! — предупредил он, и они полетели.

У Брэнны закружилась голова. От неожиданности и скорости, с какой все произошло. И еще она ощутила голод особого рода — из-за поцелуя, которым Фин наградил ее, поднимая в воздух.

Она очутилась под ним на огромной кровати под прозрачным белым пологом и восторженно засмеялась.

— Так вот что мы с тобой заслужили?

— Более чем.

— Я свое вино потеряла.

— А вот и нет. — Она проследила за его жестом и увидела стол, на котором стояли оба бокала. И еще она увидела, что и стол, и кровать плавают в темно-синем море.

— И кто из нас после этого прагматик? Но где мы? Господи, тепло-то как! Красотища!

— Мы в южных морях, далеко-далеко ото всех. Здесь только мы, обнесены защитным кругом, так что невидимы даже для рыб.

— В южных морях, на плавучей кровати. Да ты сумасшедший!

— В том, что касается тебя, — да. Всего час или два с тобой, Брэнна, в нашем маленьком раю. Где мы в тепле и безопасности, а ты нагая. — Щелчком пальцев он это быстро реализовал. Она рассмеялась, а его руки уже скользнули вверх и задержались на ее груди. — Боже, как я это обожаю — когда ты голая и подо мной. То, что должны, мы сделали, — напомнил он. — А теперь возьмем то, чего хотим.

Он приник к ней поцелуем, жарким, властным, разжигая в ней желание, как запаляют бикфордов шнур. Она ответила на поцелуй, но не покорно, а с тем же жаром и силой.

В них все еще билась обоюдная магическая энергия, яркая, неукротимая, и каждый был открыт для этой силы. И открыт для другого.

Стремительное скольжение его губ по ее коже сводило Брэнну с ума, пробуждало в ней бурю желаний. От торопливых движений ее собственных ищущих рук буря превратилась в ураган. Они кувыркались по кровати, которая качалась по волнам бескрайнего моря, а внутри у них вздымались волны желания и разбивались, только чтобы подняться вновь в нескончаемом прибое.

Если в этом заключалось его безумие, она приняла его с готовностью и в ответ затопила его своим. Любовь, бескрайняя, беззаветная, охватила и поглотила ее. Здесь, вдали от всего мира, она могла отдаться ей и ни о чем не думать. Здесь, где было место лишь самому подлинному волшебству, она могла отдарить его своей любовью.

Ее тело охватила дрожь, сердце затрепетало. Столько чувств и столько желаний! Из ее горла вырвался крик блаженства и разнесся далеко по синей глади и растаял в вечности.

Обладать ею, всей целиком, там, где им никто не может помешать. Подарить ей сказку, которой она себя лишала, и знать, что она тянется, берет и принимает все, что он к ней испытывает и всегда будет испытывать. Одно это окрыляло его больше любой энергетики, больше любой магии, больше любой тайны.

Слов не требовалось. Все, что она сейчас чувствовала, можно было прочесть в ее глазах. Все, что чувствовал он, как в зеркале отражалось в ней.

Когда он вошел в нее, это была лавина блаженства, и любви, и желания. Когда же она сомкнулась вокруг него и крепко сжала, они стали единым целым.

Вдвоем они мчались навстречу экстазу и подгоняли друг друга, в мире, который существовал лишь для них двоих, а под ними качалось темно-синее море. Она лежала в его объятиях, под усыпляющий тихий плеск бьющих о кровать волн, под теплыми лучами солнца, вдыхая запах моря. И упивалась этим ощущением кожи, прижатой к коже, горячей, липкой, и у нее, и у него.

— Почему ты выбрал именно это место, а не какое-то другое? — спросила она.

— Мне показалось, оно самое не похожее на все, что мы с тобой знаем и что у нас есть. Мы знаем холмы и луга, зеленые и влажные, это сидит в нас, и так будет всегда. А здесь? Где столько тепла и сини? Я подумал, девушке, что так редко делает себе подарки, немного сказки не повредит. Видит бог, Брэнна, зима нам выпала холодная и нелегкая.

— Да. Но на ее исходе нас ждет не просто весна. Нас ждет исполненный долг, и свет, и свобода, которую он дает. И знаешь... Когда дело будет сделано...

Он приподнял голову и заглянул ей в глаза.

— Говори.

— Пожалуйста, опять перенеси меня сюда, ради нас обоих. Когда мы сделаем то, что должны. И прежде чем ты уедешь. Куда бы то ни было. Верни меня сюда.

— Хорошо. А теперь ты, наверное, хочешь домой?

— Нет. Нет, давай побудем еще немного. — Брэнна пошевелилась, села и протянула руку за вином. — Сейчас мы допьем свое вино и будем нежиться на солнышке, наслаждаться теплым морем. Давай немного продлим эту сказку! Потому что, когда вернемся, ни времени, ни такой возможности у нас уже не будет.

Положив голову ему на плечо, она пила свое звездное вино и любовалась бескрайним морем, уходящим далеко, до самого горизонта.

18

Когда им вновь удалось собраться вшестером, Брэнна приготовила небольшой праздничный ужин — каре ягненка, жареную мускатную тыкву и горох с маслом и мятой.

— Не ожидал, что такую возню затеешь, — проворчал Коннор, которому было поручено нарезать баранину на отдельные отбивные. — Да я что... я не жалуюсь.

— Мы почти целую неделю не собирались вот так, все вместе, — заметила Брэнна. — Нет, конечно, мы разговаривали урывками, и мы все знаем, что сделано и на какой мы находимся стадии. Зелье созревает как надо, я только сегодня проверяла. — Она взяла себе порцию тыквы и передала блюдо дальше. — Мы с Коннором сделали второй флакон яда для Кэвона, и теперь, как и с демоном, у нас есть запас на случай непредвиденных обстоятельств.

— Даже думать не хочу ни о каких таких обстоятельствах! — Мира передала Бойлу горох. — Уже почти год как этот негодяй не дает нам покоя, а вам троим, насколько я знаю, и того дольше, но весь этот год он практически задирает нас и нападает беспрерывно. Бог любит троицу, так, кажется? У вас, колдунов, это тоже вроде магическое число. Я на это надеюсь. Вспоминаю всякий раз, как с ним сталкиваюсь, на маршруте с группой.

— И сегодня видела? — вскинулась Брэнна.

— И сегодня, и каждый божий день. Затаится в лесу, а то и вовсе движется параллельным курсом. И с каждым разом все ближе к нашей тропе. До такой степени, что Ройбирду уже дважды приходилось его отгонять. Какого черта?

— Он это делает, чтобы вывести нас из равновесия, — заметил Бойл. — А мы поддаваться не будем.

— Правильно! — Коннор подал на стол отбивные и парочку положил себе. — Он с каждым днем все сильнее. Или наглее. А скорее и то и другое вместе. Я видел, как он крадется, когда мы с ястребами гуляли. А сегодня Брайан сказал, что волк на его глазах пересек тропу.

— И миссис Бейкер его тоже видела, — добавила Брэнна.

— Вот именно. Ну, Брайана-то я убедил, что это была бродячая собака, он у нас доверчивый, любой порыв ветра готов трактовать как признак конца света, если кто-то скажет. Но меня беспокоит, что Кэвон стал показываться посторонним.

— Надеюсь, он никому не причинит зла? — заволновалась Айона. — Мы не можем допустить, чтобы пострадал ни в чем не повинный человек.

— На это он способен. — Фин сохранял спокойствие. — Скорее он, конечно, прибережет силы для нас, но и другим напакостить ему ничто не мешает. В такое искушение его может ввести кто-то, наделенный магической силой, это же для него подпитка.

— Или какая-нибудь женщина. — Бойл выдержал паузу, никто не возразил, и он продолжил: — Мы же знаем, у него такие потребности есть. Меня волнует, способен ли он выкрасть для себя женщину, и если мы считаем, что да, то как это можно предотвратить?

— Можно развернуть нашу защиту, распространить ее действие вширь, — предложила Брэнна. — Если он вздумает утолить свой голод, то станет гоняться за молодыми и красивыми. Уязвимыми. — Она вздохнула. — Сделаем что в наших силах.

— Я бы на его месте действовал иначе. — Фин аккуратно срезал мясо с косточки. — Он умеет перемещаться во времени, может переноситься куда хочет и когда хочет. Зачем ему привлекать лишнее внимание к тому, где он находится и что он здесь затевает? На его месте я бы отправился в прошлое, лет на сто назад, забрал там что мне надо, а здесь шума не наводил.

— Выходит, мы тут бессильны, мы не можем помочь его потенциальным жертвам, — жуя, проговорила Айона.

— Мы его уничтожим, — напомнила ей Брэнна. — И это главное, что может и должно быть сделано.

— Но до годовщины смерти Сорки еще целый месяц!

— Он уже восемьсот лет творит свои бесчинства. — Бойл положил руку на руку Айоны. — А мы можем действовать только сейчас.

— Да я понимаю. Понимаю, и все равно меня бесит, что наши возможности так непростительно малы. Здесь у нас такая энергетика, а мы бессильны остановить его злодеяния!

— Я каждое утро смотрюсь в магический кристалл, — сказала Брэнна. — И каждый вечер. Иногда и днем тоже. Я видела, что он работает, и видела некоторые его заклятия. В них всегда присутствует кровь, но еще ни разу не было, чтобы он затащил в пещеру обычного человека или колдуна. И не было ничего, что могло бы оказаться для нас полезным.

— Иными словами, пока мы больше ничего сделать не можем. — Коннор обвел друзей взглядом. — Но это — до поры до времени. Остался месяц, и на первый взгляд еще ждать и ждать, а на самом деле нам еще многое надо успеть, пока время позволяет. Нам еще нужно зелье и заклятие, чтобы уничтожить камень. С участием света, как было у Брэнны в том пророчестве.

— У меня есть хороший рецепт, — успокоила всех Брэнна. — Надо только, чтобы вы с Айоной со мной поработали. Это должны сделать мы трое, — пояснила она для всех.

— Значит, сделаем, — мгновенно откликнулся Коннор. — Но у нас до сих пор нет имени, а без него мы ничего закончить не сможем, невзирая ни на какой яд и свет.

— Надо выманить волка, — предложила Брэнна. — Лично мне — и думаю, Фину тоже — времени хватит, чтобы проникнуть в его сознание и узнать это имя.

— Но мы не знаем, есть ли в его сознании имя демона, когда он принимает волчье обличье, — заметил Фин. — Зато еще можно использовать такую вещь, как сон. Кэвон ведь тоже спит, не может же он без сна обходиться...

— Думаешь проникнуть в его сон? — Коннор с сомнением покачал головой. — Риск слишком велик, Фин. И для тебя — больше, чем для любого из нас.

— Если бы Брэнна посмотрела в кристалл и сказала, что он уснул, я бы мог проникнуть в его сон, а вы все будете наготове, чтобы меня вытащить.

— Я в этом участвовать не стану. Ни за что! — заявила Брэнна, когда Фин повернулся к ней за ответом. — Мы не можем — и я не стану! — рисковать тобой и рисковать всем. У нас еще есть несколько недель, чтобы как-то иначе, своими силами добыть этот кусочек недостающей информации. Тебя уже в прошлый раз еле-еле вытащили!

— Это другое дело.

— Я в этом вопросе на стороне Брэнны, — вступил Бойл. — У него гораздо больше шансов завлечь тебя, Фин, чем любого из нас. Если уж до этого дойдет и это будет для нас единственным выходом, то это должен быть не ты, кто-то другой. Любой из здесь присутствующих, кроме тебя.

— Ты просто мне не доверяешь.

— Ну знаешь, хорош прибедняться! — возмутился Бойл. — За этим столом нет никого, кто бы не доверил тебе свою жизнь и даже жизнь любимого человека.

— Мы тобой дорожим, — улыбнулась Мира и нагнулась к Фину. — Вот почему ты не пойдешь. А насчет того, чтобы не прибедняться, совет опоздал — ты это только что уже сделал.

— Ох, извините. Дело в том, что вам это кажется рискованным, а на самом деле это мое преимущество, потому что я быстрее любого из вас могу проникнуть в его сон и выйти из него.

— Вопрос снят. — Коннор демонстративно вернулся к еде. — Будешь поднимать снова — только аппетит всем испортишь. Как бы то ни было, а у меня на этот счет появились свои соображения, если кому-то интересно.

— Слыхали? У него соображения появились. — Мира с усмешкой пихнула Коннора в бок. — И я даже была свидетелем.

— Так вот, мысль моя заключается в том, что мы могли бы использовать Катла. Мы можем взять его с собой в маршрут — я, Мира или Айона. Может статься, Катл сумеет разобрать, что там в голове у волка, а Брэнна затем вытащит это из Катла.

— Не так глупо, как может показаться, — рассудила Брэнна.

— Спасибо и на этом, сестренка. — Коннор подцепил себе еще одну отбивную. Что бы ни происходило вокруг, аппетит у него был неизменно на высоте.

— Я могу отправить его с вами, а там посмотрим, что получится. Я все думала над видением, которое у меня было, когда мы заканчивали делать зелье. Над словами, которые я будто бы произносила. Это были не мои слова: «Трое, трое и еще трое».

— А что тебя смущает? — удивился Коннор, подбирая с тарелки подливку. — Трое нас, трое из прошлого плюс Фин, Бойл и Мира. Мне кажется, все ясно.

— Что-то тут было еще. Не могу сказать, что именно. Что-то неуловимое. Но даже если все так просто, нам еще предстоит перенести детей Сорки к нам, в нужное время, в нужное место. Время должно быть наше, тут сомнений нет. Не их, а наше, и Кэвона тоже придется запереть в нашем времени.

— «Колокольчик, книга, свеча». — Айона размазывала горох по тарелке. — Первые инструменты мага. И причина, почему наши братья меньшие тоже должны быть там.

— «Будет кровь, и будет смерть». — Мира взяла вино, долила себе и Айоне. — Мы все это знали с самого начала. Колдун, демон, кровь и смерть — это ничего для нас не меняет.

— Мы вас очень ценим, — Брэнна перевела взгляд с Миры на Бойла. — Вы для нас — как брат и сестра.

Давайте выпьем за выбор, который вы сделали в пользу любви и верности, в пользу справедливости и света. Мы всегда высоко ценили вас, а теперь вас оценит и само провидение.

В голове у Брэнны мелькнула мысль. Но она отложила ее на потом — Коннор в этот момент нагнулся и поцеловал Миру, та сдавленно ойкнула и залилась счастливым смехом. А Брэнна прокручивала в голове свою мысль, вертела ее, как ленту, и так и сяк, а друзья тем временем завершали трапезу.

В последующие несколько дней Брэнна вновь и вновь обдумывала свою идею, по-всякому закручивая и раскручивая ее. Она уже видела, как можно реализовать то, что пришло ей в голову, но еще не была уверена, что в этом есть необходимость. И в конце концов, каким бы ни было ее мнение, принимать решение должны будут все.

Она выскользнула из-под одеяла и, прихватив скрипку, на цыпочках прошлепала к двери. Не потревожив спящего Фина, она спустилась к себе в мастерскую, где на подставке стоял магический кристалл. Брэнна перенесла его на стол, развела огонь и зажгла три свечи. Потом села и негромко заиграла, через кристалл наблюдая за Кэвоном — тот спал в роскошной золотой кровати в сумрачных покоях пещеры, где приглушенным красным светом горел огонь.

Какие образы видит он в пламени? Кровь и смерть, как и было предсказано? Или только свои желания?

Она хотела было сделать так, чтобы музыка донеслась до него и нарушила его сон — как мысли о нем частенько нарушали сон Брэнны. Но она ни в коем случае не хотела, чтобы он благодаря этой музыке сумел проследить дорогу сюда, ко всему, что ей дорого.

Потому она играла для собственного удовольствия и утешения, оставаясь все время настороже.

Он еще не сказал и слова, но она его почуяла и обернулась. Фин. Он подошел и сел рядом.

— Ты не высыпаешься. И даже когда спишь, это нельзя считать полноценным отдыхом.

— Закончим дело — тогда и отоспрюсь, и наотдыхаюсь. Вот кто сладко спит — глянь-ка. Кажется, есть даже поговорка, что грешник спит крепко, что-то в этом роде.

— Но он видит сны, я это знаю.

— Оставь, Финбар. Пять человек против твоей затеи, так что подчинись большинству. Я понимаю, что тебя разбирает. Я думала, сейчас я его растревожу музыкой. А потом решила — зачем? Ведь все, что мы делаем, что посылаем, может быть обращено против нас. Мы уже знаем, что будем делать, когда март подойдет к концу.

— Что мы будем делать? — эхом повторил он. — Чувствую, тут что-то кроется. — Он легонько постучал по ее виску. — Ты что-то задумала, а нам не говоришь. Кто-то, кажется, говорил про подчинение большинству, а, Брэнна?

— Тут другое дело, Фин. Я еще сама все не продумала до конца. Обещаю, что непременно расскажу тебе и ребятам, как только увижу, что все правильно. Хочу сперва убедиться, что не ошиблась.

— Тогда иди в постель. Сегодня он тебе имя демона не откроет. И зла не причинит. Он спит, и тебе тоже нужно поспать.

— Ладно. — Она бережно убрала скрипку в футляр, взяла Фина за руку. — Завтра опять Катла в лес пошлю. Он уже был на маршруте с Коннором, Мирой, Айоной, Бойлом... И с тобой. И волка вы все видели. Я это знаю от Катла. Но единственное, что он — или я — обнаруживаем в этом больном сознании, это ярость и... уклончивость, — прибавила она, проходя через кухню к лестнице. — А это далеко не то, что активное мышление. А ведь зверь свое имя знает, как любое живое существо.

— Завтра пойду вместе с Коннором. С птицами и Катлом. Может статься, если с твоим псом буду я, да еще Коннор со своей энергетикой, то мы и найдем, что ищем.

— Слушай! Это должны быть мы с тобой! — осенило вдруг Брэнну. — Он же иногда путает меня с Соркой! И по-прежнему на нее зарится — да и на тебя тоже. Мы с тобой и Катл. Тем более что мы оба умеем общаться с собаками. Как я раньше до этого не додумалась?

— Ты и так слишком много думаешь. Завтра сделаем. — Он увлек ее в постель и утопил в объятиях. — А сейчас ты поспишь.

Не успела она смекнуть, что у него на уме, и поставить блокировку, как Фин легким поцелуем в лоб погрузил ее в глубокий сон.

Какое-то время он лежал рядом с ней, залитый лунным светом, но постепенно тоже стал погружаться в сон.

А когда уснул, пришли сновидения.

По еще не оттаявшей дороге звонко стучали копыта Бару. «Какая-то незнакомая местность», — подумал Фин, и в то же время он ее знает. Ирландия. Он слышал ее запах, но это были чужие края. Не те места Ирландии, где он привык чувствовать себя дома.

Вокруг была темная ночь, небо затянуто тучами, сквозь которые то тут, то там мерцали звезды, а луна то выплывала, то вновь скрывалась в облаках.

И луна эта была подернута красноватой дымкой. Как кровь. Как смерть.

Ветер принес запах дыма, и ему показалось, что вдали мелькнул огонек. Костер.

Он был в плаще. В бешеной — смертельной — скачке по звонкой земле, плащ его развевался и хлопал на ветру. Он ехал по неотложному делу; куда — он не понимал, но знал, что должен спешить. Скакать без остановки.

Будет кровь, и будет смерть. Слова эхом раздавались у него в ушах, а он все пришпоривал коня, затем оторвал его от земли, и они полетели под этой мутно-красной луной.

Ветер трепал ему волосы, забивался в капюшон, наполняя уши нескончаемой песней. Но сквозь эту песню все равно пробивался звонкий стук чьих-то копыт.

Он взглянул вниз и увидел под собой всадника с разметавшимися за спиной золотистыми волосами, тот стремительно несся вперед, оставив спутников далеко позади.

Потом он увидел, как заклубился и поднялся туман и будто одеялом закрыл этого всадника от его товарищей.

Без промедления Фин нырнул вниз, приземлив коня точно на грязный покров этого тумана. Он чуть не задохнулся, такой плотной была пелена, отгораживающая его и от ветра, и от самого воздуха. Свет от рассеянных звезд и плывущей в облаках кроваво-красной луны мгновенно погас, как гаснет зажатый пальцами свечной фитиль.

Раздалось лошадиное ржание и храп — животное было охвачено страхом, паникой, болью. Фин выбросил вверх руку, схватил появившийся по волшебству меч и сделал так, чтобы тот вспыхнул.

Он бросился вперед, нанося хлесткие удары по назойливому туману, рассекая его, пробиваясь сквозь его лютый холод, огнем и усилием воли прорубая себе дорогу.

Он увидел всадника, всего на миг. Золотистые волосы, черный капюшон, слабый отблеск от медной броши на его плаще и от меча, которым тот отбивал все новые и новые атаки волка.

Потом туман опять сомкнулся.

Фин наугад ринулся вперед, разрубая клочья тумана и пытаясь криком отвлечь волка от несчастного, направить его на себя. Он вызвал ветер, чтобы под его напором разорвалось и рассеялось опутавшее его плотное, зловонное покрывало. Сквозь растрепанные клочья Фин видел, как запнулся конь, как волк изготовился к новому прыжку, — и он устремился в бой, метнув впереди себя энергетический заряд, чтобы остановить зверя.

Волк обернулся. Красный камень у него на шее и такие же красные глаза сверкали ярким огнем. Он прыгнул, желая вцепиться Фину в горло, но тот в последний миг успел отвернуть коня. Клыки ободрали Фину руку от плеча до запястья, бросок был такой силы, что его чуть не выкинуло из седла. Его ожгла боль, подобная адскому огню. Он выбросил вперед меч и нанес удар клинком и огнем, опалив волку бок, — и тут же боль, причиненная зверю, отозвалась жгучим холодом в отметине на его плече.

Он опять развернул скакуна на месте, нанося перед собой рубящие удары, так как туман вновь сомкнулся и лишил его обзора. Фин сражался вслепую и не сразу заметил, что из-за маневра оказался дальше от цели. Новый бросок, новый взрыв энергии — но волк уже был в воздухе, и, хотя раненый воин ударил мечом, зверь пронесся выше клинка и сомкнул челюсти на горле противника.

Издав боевой клич, Фин бросил коня вперед, сквозь неустойчивую завесу тумана.

И всадник, и его конь упали. Волк издал торжествующий рык и исчез, а вместе с ним исчез и туман.

Фин прямо на скаку спрыгнул на землю и опустился на колени рядом со светловолосым витязем. Его голубые глаза уже подернулись пеленой.

— Не уходи! — приказал Фин и наложил руку на зияющую рваную рану. — Смотри на меня. На меня! Я тебе помогу. Не уходи!

Но он знал, что его слова звучат неубедительно. У него не было такой силы, чтобы победить смерть, а на руках у него лежал умирающий.

Он это чувствовал — последний удар сердца, последний вздох.

— Ты проливал за него кровь, — вдруг прозвучал голос.

Охваченный гневом, болью, горем, Фин поднял глаза и увидел женщину. «Брэнна», — была его первая мысль. Но он тут же понял, что ошибся.

— Сорка.

— Да, я Сорка. Я Смуглая Ведьма Мейо. А это, на земле, мой муж. Бездыханный. Дайти, отважный и доблестный.

Она подошла ближе, и ее серое, как туман, платье колыхалось над землей. Темные глаза не отпускали Фина.

— Я все время вижу, как он гибнет. Из ночи в ночь, из года в год, из века в век. Это моя кара за то, что предала свой дар, свой обет. Но сегодня ты пролил за него кровь.

— Я опоздал. Не сумел ему помочь. Спаси я его — может, это спасло бы всех, но я не успел.

— Не в наших силах изменить, что было, и все же твоя кровь, кровь моего любимого и кровь Кэвона сегодня оросили эту землю. Не для того, чтобы изменить минувшее, а чтобы показать, что может быть.

Она тоже опустилась на колени и поцеловала Дайти в губы.

— Он погиб за меня, за своих детей. Бесстрашный, каким он всегда и был. Это моя оплошность. Я из злости навредила тебе, прокляла тебя, безвинного, и многих, кто был до тебя.

— Не из злости — от горя, — возразил ей Фин. — От горя и муки.

— От горя и муки? — Черные глаза Сорки сверкнули. — Это не оправдание! Я прокляла тебя. И всех, кто был между Кэвоном и тобой. А ведь написано: что пошлешь в мир, то тебе и вернется. Так и вышло. Вернулось втройне. Я взвалила бремя на своих детей. И на всех детей, что были потом.

— Ты их спасла! Отдала за них свою жизнь. Жизнь и силу.

Теперь Сорка улыбнулась, и, хотя улыбка была горестной, в ее глазах он видел Брэнну.

— Я крепко ухватилась за это горе, как если бы это был мой возлюбленный или любимое дитя. Думаю, я только этим горем и жила. Даже в то, что мне позволено было видеть, я отказывалась верить. Я не верила в то, что ты есть, не верила в тебя. Я знала, что в тебе течет не только кровь Кэвона, и все равно не хотела признавать правду.

— Какую правду?

Она взглянула на бездыханное тело Дайти.

— Ты — и его рода тоже. И теперь я знаю, его крови в тебе больше, чем крови Кэвона.

Рука Фина была залита кровью — и своей, и Дайти, — и этой рукой он схватил Сорку за локоть. От этого прикосновения побежали искры.

— Что? — вскричал Фин. — Что ты сказала?!

— Кэвон исцелился. Его силы хватило, чтобы восстать из пепла, в который я его обратила. И, исцеленный, он возжаждал мести. Добраться до моих детей он не мог — они были вне его досягаемости. Но у Дайти были сестры, и одна — такая нежная, такая свежая, такая чистая! На нее и пал его выбор, он взял ее и, помимо ее воли, заронил в нее свое семя. Она издала последний вздох вместе с первым вдохом ребенка. От этой линии ты и произошел. Ты ее потомок, потомок рода Дайти. В тебе течет одна с ним кровь, значит, ты, Финбар из рода Бэрков, и моего рода тоже. А я обошлась с тобой несправедливо.

Она бережно сняла с плаща Дайти брошь, ту, что сделала ему сама для защиты от злых сил, с изображением коня, собаки и сокола, олицетворяющих троих ее детей.

— Это принадлежит тебе — как ты принадлежишь ему. Прости меня.

— Вы с ней одно лицо. И в каждом твоем слове мне слышится она. — Фин взглянул на брошь. — И все равно во мне есть кровь Кэвона.

Качая головой, Сорка сомкнула его пальцы вокруг кусочка меди.

— Свет побеждает тьму. Клянусь тебе всем, чем когда-то была: будь в моей власти — я бы сняла с тебя это проклятье. Но это мне не под силу.

Она поднялась, не выпуская его рук из своих. Так они и стояли над телом Дайти.

— Кровь и смерть. Здесь и потом. Я не могу этого изменить. Как я верила в своих детей, я верю в тех троих, что произошли от них, верю в двоих, что встанут рядом с ними, и верю в тебя, Финбар, потомок Дайти, в ком живет и свет и тьма. Время Кэвона должно закончиться. Должен прийти конец тому, кто с ним слился.

— Тебе известно его имя?

— Это тоже не в моей власти. Положите этому конец, но не ради мщения, ибо месть лишь порождает новую кровь, новую смерть, мне ли не знать! Уничтожьте их ради света, ради любви, во имя всех тех, кто пойдет от вас!

Сорка поцеловала его в щеку и шагнула в тень.

— Помни, любовь сильнее любой магии. Возвращайся к ней.

Он пробудился в каком-то дурмане, плохо понимая, что происходит. Брэнна отчаянно звала его, тряся за плечи.

Она склонилась над ним в тусклом свете зари и прижимала ладони к его раненой руке. Она говорила и плакала, направляя в рану тепло. Еще не вполне очнувшись, Фин смотрел на нее с недоумением.

Брэнна никогда не плачет.

— Возвращайся, возвращайся! Не могу с твоей раной справиться. Кровь не могу остановить! Возвращайся!

— Я тут.

Она прерывисто всхлипнула, перевела взгляд с раненой руки на его лицо. По ее щекам катились слезы.

— Будь здесь. Я не могла тебя дозваться. А сейчас не могу остановить кровь. Не получается! Господи... Ну, слава богу! Как будто затягивается. Просто не уходи, будь здесь. Смотри на меня, Фин, смотри на меня!

— Я не сумел ему помочь. Наложил на рану руки — а он все равно умер. Это его кровь, — он повернул к ней ладони. — На мне его кровь. И во мне.

— Т-ш-ш-ш, т-ш-ш-ш. Не мешай мне работать. Порезы глубокие, опасные. Ты потерял много крови, слишком много.

— Ты плачешь.

— Нет. — Но слезы капали на рану и затягивали ее — лучше, чем руки. — Спокойно, полежи спокойно и дай мне закончить. Ну вот, теперь дело пошло, теперь заживет. Тебе надо выпить бальзам, но рана затягивается.

— Никакого бальзама! — Он чувствовал себя увереннее и сильнее, в голове прояснялось. — Со мной и так все в порядке. Ты сама дрожишь. — Фин пошевелился и сел, погладил ее мокрые от слез щеки. — Пожалуй, бальзам как раз нужен тебе.

— Теперь болит? Проверь. Пошевели рукой, согни, посмотрим, все ли в порядке.

Он сделал как она велела.

— Все нормально. И больше нигде не болит. — Опустив взор, он, однако, увидел, что вся простыня в крови. — Это все моя кровь?

Брэнну еще трясло, но она поднялась, поменяла постель и задумалась. Потом прошла в ванную вымыть руки. Ей нужно было побыть одной, чтобы успокоить нервы.

Она вернулась и надела халат.

— Держи! — Фин протянул ей стакан виски, в другой руке у него был еще один. — По-моему, тебе это сейчас нужнее, чем мне.

Она лишь покачала головой и осторожно присела на край кровати.

— Что произошло?

— Сначала ты расскажи.

Она прикрыла глаза, собралась с мыслями.

— Ну, хорошо. Ты спал, потом начал метаться. Бешено метаться. Я пыталась тебя добудиться, но все впустую. Попробовала проникнуть в твой сон, вытащить тебя оттуда — опять не вышло. Стена — не прошибешь, как ни бейся. Потом у тебя на руке появились эти порезы, пошла кровь.

Ей пришлось замолчать, закрыть лицо руками и собраться с силами.

— Я видела, что ты там, где мне до тебя не добраться. Силилась утянуть тебя назад. Старалась залечить раны, но ничто не помогало, кровь так и хлестала. Я уже решила, что в этом сне ты и умрешь, не сумеешь выбраться из сновидения, в которое он тебя затащил, а мне поставил блокировку. Умрешь, потому что я не смогу до тебя добраться. Я только-только вновь тебя обрела — а он уже готов тебя отобрать! И ты умрешь из-за того, что у меня не хватает сил тебя исцелить!

— Но ты же меня как раз исцелила, разве нет? — Фин придвинулся к ней и поцеловал в плечо. — Ты из-за меня плакала.

— Это потому, что я сорвалась, ударилась в панику. И от досады.

Он снова прижался губами к ее плечу, а она развернулась, обвила его руками и стала качать.

— Куда тебя носило? Куда он тебя завлек?

— Он меня не завлекал, это я тебе точно могу сказать. Я попал в ту ночь, когда Кэвон убил Дайти. Я видел Сорку. И говорил с ней.

Брэнна отпрянула.

— Ты с ней говорил?

— Как сейчас с тобой. Ты так на нее похожа! — Он откинул назад ее волосы, открыв лоб. — Одно лицо.

Только глаза у нее темные, но выражение у них совершенно твое. И сила. И энергетика.

— Что она тебе сказала?

— Я тебе расскажу, но думаю, будет лучше рассказать всем сразу. По правде говоря, я бы не прочь сначала немного все это осмыслить.

— Тогда скажу, чтоб приезжали.

Брэнна оделась и больше его расспросами не мучила. Да ей и самой требовалось какое-то время, чтобы прийти в себя и вновь напялить броню. С того дня как она увидела на его плече знак проклятья, ей еще не доводилось переживать такой страх, как сегодня. Она спрашивала себя, не эти ли через край бьющие эмоции заблокировали ее целительные способности, не давая ей остановить ему кровь и вывести из сна. Ответов она не знала.

Спустившись, Брэнна обнаружила, что он успел вскипятить воду и заварить ей кофе.

— Ты почему-то решила, что готовить завтрак на всех должна ты, — начал Фин. — Мы сами в состоянии о себе позаботиться.

— Должна же я чем-то руки занять. А ты, если есть настроение поучаствовать, помой и порежь несколько картофелин. На это твоих умений хватит.

Они молча делали каждый свое дело, пока не начали появляться остальные.

— Кажется, тут затевается полноценный завтрак, — прокомментировал Коннор. — Только рановато для такого завтрака. У тебя приключилось что-то? — Он прямиком подошел к Фину.

— Можно и так сказать.

— Но ты в порядке, — констатировала Айона и тронула его за руку, словно желая убедиться.

— В порядке, в порядке. И с головой все в порядке, и в подтверждение я сейчас переложу на Бойла данное мне поручение, у него это ловчее получится.

— Да это у кого хочешь ловчее получится. — Бойл засучил рукава и встал возле Брэнны.

Молча, в предвкушении рассказа, они накрыли на стол, заварили чай, приготовили кофе, порезали хлеб.

Когда все расселись, пять пар глаз повернулись к Фину.

— Это новая для нас история, хотя кое-что нам знакомо из книг. Я оказался в лесу, верхом на Бару. Мы скакали по еще не оттаявшей грунтовой дороге.

Он рассказывал, стараясь не упускать никакой мелочи.

— Ну-ка, стой, — поднял руку Бойл. — С чего ты так уверен, что тебя не Кэвон в это вовлек? На тебя бросался волк, хотел порвать тебе глотку, Брэнна никак не могла до тебя докричаться или вернуть в явь. Очень похоже, что это как раз дело рук Кэвона.

— Я его застал врасплох, голову даю на отсечение. Волк кинулся на меня только из-за того, что я там оказался и мог помешать убийству. Если Кэвон собирался что-то мне сделать, почему ему было не засесть в засаду и не напасть внезапно? Нет, его мишенью был Дайти, а мое появление явилось для него неожиданностью. Я не сумел его спасти, и сейчас, когда я все еще раз прокрутил в голове, могу сказать, что мне и не суждено было это сделать.

— Он был принесен в жертву, — тихо проговорила Айона. — Его гибель, как и гибель Сорки, дала жизнь первой тройке.

— У него глаза были как у тебя — ярко-синие. И я видел — когда снова смог что-то видеть, — как бесстрашно он сражался. Но, несмотря на это и несмотря на все мои усилия помочь, изменить то, что свершилось, было нельзя. Могущество Кэвона было очень велико, не сравнить с тем, что теперь. Сорка его немного ослабила, но он оправился. Мне кажется, что сейчас им отчасти движет жажда вернуть это былое могущество. А чтобы это сделать, он должен забрать его у тройки.

— Этому не бывать! — отрубила Брэнна. — Расскажи, что было дальше. Я тоже еще не все слышала.

— Дайти упал. Я думал, сумею залечить его рану, но было поздно. Я едва успел наложить на рану руки, когда он испустил дух. А потом появилась она. Сорка.

— Сорка?! — Мира даже поставила назад свою чашку, которую уже было поднесла ко рту. — Она была там, с тобой?

— Мы даже разговаривали. Там, на залитой кровью дороге, мне казалось, что мы говорим долго, но, скорее всего, это было не так.

Он пересказал свой разговор с ведьмой, слово в слово, рассказал о ее скорби, о ее раскаянии, о силе ее духа. И в довершение воспроизвел слова, которые перевернули ему душу.

— Дайти? Ты потомок рода Дайти? В тебе намешана его кровь и кровь Кэвона? — Брэнна, потрясенная, медленно поднялась на ноги. — Как я могла не додуматься? Как не додумался ни один из нас? Вот из чьего ты рода, вот что заставляет тебя каждый раз отвергать его со всеми его посулами! А я этого не понимала. Или не хотела понять. И все из-за того, что видела на тебе это клеймо.

— Как ты могла распознать то, что я сам в себе не осознавал? Я, как и ты, видел знак и смирился с тем, что несу это бремя. Пожалуй, мне было даже тяжелей, чем тебе. А она знала. Она сама сказала, что знала, но не верила и не хотела доверять мне. Думаю, это она меня туда вытащила, чтобы посмотреть, как я себя поведу. Проверить и окончательно убедиться, чья кровь во мне возобладала.

Фин полез в карман.

— А под конец она дала мне вот это. — Он раскрыл ладонь и показал брошь. — Она делала ее для него. И отдала мне.

— Брошь Дайти. Кое-кто ее искал. — Брэнна снова села и стала рассматривать медную вещицу. — Мы считали ее утраченной.

— Трое советчиков изображены вместе. — Коннор протянул руку, Фин передал ему брошь. — Поскольку из всех нас ты единственный, кто умеет говорить со всеми тремя. Она всегда была твоей. Ждала тебя. Ждала, пока она тебе ее подарит.

— Она сказала, что каждую ночь видит, как умирает Дайти. Считает это своим наказанием за наложенное на меня проклятье. Мне кажется, боги уж больно строги к скорбящей женщине. Кровь и смерть — вот ее слова, Брэнна, в точности как твои. «Будет кровь, и будет смерть», — так она сказала. И она нас всех благословила — и нас, и своих детей. Она в нас верит. Мы должны его прикончить, но не ради возмездия, хотя я должен признаться, что до этого момента мною двигала прежде всего жажда мести. Мы должны прикончить его ради света, ради любви, ради всех, кто пойдет от нас. Она сказала, что любовь сильнее любой магии. А потом велела идти. Сказала: «Возвращайся к ней», — и я проснулся, а ты надо мной рыдаешь.

Не говоря ни слова, Брэнна протянула руку, забрала у Коннора брошь и опять стала внимательно ее изучать.

— Это сделано с любовью, как и те амулеты, что носят ее дети. В этой броши заключена большая магическая сила. Теперь, когда она твоя, ты ни на миг не должен с ней расставаться — точно так же, как мы постоянно носим свои амулеты.

— Надо цепочку к ней сделать, — предложила Айона. — Как у нас.

— Да, сделаем. Хорошая мысль. Вот теперь ясно, почему мне для приготовления яда всегда требовалось так много твоей крови. От Кэвона в ней лишь малая доля.

Фин засмеялся, заглянул в свою тарелку и решил все-таки съесть эту остывшую яичницу.

— Ты, как всегда, сама практичность.

— Значит, ты один из нас! — осенило Айону. — Я хочу сказать — ты наш двоюродной брат! Ну, пятиюродный, шестиюродный — какая разница? Все равно ты наш брат.

— Добро пожаловать в семью, братишка! — Коннор приветственно приподнял чашку с чаем. — И когда-то про нас напишут: «Братья и сестры О'Дуайеры со своими друзьями и возлюбленными отправили Черного Кэвона в ад».

— За это надо выпить. — Фин тоже поднял чашку.

Бойл сжал Айоне руку.

— А я говорю, мы все за это выпьем, только вечером в пабе, и, чур, новообретенный братец платит за всех первым!

— Да запросто. А вторым тогда ты. — Фин допил свой кофе, который, так же как яичница, успел остыть.

И все равно он чувствовал внутреннее тепло.

19

Фин носил брошь на цепочке, ощущал ее вес. Но из зеркала на него продолжал смотреть все тот же человек. Он был таким же, как и раньше, ничуть не изменился.

На груди, подле сердца, у него висела брошь, но на плече красовалось все то же пятно. Сознание того, что в его крови смешаны мрак и свет, ничего не изменило, как не изменило и его самого.

И тем более не могло измениться то, что должно было произойти всего через пару недель.

Он управлял своим бизнесом — обеими фирмами, — занимался конюшнями и птичьим питомником, проводил время в своей мастерской, оттачивая до совершенства заклинания и чары, которые могли оказаться полезны его команде.

Он гулял с Брэнной, катался с ней — и с собаками — верхом, в надежде подманить Кэвона: может, тогда им удастся выудить из него последнее недостающее звено.

Но прошел февраль, и март уже был в разгаре, а прозвание демона от них по-прежнему ускользало.

— Остается только вновь отправиться в пещеру, больше ничего не придумаешь, — небрежно бросил Фин, когда они с Коннором наблюдали за полетом пары молодых ястребов над полем.

— Еще есть время.

— Время идет, и он выжидает. Как и мы.

— А тебе не терпится, это ясно как божий день. Но снова соваться в его пещеру — не дело, к тому же, узнаешь ты это имя или нет, это еще бабушка надвое сказала.

Коннор достал из кармана белый камешек, тот, что подарил ему сын Сорки, Эймон.

— Фин, мы все ждем. Трое, трое и еще трое. Эймона во сне я больше не вижу. Не могу его найти, однако знаю, что он где-то там. В ожидании, как и мы.

Невозмутимость Коннора восхищала Фина. И одновременно бесила.

— Чего дожидаться, когда у нас нет имени?

— Чего дожидаться? Того, что будет. Мне это всегда давалось легче, чем тебе. Ты мне вот что скажи: ну, закончим мы это дело — а я в этом глубоко убежден, — что тогда станешь делать?

— В мире полно мест, где я еще не бывал.

Коннор вспылил, а это случалось с ним нечасто.

— Так и знал! Твое место здесь, с Брэнной, с нами!

— Мой дом здесь, я не спорю. Но мы с Брэнной не сможем жить так, как мечтали, поэтому сейчас мы берем от жизни что можно и пока можно. У нас не может быть такой жизни, как у вас с Мирой или у Бойла с Айоной. Не судьба.

— Что за бред собачий! Одна вбила себе в голову совершенно никчемные мысли, другой винит себя в том, что случилось, помимо его воли... Прошлое, может, уже и написано, а будущее — пока нет, и два таких неглупых человека уж как-нибудь должны понять, как им построить себе общее будущее.

— То, что я из рода Дайти, не отменяет того факта, что и кровь Кэвона во мне тоже есть, как есть и его клеймо. Представь: мы его одолели, уничтожили. И его, и демона, и их логово. Какие гарантии, что через год или десять меня не утянет туда же, куда утянуло его? Я же знаю, до какой степени это сладостная, гиблая тяга, и Брэнна это за мной знает. Мы никогда не сможем иметь детей, понимая, что им грозит такое бремя.

— Если бы да кабы... — Коннор отмахнулся. — Все это бред! Вы двое отпетые пессимисты, видите во всем только плохое.

— Можно сколько угодно сожалеть, что носишь проклятье умирающей ведьмы, и она даже может в том раскаиваться, но от этого проклятье не становится слабее. Кто знает, вдруг на земле есть место, где хранится ключик. Может, я его и найду.

— Тогда, как исполним миссию, искать будем мы все. Сам посуди, сколько у нас времени освободится, когда разделаемся с Кэвоном!

Фин улыбнулся, но про себя подумал, что у каждого своя жизнь.

— Давай пока думать о том, как мы его уничтожим. И еще расскажи мне, какой дом ты собираешься построить для себя и молодой жены. Что-нибудь вроде этого?

Фин повел пальцем — и в воздухе возникла картина серебристого озера, а над ней — сверкающий сказочный дворец.

Коннор со смехом тоже сделал движение.

— Для начала, думаю, и такой сойдет. — Дворец превратился в сельский домик под соломенной крышей в окружении зеленых полей.

— Похоже, этот вам подойдет больше. А что Мира по этому поводу говорит?

— Говорит, что не хочет забивать себе этим голову, пока Бойл с Айоной не сыграют свадьбу и не отстроят свой дом. А тогда, после того как Бойл и Айона переедут в новый дом, мы могли бы на первое время поселиться в квартирке Бойла над твоим гаражом и дать Брэнне спокойно пожить одной. Тем более что первого числа Мира все равно съезжает с квартиры.

— Нормальный план. Живите сколько душе угодно. Но я сильно подозреваю, что у вас будут руки чесаться обзавестись своим жильем.

— Такое тоже возможно. И я уже даже набросал несколько вариантов. Думаю...

Пришедшее сообщение не дало ему договорить.

— Брэнна. Нет-нет, ничего не случилось, — поспешил успокоить он Фина, видя, как тот вскочил. — Просто просит вернуться, ей надо с нами что-то обсудить. Айона тоже у нее. Хмм.. — Коннор коротко ответил. — Ох уж эти ведьмы... Что она там еще затеяла?

— Она все время что-то про себя обдумывала, — сказал Фин. — Может, наконец разродилась.

И оба подозвали птиц.

В ожидании Брэнна продолжала работать. Она действительно закончила обдумывать свою идею, и теперь надо было спросить мнения ребят — может, они сочтут, что план не стоит и выеденного яйца. И узнать, готовы ли они тоже участвовать.

Она досконально изучила способ, каким это сделать, и уже сбилась со счета, сколько раз в деталях повторила необходимый для этого ритуал, ведь ей предстояло обратиться к друзьям с нешуточной просьбой.

Решит ли это проблему? Она мучилась в догадках. Приблизит ли их к заветной цели?

Во всяком случае, это не блажь и не фантазии, успокоила она себя, заканчивая разливать по флаконам ароматические масла для своего магазина. Она продумала все более чем скрупулезно, прокрутила и так и эдак — какая уж тут блажь или необдуманное решение.

Нет, решение было осознанным, но дать на него свое согласие должны все.

Она вымыла руки, вытерла насухо стол, потом пошла взглянуть на свой кристалл.

Пещера была пуста, если не считать красного отсвета очага и темного дымка, вьющегося над котлом.

Значит, Кэвон где-то бродит. Но если он наблюдает за ней, то ничего ценного ему увидеть не удастся, она об этом позаботилась.

Вошла Айона. Брэнна встала. Сестренка, как всегда, сразу поставила чайник.

— Ты сказала, беспокоиться не о чем, а сама...

— Не о чем, — заверила ее Брэнна. — Мне просто нужно кое-что обсудить с тобой, Коннором и Фином.

— Но без Бойла и Миры?

— Пока — без. Обещаю, делать ничего без них мы не будем, просто сперва надо все обговорить между собой. Как твои свадебные хлопоты? С цветами уже решила?

— Да. — Айона повесила на крючок куртку с шарфом и решила подыграть Брэнне и тоже поговорить о другом. — Насчет флориста ты была права, она просто чудо. Мы все проговорили, и я уже почти закончила — так я себя убеждаю — вносить изменения в меню банкета. Слава богу, что музыку я доверила вам с Мирой, а то бы я уже свихнулась.

— Да мы только рады помочь! И кстати, Мира кое-что берет себе на заметку — вдруг для самой пригодится. Она хоть и уверяет, что о свадьбе пока думать не желает, но я-то вижу, что думает она о ней много.

Брэнна занялась чаем.

— А вот и Фин с Коннором. Сядем за тот маленький столик, так будет удобнее.

— Что-то серьезное, да?

— Это уж каждый сам решит. Чашки не достанешь?

Брэнна принесла на стол чайник, сахар, сливки и печенье, на которое ее братец определенно рассчитывал больше всех.

Коннор вылупил глаза.

— Чаепитие, что ли?

— Не то чтобы чаепитие, но чай на столе. Когда рассядетесь, я готова начать разговор. У меня созрели кое-какие мысли.

— Они у тебя уже давно зреют, — заметил Фин и сел к столу.

— Прежде чем советоваться, я хотела убедиться в правоте своих рассуждений и ощущений.

— Но советоваться ты решила не со всеми, — отметил Коннор.

— Пока — да, и вы сейчас поймете, почему сначала это надо решить в нашем узком кругу.

— Ладно, не тяни. — Айона вздохнула. — Терпение наше испытываешь? Ну, говори уже.

— Я думала об откровении, что посетило меня в тот день, когда мы с Фином варили отраву для демона. О том, что я говорила в тот момент, когда наш труд увенчался успехом. Что это были за слова. У нас есть средства уничтожить Кэвона и демона, что в нем сидит. Точнее, они у нас будут, когда мы наконец узнаем его прозвание. И есть средства, чтобы уничтожить их алый камень и запечатать врата.

— Эта часть мне особенно нравится, — прокомментировала Айона. — Свет, жар... Обожаю все это!

— Верно. Чтобы запечатать тьму, потребуется и то и другое. Но в тот день меня осенило нечто большее, чем мысли о ядах и оружии. Дело нам предстоит опасное, мы идем исполнять свой удел, и «кровь и смерть» может относиться к любому из нас. Но даже теперь, когда морок, казалось бы, давно прошел, мне не дает покоя одна фраза: «Трое, трое и еще трое».

— Нам тоже, — признался Коннор. — Если ты нашла способ вновь установить контакт с тремя детьми

Сорки, я буду этому только рад, потому что у меня ощущение — и оно мною прочно завладело, — что они тоже должны в этом участвовать. Они должны быть там.

— Я думаю, так и будет, ведь были же с нами их тени тогда, на Сауин. Вот сделать так, чтобы это были не тени, а живые люди, уже потруднее. «Трое, трое и трое», — повторила Брэнна. — Но среди нас есть двое, вооруженных лишь отвагой и мечом — либо кулаком. Магией они не владеют. Трое детей Сорки, нас трое, Фин — наполовину наш, наполовину Кэвонов. И наконец, Бойл с Мирой. Не очень сходится.

— Но ты говорила, мы их вне игры держать не будем, — напомнила Айона.

— И я дал Мире слово, что их с Бойлом участие никто не собирается подвергать сомнению, несмотря на все мое желание их защитить. — Игнорируя любимое печенье, Коннор хмуро смотрел на сестру. — Так ты что, хочешь привлечь кого-то из нашего рода? Отца или...

— Нет. Мы одна команда, и это неизменно. И мы пойдем, как и сказано: трое, трое и еще трое. Но несоответствие, о котором я говорю, можно устранить. Если мы захотим. И если захотят Мира с Бойлом.

— Ты вооружишь их магией! — догадался Фин и откинулся к спинке. — Ты дашь им то, что есть у нас, подобно тому как Сорка отдала свою силу детям.

— Да ты что? Я ничего похожего не имела в виду. Нам наша сила самим нужна позарез, да и не стала бы я взваливать на двух дорогих мне людей это бремя. Но дать им по чуть-чуть от каждого из нас — это могло бы помочь. Я изучила, как это сделала Сорка, поработала над тем, как технически можно передать часть своей ведовской энергии — как можно деликатнее, очень осторожно... Если я хоть чуточку просчиталась, это может оказаться довольно опасным, поэтому решение должны принимать мы все.

— Дети Сорки получили свою колдовскую силу от рождения, она передалась им от матери, — отметила Айона. — Я по сравнению с вами в этих делах новичок, но я никогда не слышала, чтобы магию передавали, если можно так выразиться, непрофессионалам.

— Они не совсем несмышленые дилетанты. Они тесно связаны — и с нами, и вообще с магией, ведь они родом из наших мест. Есть у них дар или нет, но связь эта вполне реальна. Именно благодаря ей это и сработает. Если будет на то воля божья.

— Потребуется более сильная защита, — сказал Коннор.

— И мы ее обеспечим. Хотя, при всей моей любви к Бойлу и Мире, моя главная цель — убрать несоответствие. Во исполнение пророчества, которое мне открылось. Но эта цель должна стать нашей общей. Нашей и их. Причем мы не можем знать наверняка, чем для них обернутся магические способности.

— Но с их обладанием, — подхватил Фин, — они вместе со мной образуют полноценную тройку.

Это было именно то, что она имела в виду. Брэнна вздохнула с облегчением.

— Да, еще одну тройку. Теперь я в этом убеждена. И сейчас я прошу каждого из вас как следует подумать и решить, согласны ли вы поделиться с ребятами тем, что является для нас и даром, и бременем. Я могу показать, как, по моему убеждению, это можно будет сделать, чтобы не выкачать из нас все и чтобы не передать им больше, чем они в состоянии удержать. Если хотя бы один из вас не согласен или сомневается — все, вопрос закрыт. Такие способности могут быть переданы только добровольно и от чистого сердца. Так же как и приняты.

— А от меня, ты считаешь, тоже стоит что-то передавать? — заволновался Фин. — Если все будут согласны, стоит ли делиться тем, что заражено?

— Как мне не нравится, когда ты так говоришь! — рассердилась Айона.

— Это слишком ответственное решение, чтобы не говорить всей правды, сестренка.

— Сейчас я скажу тебе всю правду, — перебила Брэнна. — Когда я над этим размышляла, я задавала себе этот вопрос. — Брэнна обвела всех взглядом и остановила его на Фине. — Я еще не знала, что в тебе есть кровь Дайти, но уже тогда решила, причем с чистым сердцем, что да, от тебя тоже надо будет что-то перекачать. Они же твои близкие, точно так же, как и наши. А теперь выяснилось, что ты еще и одного рода с первыми тремя. В тебе, конечно, понамешано, но это, на мой взгляд, только прибавляет силы тому светлому, что в тебе есть.

— Я-то соглашусь, а вот ребята? Они должны быть уверены, что могут принять часть моей магии.

— Не спеши. Вам всем нужно время, чтобы подумать, — сказала Брэнна. Коннор засопел и все-таки схватил печенье.

— Говорил я вам, она слишком много думает! Разве недостаточно того, что ты за нас всех столько мозги напрягала? — повернулся он к Брэнне. — Продумывала все мельчайшие шаги и шажочки, все способы и средства, взвешивала все «за» и «против», и бог знает что еще. Если ребята согласятся — да пусть берут на здоровье! — Он вопросительно взглянул на Айону.

— Вот именно. Только вот вопрос: как на это отреагирует Бойл? Он на нашей стороне, это мы знаем. И он будет в одном строю с нами, будет биться до последнего. Но в глубине души...

— Этот парень твердо стоит на земле, — поддержал Фин. — Материалист до мозга костей, это правда. Мы можем только спросить, а уж решать ему. И Мире, конечно.

— Вижу, я зря потратила время, когда составляла для вас троих подробные заметки.

Коннор усмехнулся.

— Думаешь много! — повторил он, жуя печенье.

— Когда спрашивать будем? — поинтересовалась Айона.

— Чем раньше, тем лучше, — решил Фин. — Сегодня после работы?

— Тогда я готовлю ужин на шестерых. — Брэнна поправила волосы.

— Между прочим, жирную курицу, которую ты мне тут написала, я купил, — доложил Фин. — И все, что нужно для колканона[1], тоже.

— Замечательно! Тогда ужинаем у Фина. Я приеду пораньше и начну готовить, но, думаю, будет правильнее объявить ребятам наши соображения до того, как сядем есть. Им потребуется время, чтоб все это... переварить.

— Предположим, они согласятся. Когда начнем? — Айоне уже не терпелось.

Брэнна наконец и себе взяла чай и кивнула.

— Да тоже — чем раньше, тем лучше. Тебе ли не знать, что обучение требует времени.

---

[1] Ирландское блюдо, представляющее собой картофельное пюре, смешанное с пережаренной с беконом капустой.

Она приправила курицу чесноком, шалфеем и лимоном, намешала колканона, почистила морковь, чтобы запечь с маслом, пока будет готовиться курица. Поскольку затея принадлежала Брэнне, было решено, что ей и начинать разговор с Бойлом и Мирой.

Пока трудилась на кухне, она обдумывала разные варианты, как все преподнести, и в конечном итоге пришла к выводу, что лучше всего будет высказаться прямо и откровенно. После этого она успокоилась, и спокойствие ее длилось ровно до момента появления Миры.

— Ох, до чего вкусно пахнет! У нас опять пир на весь мир? А я-то бежала, спешила тебе помочь — а тут, гляжу, все уже на мази.

— Ничего, в другой раз поможешь.

— Ну, тогда хоть на стол накрою.

— Пока не надо. — Брэнне не хотелось, чтобы предстоящему разговору мешал звон тарелок и стук вилок. — Лучше посиди со мной за компанию. И давай-ка совершим набег на винные погреба. Поглядим, что там у Фина есть.

— Я — «за». Знаешь, меня просто бесит, что я из раза в раз вижу в лесу Кэвона. Вечно крадется, вынюхивает... И на Айону, по-моему, он тоже так действует, — добавила Мира, доставая из винного холодильника бутылку белого. — Сегодня она уж больно дерганая была, особенно к концу дня. Они с Бойлом скоро будут.

— Значит, тебе, Айоне, даже Коннору он продолжает показываться, причем часто, но когда выхожу я или Фин, он нас сторонится. Будем гнуть свою линию, — решила Брэнна. — Он не сможет долгое время сопротивляться искушению и в конце концов попытается нас поддеть, бросить вызов.

— Мое мнение — у него уже нет времени. — Мира вытащила пробку. — Хорошо, что мы стали регулярно собираться. Никогда же не знаешь, когда может возникнуть какая-то идея.

«Ох, сегодня-то идея у меня есть, и как раз для тебя», — подумала Брэнна, но лишь улыбнулась.

— Ты прямо в точку. Но это потом. Скажи лучше, как у твоей мамы дела.

— Мама довольна жизнью так, что я и представить себе не могла. А, ты же еще не знаешь! Она начала брать уроки музыки у одной женщины из их церкви. Представляешь — учится играть на пианино! Говорит, теперь у нее времени вагон и наконец-то она может посвятить его тому, о чем всю жизнь мечтала, то есть игре на фортепиано. Как будто, пока она не переехала к Морин, у нее времени было мало... — Мира выставила перед собой ладони, словно призывая себя прикусить язык. — Нет-нет, ничего плохого я говорить не собираюсь. Мама теперь живет там, а не здесь, и я довольна и счастлива, а она не психует и не страдает, как было раньше. Да и Морин говорит, как хорошо, что мама теперь у нее.

— Значит, оттуда ты получаешь только хорошие новости.

— Как сказать... Поскольку у мамы теперь прорва времени, она заваливает меня всякими идеями насчет свадьбы. Присылает фотографии платьев, в которых я буду смотреться как эдакая могучая принцесса, выглядывающая из гигантского свадебного торта, и на которые пойдет столько тюля и гипюра, что во всем графстве Мейо ни ярда не останется. Вот, полюбуйся. — Мира полезла в карман и достала телефон. — Из последнего. Такой я ей вижусь перед алтарем.

Мира прокрутила фотографии в телефоне и продемонстрировала Брэнне платье с какой-то немыслимо пышной юбкой из бесчисленных слоев тюля, еще и расшитых кружевами, бусинами и лентами.

— Хмм... Тебе повезло, что есть возможность самой выбрать себе свадебное платье.

— Да уж... То-то мама расстроится, когда узнает, что у меня на примете нечто совершенно другое.

Она еще полистала фотографии и показала Брэнне струящееся облегающее платье, простое и без излишеств.

— Чудесно! Прелестное платье. Как раз для Миры Куинн. И волосы украсишь не цветами, как Айона, а небольшой сверкающей диадемой — мне кажется, тут это будет более уместно. Такой маленький изящный штришок. Мама так и ахнет, когда тебя увидит.

— Диадема... Что ж, пожалуй, это мысль. И для мамы я стану как принцесса — она же этого хочет.

— А ты с диадемой так поступи: подбери три — чтобы любая из них тебя устраивала, пошли фото маме, и пусть она выбирает.

Мира взяла в руку бокал.

— Мудрая ты.

— О, еще какая!

«Хорошо бы, чтобы Мира осталась при этом мнении, когда улышит, что ей хотят предложить», — подумала Брэнна. И тут вошли Бойл с Айоной.

Она дождалась, пока Мира нальет всем вина, пока войдут Фин и Коннор, и только после этого попросила всех присесть к столу, поскольку есть разговор.

— Сегодня опять что-то случилось? — настороженно спросила Мира.

— Нет, не сегодня. Можно сказать, случилось какое-то время назад, просто мне надо было это обдумать. — Говори честно и прямо, напомнила себе Брэнна. — Помните, я рассказывала, какие слова из меня вылетели, когда мы с Фином закончили второе зелье, — начала она и рассказала о своей задумке.

Она завершила свою речь словами:

— Это вполне реально. И мы четверо на это согласны. Но решение — за вами. — После чего воцарилось долгое, ошеломленное молчание.

— Вы нас разыгрываете, что ли? — нарушил его Бойл.

— Да нет. — Айона погладила его по руке. — Мы со своей стороны можем это сделать, но решение должны принять вы с Мирой.

— Вы хотите сказать, что можете сделать из нас с Бойлом колдунов и требуется только наше согласие?

— Не совсем так. Я убеждена, что зачатки магии есть в каждом человеке, — продолжала Брэнна. — Просто в одних они прорастают сильнее, чем в других. Интуиция, способность к восприятию, ощущение, что ты уже раньше это делал или был в каком-то месте, — это все магия. То, что мы можем вам дать, позволит укрепить и развить эти ростки. Подкормить их.

— Как навозом, что ли? — спросил Бойл. — Тут, похоже, целая тачка понадобится.

— Вы останетесь теми же, кто вы есть. — Коннор подкреплял свои слова жестикуляцией. — Теми же, но с задатками к магии, которые можно будет развивать и оттачивать.

— Если вы хотите тем самым нас лишний раз обезопасить...

— Это дополнительный плюс, — перебил Фин, не повышая голоса. — Но задача состоит в другом. Брэнна уже объяснила. Наша цель — устранить несоответствие, осуществить пророчество.

— Мне нужно всесторонне все обдумать. — Бойл встал и начал ходить по комнате. — Вы хотите дать нам то, чего нам не хватает.

— На мой взгляд, вам всего хватает. Всего, — повторила Брэнна. — Но мне кажется, то, что мы сейчас предлагаем, было предначертано изначально. С самого начала, а не то что меня вдруг осенило. Я, конечно, могу ошибаться, но даже если я права, вы вправе отказаться, если вам это не по душе. Мы найдем другой способ.

— Мне не по душе то, что вы собираетесь отдать часть своей энергии, чтобы прибавить сил нам, — ответил Бойл. — Сорка таким же образом себя почти опустошила. И чем это закончилось?

— Меня это тоже беспокоит, — вставила Мира. — Ведь она практически из-за того и погибла, что поделилась своими способностями.

— Она одна делилась с троими. А нас четверо, и мы вам двоим дадим по чуть-чуть. — Коннор ободряюще улыбнулся. — Чистая арифметика.

— Есть еще один вопрос, если по первому договоримся, — вмешался Фин. — Может быть, делиться магической силой лучше все-таки троим, без меня? Как-никак во мне есть доля Кэвоновой крови — не бог весть какой подарок. Это тоже надо учитывать.

— Или все — или никто, — отрезал Бойл. — За кого ты нас принимаешь?

— Я тоже так считаю. — Мира сделала глоток. — Или все, или никто.

— Вы не спешите, спокойно все обдумайте. — Брэнна поднялась. — Появятся какие-то вопросы — задавайте, мы постараемся ответить. И знайте: что бы вы ни решили, мы вас меньше ценить не станем. А теперь, если нет возражений, давайте ужинать, а решения отложим на потом, если, конечно, у вас прямо сейчас нет вопросов.

— Ужинать, — проворчал Бойл и продолжал ходить из угла в угол, пока накрывали на стол. Потом Айона молча подошла и обхватила его руками.

Он глубоко вздохнул и поверх головы девушки переглянулся с Мирой. Та лишь пожала плечами.

— Если мы согласимся, каким образом это будет сделано? — спросил он наконец.

— Практически тем же, каким Сорка передала свою силу детям, — ответила Брэнна. — Во всяком случае, в своей основе. Конечно, потребуется внести некоторые коррективы — в соответствии с нашими задачами.

— Если мы согласимся, — подхватила Мира, — когда это предполагается сделать?

— Сегодня вечером, — ответил Коннор, отмахиваясь от протестующей Брэнны. — Все их сомнения — одна видимость. Они уже для себя решили, что согласны, потому что, как и мы, понимают, что это приближает нас к цели. Так что давайте сделаем все сегодня, быстро и без проволочек, тогда у них будет время привыкнуть к своей новой ипостаси. — Он щедрой рукой наложил себе колканона и передал блюдо Мире. — Я не прав?

— Наглец ты, Коннор, — отозвалась Мира, — но ты прав. Давай, Бойл, налегай на еду, больше в нашем нынешнем виде нам поесть не удастся.

— Вы никак не изменитесь и внутри останетесь теми же, кем были. — Айона погладила Бойла по руке. — Это... Рассматривайте это как новый навык или талант.

— Как уроки игры на пианино, — усмехнулась Мира, и Брэнна покатилась со смеху.

Они поглощали вкусную еду и говорили, потом убирали со стола и опять говорили.

Все шестеро стояли в мастерской у Фина.

— Кэвон не должен видеть, чем мы тут занимаемся, — предупредила Брэнна.

— И не увидит. Я давно поставил от него защиту на окна и двери, правда, второй слой не помешает. Добавь свой. Все необходимое у меня есть. Я читал твои записи, — добавил он. — Я выложу все, что нужно, а действовать будешь сама.

— Но ведь он все равно что-то учует, да? — Айона взглянула на окна. — Магическая сила другую всегда чувствует.

— Почуять-то он может, но он не поймет, в чем дело. — Коннор взял Миру за руку. — Ты любовь всей моей жизни, и есть, и будешь.

— Очень может быть, но я, честно говоря, рассчитываю получить от вас столько, чтобы можно было в случае надобности устроить тебе хорошую встряску.

— С этим ты, по-моему, и без магии справляешься. — Он наклонил ее назад и картинно поцеловал.

— Ты больно легкомысленно к этому относишься, — удивился Бойл.

— Это все внешнее. Я нервничаю, как кот в собачьей будке. — Мира прижала руку к животу. — Будем смотреть правде в глаза, Бойл, мы с тобой с детства это все наблюдаем и знаем, с чем это едят. Эти четверо неоднократно демонстрировали нам, что к таким способностям надо относиться с почтением, стало быть, так мы и станем поступать. И чем больше я об этом думаю, тем сильнее меня привлекает мысль, что у меня, помимо меча, будет чем как следует врезать Кэвону и его повелителю.

— Это-то конечно. Я и сам, признаться, об этом думаю. Хотя, если честно, махать кулаками мне больше по душе.

— Ты такой, какой есть, поэтому ты не видишь, что сегодня отдавать будем не мы, а вы, — произнесла Айона и обняла его за щеки. — Отдавать будешь ты, слышишь? — Она отпустила его. — Брэнна, от нас что-то нужно?

— Три капли крови от каждого, кто отдает. Ровно три. Но сначала мы выстроим круг и зажжем огонь по периметру. Фин, это твой дом. Тебе и начинать.

— Круг мы делаем сейчас, ограждать он будет нас. Огонь защитный разожжем, и ритуал тогда начнем. Пусть пламя нас не обжигает, сквозь свет к вам силу пропускает. Двери плотно затворить, накрепко замки закрыть. Ритуал тотчас начнем, никого не пустим в дом.

Вспыхнул огонь, холодный и белый, и обежал по кругу.

— Между нами тесная связь, — заговорила Брэнна. — Она была, есть и будет. Если не кровная, то сердечная, духовная. Эту связь мы сейчас скрепим магической силой, которая будет отдана и принята по собственному побуждению.

— Такова наша общая воля? — обратилась она к остальным.

— Такова наша общая воля, — ответили все хором.

И она начала ритуал.

— Вино и мед нальем в сосуд. — Она налила то и другое в чашу. — Пусть в вас сияние зажгут. Масло пряное берем и его туда же льем. Слезы счастья добавляем, вас от страхов избавляем. От сердца крови вам даю, три раза я по капле лью. — Она кольнула себя в запястье кончиком ритуального ножа и дала трем каплям упасть в чашу. — И в вас, мой брат, сестра моя, пусть сила заживет моя.

Она передала чашу Фину.

— От сердца, от души моей я кровью поделюсь своей, — подхватил тот. — Три капли крови вам даю и их в сосуд священный лью. И в вас, мой брат, сестра моя, пусть сила заживет моя.

Закончив, он передал чашу дальше, Коннору.

— Мы в путь вас новый отправляем, и я три капли добавляю. И в вас, мой брат, любовь моя, пусть сила заживет моя.

Наконец дошла очередь и до Айоны.

— В моем вы сердце, вы мой свет, быть вместе дали мы обет. Любимый мой, сестра моя, от сердца кровь для вас моя. Три капли в чашу я волью и светом с вами поделюсь.

— Тот дар, который вам мы отдаем, скрепим мы белым праведным огнем. — Брэнна взяла чашу, подняла вверх, и внутри занялось белое пламя. — Пусть будет этот дар благословен и двое тех, что нам сейчас внимают. Обряд мы этот волею своей, от сердца, добровольно совершаем. Напиток же волшебный мы теперь из чаши по двум кубкам разольем, двум новообращенным поднесем.

При этих словах жидкость из чаши взметнулась фонтаном, разделилась на две струи, и каждая, описав дугу, влилась в приготовленный кубок.

Брэнна сделала знак Коннору и Айоне.

— Поднести должны самые близкие.

— Понятно. — Айона взяла кубок в руки, повернулась к Бойлу. Дотронулась до его щеки и протянула сосуд. — В этом месте, в этот час силу ты прими от нас. Коль доброволен выбор твой, то повторяй сейчас за мной: «Сей дар приму я сердцем и душой, осуществится добровольный выбор мой. Да будет так!»

Он повторил слова, на секунду замялся, посмотрел ей в глаза. И выпил.

Коннор повернулся к Мире, произнес свои слова, сказал ей, какие повторить.

Она не удержалась, улыбнулась ему. И выпила.

— И все? — спросила она. — Уже подействовало? Я никаких изменений не ощущаю, а ты? — повернулась она к Бойлу.

— И я — нет. Как было — так и есть.

— А как мы узнаем, сработало или нет? — забеспокоилась Мира.

Огненное кольцо пиками выстрелило в потолок. Воздух задрожал от света и жара. Слепящий луч пролился на Бойла с Мирой, словно приветствуя их в мире волшебства.

— Вот вам и показатель, — заключил Коннор.

— И на что мы теперь способны? Что нам надо делать?

— Сейчас мы вознесем благодарность и закроем круг. — Глядя на своих давних друзей, Брэнна улыбалась. — А там видно будет.

20

Ученики оказались способными, и уже через неделю оба умели зажечь свечу. Обучив их этому элементарному приему, Брэнна пошла дальше и стала пробовать их способности к управлению другими стихиями.

Ее ничуть не удивило, что Мире легче давался воздух, а Бойлу — огонь. Опять эта связь, подумалось ей. Миры — с Коннором, Бойла — с Айоной.

Они не жалели времени на тренировки и овладение новыми знаниями и умениями, и Брэнна была довольна их успехами. Мира научилась вызывать небольшие, но грозные бури и обнаружила, что ее связь и взаимопонимание с лошадьми сделались глубже. Бойл при должном поощрении научился создавать огненные шары размером с мяч для гольфа.

Сейчас Бойл заявился к Фину. Чем-то раздосадованный, он шумно плюхнулся в кресло.

— Какой с этого прок? Как дойдет до дела, я все равно буду связан по рукам и ногам — мы же уговорились не раскрывать карты! И придется ограничиваться одними злобными взглядами. А если я даже и продемонстрирую ему приемы, которыми сумел овладеть, он шутя отобьется, как теннисист от высокой подачи. Это ему семечки.

— Знаешь, бывает, подача высокая, но если она сделана с неожиданного угла, то ее запросто можно и пропустить, — заметил находящийся тут же Коннор. — Вы оба заметно продвинулись, и ты, и Мира, особенно если учесть, как мало вам было дано. И продвинулись, заметь, за очень короткое время.

— Время — наша самая большая проблема, так ведь? — напомнил Бойл.

— Да, и это непреложный факт. — Фин разглядывал содержимое своей кружки. — Мы думали, раз он не знает о цели наших поисков, то имя демона мы выудим без труда. А теперь я начинаю думать, уж не забыл ли его сам Кэвон, ведь этот демон сидит в нем с незапамятных времен.

— Слушай... А вот это действительно тревожная мысль. — Коннор пораскинул мозгами. — Если мы и в самом деле не можем завершить дело, не зная имени демона, а это имя узнать уже не у кого, то, может, в момент, когда пустим в ход яды, следует произносить имя Кэвона?

— А что, в подобном деле разве могут быть такие простые решения? — не поверил Фин.

— История таких не знает. А вдруг мы создадим прецедент? Это касается только имени. Остальные наши действия простыми не назовешь.

— Остаются считаные дни, — напомнил Бойл. — И до нашей свадьбы — всего несколько недель, но Айона не может отдаться хлопотам, как это женщины любят. Куда там, когда такое назревает...

— Радуйся, дурачина, — хмыкнул Коннор. — По опыту друзей, которые через это прошли, могу сказать, что некоторые женщины перед свадьбой просто с ума сходят.

— У нас гость, — тихо проговорил Фин, и Коннор насторожился.

— Не чувствую.

— Прячется в тени. Но я чую, что он там, силится что-то разглядеть, влезть в мои мозги. Ждет удобного момента, вот что он делает. Дразнит, выслеживает — но главное, выжидает. Мы уже знаем, это его излюбленная тактика во все времена.

— Но он же не ищет нового столкновения! — Бойл подался вперед. — Он бы, конечно, не прочь помериться с нами силами, если представится возможность, но сейчас ждет, пока мы выйдем. Разумно, мне кажется. Деморализовать и поймать момент, когда мы потеряем бдительность. По-моему, это ошибочная тактика — заманить его к дому Сорки. В таком случае он будет знать, что мы готовы к схватке.

— Мы непременно должны выманить его туда, — с нажимом проговорил Коннор. — От этого зависит все.

— Но ему необязательно знать, что мы хотим, чтоб он пришел. А что, если сделать так: он будет думать, что мы собираемся туда явиться тайком от него, а он, такой проницательный и могущественный, сумел преодолеть наши заслоны и нас увидеть?

— А зачем бы нам туда являться, если не на бой?

— Например, чтобы воздать почести Сорке. — Фин с энтузиазмом подхватил идею Бойла. — Почтить ее память в годовщину смерти, исполнить поминальный ритуал — и, возможно, попросить ее о помощи. Прийти туда под покровом собственного тумана, чтобы он не мог нам помешать воздавать эти почести или просить ее совета.

— А на самом деле мы будем занимать позицию для боя, — закончил Бойл, заметно оживившись от одного предвкушения драки. — Таким образом не он нас застает врасплох, а мы его.

— Ох ты... Нравится мне эта идея! — Коннор отпил из кружки. — Вот что выходит, когда вопросы стратегии и тактики обсуждаются в мужском кругу. А кто посмеет передать мои слова какой-нибудь из наших баб — буду считать стукачом, так и знайте!

— От меня они этого не услышат: нужно ведь, чтобы они нас целиком и полностью поддержали. Итак, мы даем ему понять, что это он заманил нас в ловушку, а сами ставим ловушку на него, — подвел итог Фин.

Брэнна новый план выслушала за пиццей в гостиной Фина. Сначала была идея поужинать в каком-нибудь кабаке, однако Брэнна О'Дуайер, как никто, понимала, какие сейчас приоритеты.

— Умно. Действительно, умно, — согласилась она. — Даже обидно, что не я это придумала. Тем более что кардинально менять первоначальный план мы нс можем — времени нет. А тут как раз ничего менять и не нужно.

— Да, здесь все совсем просто, — подхватила Мира, — в чем и преимущество. Переносимся туда — или вы нас всех переносите, вместе с лошадьми, собакой, ястребами — и выманиваем его. Он явится как пить дать, гордыня не даст отсиживаться. А тут... Отличный план! И главное — вероломный, что мне особенно по душе.

— Ему понравится, что мы пытаемся действовать скрытно, — согласилась Айона. — Потешит его самолюбие. А если он поймет, что мы пытаемся вызвать Сорку, ему ничего другого не останется, как тоже явиться — в надежде, что нам это удастся и она опять окажется перед ним беззащитной.

— Придется тебе пожертвовать каким-нибудь из твоих теневых приемов, например, маскировкой в тени. — Брэнна повернула голову к Фину. — Или любым другим — главное, чтобы он о нем не знал. А когда он явится, маскировка будет уже не нужна.

— Она отыграет свою роль. С появлением Кэвона прятаться нам не потребуется, это нужно будет только на подходе.

— Надо будет взять с собой цветы, вино, хлеб, мед. — Продумывая новый план, Брэнна делала мысленные пометки. — Все, что мы бы принесли на могилу для поминовения. Напустим на себя скорбный, взволнованный вид, притворимся, что готовимся вызвать дух ведьмы, наложившей проклятье на одного из нас. Тут он ни за что не устоит и обязательно воспользуется ситуацией, чтобы напасть.

— Чтобы его подтолкнуть, мы можем даже начать ритуал, да? — предложила Айона. — А когда ему будет некуда отступать, вызовем первую тройку.

Бойл засмеялся и наградил ее звучным поцелуем.

— И кто сказал, что из женщин плохие стратеги? Мира настороженно повернулась к нему:

— А кто это сказал?

— Вопрос риторический, — небрежно отмахнулся Коннор. — Что ж, давайте чертить план сражения.

В назначенный день Брэнна собрала все необходимое. Белые розы, вино, мед, хлеб, она сама его испекла, пряные травы, все полагающиеся подношения. В другой мешочек сложила яды, надежно завернув каждый флакон.

И отдельно, чтобы не допустить заражения, — флакон со светом, сотворенным ими тремя.

Она приняла ванну, намазала тело кремом, вплела в волосы обереги, другие повесила Катлу на ошейник. Приготовила еще несколько, чтобы вплести в гриву Анье.

В одиночестве она разожгла свечи, составила круг и, встав посередине на колени, помолилась, выражая готовность принять то, что предназначено судьбой. В душе у нее была уверенность, что этой ночью Кэвону придет конец. Или им троим. И еще большая уверенность, что, как бы ни распорядилась судьба, ее жизнь уже никогда не будет прежней.

И все равно это была ее жизнь и ее выбор. Она была и всегда будет порождением света и будет ему служить. И в то же время она была смертной женщиной.

Брэнна поднялась, преисполненная решимости. Собрала вещи и вместе с собакой перенеслась к Фину.

Она вошла в его мастерскую, когда он выбирал оружие.

— Ты рано.

— Хотела поговорить с тобой, пока ребят нет. Пока все не началось. Я отдала себя в руки судьбы, приняла то, чему суждено быть. Теперь буду сражаться храбрее.

— Я согласен принять только один исход — его конец.

— Надеюсь, это не единственное, что ты готов принять. — Она подошла. — Готов принять меня, Фин?

— Готов. Конечно!

Моя жизнь, опять подумала она, мой выбор. Колдунья и женщина.

— Тогда я вверяю себя тебе. Берешь меня? Позволишь мне принадлежать тебе? Согласен сам принадлежать мне?

Он коснулся ее щеки, намотал на палец прядь ее волос.

— Я бы никогда не смог принадлежать другой женщине.

— Я тоже никогда не буду принадлежать другому. Стань моим, Фин! Будь со мной. Этот дом — для нас обоих. Я хочу жить здесь с тобой, в этом доме, в котором ты воплотил наши мечты. Я хочу быть твоей женой. Считай, что это обет. Я даю его, а ты принимаешь. Фин, я хочу строить свою жизнь с тобой!

От этих слов у него защемило сердце. Он отложил облюбованный меч в сторону. И сделал шаг назад.

— Ты же знаешь, это невозможно. Пока я не освобожусь от проклятья.

— Ничего я не знаю! И знать не хочу. — Она уже бросилась в омут с головой и доверилась не мыслям, а чувствам. — Я знаю, мы сами воздвигли себе это препятствие — то, на что обрекли тебя свет и тьма. Но больше этому не бывать, Фин! Мы не можем иметь детей, потому что им грозит то же проклятье, и это для нас трагедия. Но мы есть друг у друга. У нас не может быть жизни, о которой мы мечтали, которую планировали, но мы можем намечтать и напланировать себе другую. Я отдала себя во власть высших сил. Сегодня ночью я могу умереть, и я к этому готова. Но когда я с ними говорила, эти высшие силы не сказали мне: «Отпусти его», — и я тебя не отпущу.

— Брэнна! — Он сжал ладонями ее лицо, расцеловал в щеки. — Я должен найти способ снять проклятье. Я не знаю, куда заведут меня эти поиски. И я не знаю, и не могу знать, как долго это продлится и найду ли я когда-нибудь ответ.

— Тогда я поеду с тобой, куда бы ты ни отправился. Я буду искать с тобой вместе, куда бы нас ни занесло. Ты не можешь от меня скрываться или убегать! Клянусь жизнью, Финбар, я буду следовать за тобой по пятам, как собачонка. Я не стану снова жить без человека, которого люблю. Я люблю тебя!

Охваченный эмоциями, он прижался к ней лбом.

— У меня от тебя голова кружится. Этих слов я от тебя лет десять не слышал. Трех слов, на которых держатся земля и небо.

— И этими словами я тебя к себе привяжу. Мы созданы друг для друга, мне говорит это все мое естество. Если ты не можешь остаться со мной — тогда я поеду с тобой. Мы можем уехать, можем остаться, но в любом случае, Фин, стань моим мужем! Дай мне этот обет и прими мой. Пока не началось то, что нам предстоит, прими мою любовь и скажи, что тоже меня любишь.

— Как ты можешь с этим жить изо дня в день? — Он потер свою руку в том месте, где было пятно. — Как ты можешь жить с этим и сознавать, сколь многое нам заказано?

Брэнна вспомнила, что доверилась силам света, и ответ пришел сам собой. Простой и ясный.

— Ты же живешь. Изо дня в день. А я принадлежу тебе. Если понадобится, я готова умереть за наше дело, но я больше не стану закрывать свое сердце. Ни для себя, ни для тебя. Ни для любви.

— Для меня твоя любовь — это все. Мы могли бы жить одним днем и не загадывать на будущее, пока...

— Нет! Отныне этого больше не будет, вот прямо с сегодняшнего дня. И об этом я хочу тебя просить. — Она положила руки ему на грудь, туда, где сердце. — Я прошу тебя, Фин, обещай мне! Что бы ни случилось.

— В жизни мне всегда нужно было только одно, — произнес он голосом, тихим, как поцелуй, — это ты. Больше всего другого.

Он нежно поцеловал ее, потом выпустил, отошел, взял с полки шкатулку с секретом и достал из нее кольцо, на котором тут же заиграли блики от огня в очаге.

— Форма круга, — сказал он. — Символ. И камень, в котором таится жар и свет. Я нашел его в море, в теплом синем море, когда купался и думал о тебе. Я уехал, чтобы тебя забыть, подальше отсюда, ото всех. И жил на острове, где я был один, и даже от этого одиночества мне хотелось уплыть. Однажды я плавал и увидел сквозь толщу воды блеск этого круглого камешка. Я сразу понял, он — для тебя, хотя никогда не думал, что подарю его тебе. Не думал, что ты его примешь.

Она протянула руку.

— Дай мне обет и взамен прими мой. Если завтра наступит, то это будет наше завтра, Фин.

— Клянусь, я отыщу способ дать тебе все, чего только пожелает твоя душа.

— Как ты не видишь? Ты мне и так уже все дал! Это же любовь, а любовь все принимает.

Он надел выточенное морем кольцо ей на палец, и пламя в очаге взревело. Где-то в ночи, за окном, мелькнула молния.

— Завтра будет нашим, — вновь произнесла она и приникла к нему жарким поцелуем.

«Что бы ни ждало их впереди, — подумала она, — пусть кровь, пусть смерть, но *этого* у них никому не отнять».

Они собрались. Команда, спаянная движением душ и сердец, верностью и долгом. И скрепленная магией. Ночь сгустилась, и они взяли в руки оружие.

— Имени мы так и не знаем, — заговорила Брэнна. — И пока мы его не узнали, нам надо не дать Кэвону уйти, надо удерживать его в наших границах и не допустить, чтобы он перенесся в другое время.

— Мы воздвигнем мощную защиту, закроем все входы и выходы, — согласился Коннор. — И используем все наши возможности, чтобы выманить демона и выудить его имя.

— Или вытрясти силой, — добавил Бойл.

— Каждый из нас знает, что сегодня будет делаться и как, — продолжил Фин. — Благодаря тому что мы теперь все, хоть и в разной степени, владеем магией, мы стали сильнее. И если добру суждено одержать верх, то сегодня Кэвону придет конец. И хочу сказать, ни с кем другим я не пошел бы в бой с такой готовностью, как с вами. Ни у кого на свете нет таких верных друзей.

— А я так скажу: спалим негодяя дотла, а потом вернемся сюда и съедим настоящий ирландский завтрак, — заявил Коннор и притянул к себе Миру.

— Я — «за». — Мира сжала рукоять меча. — И к первой части твоего плана более чем готова.

Следом слово взяла Айона:

— Вы дали мне семью, дали мне дом. Это был лучший год в моей жизни. И это год, когда я собираюсь выйти за парня, которого считаю любовью всей моей жизни, и никакой демон из преисподней меня не остановит! Так что давайте и впрямь спалим его дотла.

Бойл со смехом оторвал ее от пола и поцеловал.

— Ну как мы можем не победить, когда у нас есть ты!

— Никак. — Айона вгляделась в лица друзей. — И мы победим.

— Пора готовиться, — напомнила Брэнна.

— Погоди-ка. — Айона вырвалась из объятий Бойла и ткнула пальцем в Брэнну. — Это что? Что это такое? — Она схватила Брэнну за руку и засмеялась сквозь слезы. — Господи, ну наконец-то! — Айона кинулась Брэнне на шею. — Это то, о чем я давно мечтала. Если бы ты знала, как я об этом мечтала!

— Может, и друзьям что-нибудь скажешь? — Мира схватила за руку Брэнну, Айона обняла Фина. — Это лишний раз доказывает, что добро всегда побеждает. Одна такая победа сегодня уже состоялась. Добро начало себя проявлять.

— Давно пора. — Бойл шутя пихнул Фина в грудь. — Все равно молодец!

Коннор дождался, когда встретится с Фином взглядом.

— Значит, ты наконец прислушался ко мне, внял моей мудрости.

— Я прислушался к твоей сестре.

— И теперь тебе ничего не остается, как слушаться ее всю жизнь. С тебя, кстати, сотенная.

— Что? Ах да, — Фин вспомнил о пари. — Точно.

Коннор крепко обнял друга, повернулся к сестре и расцеловал ее в обе щеки.

— Вот теперь все несоответствия действительно устранены. Любовь питает собою свет.

Брэнна обняла Коннора, прижала к себе и отстранилась.

— Ну что? Пошли истреблять мерзавца?

— То есть — мы готовы? — Фин дождался утвердительного ответа каждого. Все встали в круг.

— В нашем месте, в наше время, только три часа пробьет, — произнесла Брэнна и перевела дух, — эта ночь своим рассветом пусть успех нам принесет.

— Со светом ли, иль с голыми руками мы в бой идем — пускай сразится с нами! — продолжил Бойл.

— Этот демон и колдун, черной магии венец, встретит пусть от наших рук этой ночью свой конец! — подхватила Мира.

— Три, и три, и снова три вместе пусть за ним идут. — Коннор взял за руку Миру, взглянул на Айону.

— Верный сокол, конь и пес нас в сражение ведут, — произнесла та.

— Туман я вызываю для защиты. Лишь то, что мы хотим, Кэвон, узри ты! — закончил Фин.

Он распростер руки, сделал несколько пассов и снова раскинул руки в стороны. Брэнна почувствовала, как ее окутывает туман, теплый и нежный. Нет, подумалось ей, это не ледяная, обжигающая пелена, какую напускает Кэвон.

Они спустились по лестнице, покинули дом и пошли на конюшню. Брэнна вплетала в гриву Анье обереги, когда подошла Айона.

— У нее скоро течка.

— У Аньи?

— Еще день-два — и начнется. И она будет готова для Аластара, если ты этого захочешь.

— Конечно, захочу.

— Ей совсем не страшно. Страха ни у кого из лошадей нет, но они знают, что сегодня им предстоит полет. И знают зачем.

— Собака тоже. Они готовы. — Брэнна посмотрела на Коннора.

— Птицы тоже.

— А теперь внимательно следите за своими мыслями и словами, — предупредил Фин. — Потому что мне надо будет впустить его в свое сознание, дать ему увидеть ровно столько, чтобы он поверил, что мы собираемся воздать почести Сорке и попытаемся ее вызвать.

Брэнна кивнула, присев на корточки, прижалась головой к Катлу, выпрямилась и вскочила в седло. И вместе со всеми полетела в черное сердце ночи.

— Мы точно знаем, что нас не видно? — прокричала она Фину.

— Никогда не делал тумана на такой большой площади, но он закрыл всех, разве нет? Да и с чего бы Кэвону глухой ночью за нами следить?

Сам Фин, однако, приоткрылся и прибегнул к зову крови. Они летели над лесом, порывы ветра оставляли в закрывавшем их пологе небольшие прорехи, сквозь которые до него донеслось какое-то шевеление.

Он одними глазами сказал об этом Брэнне.

— Покров должен продержаться достаточно долго, чтобы мы успели поставить от него заслон вокруг поляны, воздать почести Сорке и вызвать ее дух. Ритуал тоже требует времени.

— Я бы предпочел драться, чем общаться с духами, — проворчал Бойл.

— Сорка его почти победила, — заметила Айона. — Она может знать что-то такое, что нам поможет. Мы уже все перепробовали. Теперь надо испытать и это. Если сработает...

— Должно сработать! — вставила Мира. — А то уж больно меня достала его манера выслеживать нас, и это — изо дня в день!

— Сорка одной с нами крови, — ответил ей Коннор. — Мы до нее обязательно достучимся, а сегодняшняя ночь, годовщина ее смерти, ее жертвы и ее проклятья — самый благоприятный для этого момент.

— Ждать еще год мы не можем, — подхватила Брэнна. Они преодолели стену плюща, и она опустила лошадь на поляну рядом с развалинами. — И не будем!

Как и договаривались, Фин с ведовской тройкой разошлись по краям поляны и встали строго по сторонам света. Брэнне предстояло начать ритуал. Она рассчитывала не столько удержать Кэвона за границами защиты, сколько дать ему время просочиться. И оказаться взаперти.

Она воздела руки, воззвала к северу и посыпала землю солью. Айона взяла на себя запад. Коннор стоял лицом на восток, и его шепот тихонько прозвучал у Брэнны в голове: «Он идет. Уже совсем рядом».

Коннор воззвал к востоку, и Брэнна почувствовала, как у нее бешено заколотилось сердце.

Первый шаг, направленный на выманивание колдуна, сработал.

Фин обратился к югу, потом все четверо обошли широкий круг по периметру, посыпая землю солью, а Бойл с Мирой выкладывали орудия, нужные для следующей части плана.

Брэнна ощутила перемену. К вызванному Фином туману начал примешиваться холодный туман Кэвона.

Они замкнули барьер, чтобы удерживать посторонние силы от проникновения, а тем, что уже внутри, не давать вырваться наружу. Брэнна только молилась, чтобы колдун не прибегнул к своим излюбленным приемам теневой магии и не напал раньше, чем они будут готовы.

Приказав себе не торопиться, она взяла розы и раздала, чтобы каждый мог возложить цветы на могилу Сорки. Фин замялся.

— Не могу понять, была бы она рада букету от меня. Да и приняла бы?

— Ты выкажешь ей уважение, воздашь почести. Должна же она понимать, что ты сражался и проливал кровь за нас и что без тебя нам Кэвона не одолеть. Надо попытаться, Фин. Ты можешь вместе с подношением выказать ей свое прощение за то, что наложила на тебя проклятье?

— Надо попытаться, — вздохнул он.

Все шестеро подошли к могиле Сорки.

— На сей печальный холм возложим мы цветы в честь годовщины дня, когда погибла ты. Хлеб, мед, вино — вот наше приношенье, выказываем им мы мертвым уваженье.

Похолодало. Брэнна физически ощущала нарастающее возбуждение Кэвона и то, как его все больше охватывает жадность. Но в колеблющемся тумане она не находила и намека на имя, которое они искали.

— Душистых трав мы ветки рассыпаем и дух твой от оков освобождаем. Почтительно колени преклонив, мы ждем, что ты ответишь на призыв. Скрепленный кровью трех и трех, огонь в ночи мы разжигаем. Ты, что опора нам и мать, дай то, о чем к тебе взываем!

Каждый по очереди надсекал себе ножом ладонь и держал над землей рядом с могильным камнем, пока капала кровь.

— По нашей воле и своей любовью направь к нам трех своих детей, чтоб в этом месте, в этот час все встретились с судьбой своей.

Сквозь туман донесся вой, дикий, бешеный. Фин снял защитный полог, выхватил меч и встал плечом к плечу с Брэнной и остальными.

— Пришли сюда, пришли сейчас, мы ждем! — вскричала Брэнна, в то время как Фин с Коннором заняли такую позицию, чтобы закрыть ее от возможного нападения. Айона, Бойл и Мира быстро возводили круг, пока Брэнна завершала ритуал.

— Пришли нам тех, твой дар остался в ком! И мы, три раза по три, встанем в ряд. Тогда не будет нам пути назад. — Она метнула из ладони огненный шар, чтобы не дать Кэвону перейти в атаку, а друзья тем временем спешили завершить круг и открыть врата для первой тройки.

— Три раза по три коли встанем в строй, то мы возьмем реванш. Яви нам милость, мать троих, и дьявол будет наш. Пусть прилетят они сюда ночной порой, и волен будет в эту ночь к нам дух явиться твой. Милость нам свою яви, быть по-моему вели!

Земля задрожала. С трудом устояв на ногах, Брэнна развернулась и бросилась в круг. Повернув голову, она увидела, как с того места, где был Кэвон, на Фина с Коннором летит стена черного огня. Она хотела дотянуться до руки Айоны, чтобы стать со всеми единым целым, но ее ледяным крылом подхватил ветер и швырнул через всю поляну.

От удара у нее чуть не затрещали кости. Брэнна увидела, как Фин отбивает атаку огненным мечом и вздымает землю, а Коннор размахивает и бьет покорным ему ветром, как хлыстом, направо и налево. Свет и тьма схлестнулись и вызвали такой громовой раскат, как если бы опрокинулись миры.

Мира бросилась вперед, отчаянно орудуя мечом, а Бойл выпустил залп небольших огненных шаров, бомбя и поджигая ползучий туман. Все силы были брошены в бой, и завершать круг досталось одной Айоне.

«Он сильнее, — поняла Брэнна, — каким-то образом он сделался сильнее, чем был в прошлый раз. Сущность, что сидит внутри него, подпиталась из какого-то нового источника и теперь, в свою очередь, питает его. Для них это последний, решительный бой, и Кэвон это тоже отлично понимает», — подумала она.

Он вызвал крыс, которые хлынули из-под земли тошнотворной рвотной массой. Он вызвал летучих мышей, и они несметными полчищами градом посыпались с небес. А отрезанная ото всех Айона силилась сдержать их напор, в то время как ястреб, пес и конь топтали, вгрызались, рвали на куски.

Долг. Верность. Любовь. Брэнна вскочила на ноги, ринулась сквозь бурлящее месиво из крыс и взлетела в седло. И, с огненным шаром в одной руке и пылающим жезлом в другом, бросилась к сестре и незавершенному кругу.

Огненными струями и потоками света она хлестала направо и налево, пробивая себе дорогу. Сконцентрировала всю энергию и вызвала горячий дождь, чтобы утопить в нем зловещих посланцев Кэвона. Добравшись до Айоны, она сотворила лавину, которая снесла всю нечисть от дома Сорки.

— Заверши круг! — вскричала она. — Ты можешь!

Потом появились змеи, они кишмя кишели под ногами. Брэнна услышала — почувствовала — боль Катла от укусов бесчисленных жал. И воспылала такой яростью, что ползучие твари обратились в прах.

Брэнна подпустила кобылу ближе к Айоне, желая ее защитить, но та закричала:

— Я справлюсь! Я держусь! Помоги остальным!

Опасаясь худшего, Брэнна бросилась сквозь стену черного огня.

И чуть не задохнулась от серной вони. Тогда она вызвала из воздуха дождь, теплый и чистый, чтобы смыть эту гадость. Она пробивалась вперед, и огонь с шипением и треском расчищал ей дорогу.

Они истекали кровью. Они сражались. Ее родные. Ее любимые.

Она снова пришпорила коня и собрала всю свою энергию.

Теперь она вызвала дождь и ветер, землетрясение и огонь. Все разом, так что, слившись в смерч, стихии обрушились на остервеневшего в бессильной злобе Кэвона. Дым клубился, щипал глаза, обжигал горло, но она заметила, как в глазах колдуна мелькнул страх, и в следующий миг он сгорбился и оборотился волком.

— Получилось! — прокричала Айона. — Получилось! Свет. Он разрастается!

— Я их вижу! — крикнула Мира с залитым потом и кровью лицом. — Я их вижу, их тени. Иди! — позвала она Коннора. — Ступай!

— Мы прикроем! — прокричал Бойл, выбросив вперед и кулак, и огонь.

— Прикроем, видит бог! Идите! — и Фин переглянулся с Брэнной. — Иначе все напрасно.

«Выбора нет», — подумала она и протянула руку Коннору, чтобы тот вскочил в седло вместе с ней.

— Она ранена. Мира ранена!

— Коннор, нам надо втянуть их сюда. Троих должны привести трое. Без них мы, боюсь, не сумеем ей помочь.

Она вспомнила про Катла, у которого с морды и из бока текла кровь. Про Аластара, который бешено брыкался. Про ястребов, с боевым кличем камнем падающих вниз, выпустив смертоносные когти.

И все это может оказаться напрасным, если они не сумеют целиком перетянуть детей Сорки в это время.

Она направила Анью прямо в круг, где вместе с братом соскочила на землю. Взяла за руку Айону и Коннора, почувствовала, как нарастает колдовская энергия, как раскаляется свет.

— Трое, трое и трое вновь! — возгласила она. — Предсказано нам, что прольется кровь. Пробейтесь сюда любой ценой, явитесь же к нам теперь, чтоб дело Сорки завершить, для вас мы открыли дверь. Коль встанете рядом с нами сейчас — придет для Кэвона смертный час!

И они пришли, трое детей Сорки. Брэнног — с луком, Эймон — с мечом, Тейган — с жезлом. И с большим животом. Ни слова не говоря, они взялись за руки, и там, где было трое, стало шестеро.

Вспыхнул свет, белый, сияющий. Брэнна почувствовала, как в нее вливается энергия невиданного накала, так что дух захватило. Она пошатнулась.

— Уведите его от них! — Она услышала, как ее голос эхом разносится в содрогающемся воздухе. — Теперь у нас есть все, чтобы его прикончить, но они слишком близко.

— Я сделаю. — Старшая дочь Сорки, Брэнног, выставила вперед руку, крепко сцепленную с рукой брата. От нее полетели стрелы, пылающие белым пламенем, и стали вонзаться в землю между волком и оставшейся тройкой.

Обезумев от бешенства, волк повернулся и напал.

Брэнна отпустила руки; Коннор замкнул цепь позади нее.

— Поторопись! — напутствовал он.

— Поближе! Давай! Ну же! — Она уже доставала из футляра пузырек с ядом, который трепетал у нее в руке, будто живой. И в тот момент, как волк прыгнул, метя в круг, она запустила в него флаконом.

Воздух взорвался от истошного рева, заставившего Брэнну отшатнуться и попятиться. Все силы, вызванные им из недр преисподней, вспыхнули, их вопли слились в один хор с завыванием волка.

— Еще не все! — Айона схватила за руку Тейган. — Пока мы не убьем того, что внутри него, дело еще не сделано.

— Имя, — с трудом выдавила Брэнна и упала на руки подоспевшему Эймону. — Имя демона... Знаете его?

— Нет. Но мы сожжем то, что от него осталось, и посыплем землю солью.

— Этого недостаточно. Нужно имя. Фин!

Она хотела приблизиться к нему, но тот лишь отмахнулся, бросился на окровавленное тело волка и повалился вместе с ним на землю.

— Начинай ритуал!

— У тебя кровь! И у Миры с Бойлом. Ты будешь сильней, если мы потратим несколько минут, чтобы залечить раны.

— Начинай ритуал! — процедил он, сжимая руки вокруг волчьей шеи. — Это твоя работа, а моя — вот.

— Начинай! — Мира распростерлась на земле, рядом с ней — Бойл.

И они прозвонили в колокольчик, открыли книгу, зажгли свечу.

И начали произносить слова.

Кровь в котле, от сил света, от сил тьмы. Пляшущие тени.

Катаясь по земле, Фин просунул пальцы в разодранную волчью пасть.

— Я тебя знаю! — прохрипел он в глубину его красных глаз. — Ты со мной одной крови, но я с тобой — нет. — Он сорвал с шеи зверя камень и высоко поднял его. — И никогда не буду! Я из рода Дайти. — Из-под рубахи Фина вывалилась брошь, и волк вперился на нее в неподдельном ужасе. — И я — твоя погибель. Я тебя знаю. Я стоял у твоего алтаря и слышал, как обреченные звали тебя. Я знаю тебя.

То, что было заключено у волка внутри, стало выпирать наружу всей своей черной сутью и обожгло Фину руки. Пошла кровь.

— Именем Сорки я обличаю тебя. Именем Дайти я обличаю тебя. Собственным именем я обличаю тебя, ибо я — Финбар Бэрк и я тебя знаю.

Когда тьма проникла в него, душу его чуть не разнесло на части. Тьма тянула его и тянула, с невероятной силой. Рвала и рвала из него душу. Но он держался упорно. Не поддавался и все время смотрел на Брэнну. Тянулся к ее свету.

— Его имя — Кернунн. — Он швырнул красный камень Коннору. — Кернунн. Убей его! Быстрей! Я не смогу его долго держать. Унеси ее! — Теперь он призывал Бойла. Дыхание его сбилось. — Унесите Миру!

— Ты должен его отпустить! — крикнула Брэнна. По ее лицу ручьем текли слезы. — Фин, выпусти его, иди к нам!

— Нельзя. Уйдет в землю, вглубь, тогда нам его опять не достать. Я могу его держать, но недолго. Делай что положено — ради всех, ради меня. Если любишь меня, Брэнна, освободи меня! Во имя всего святого — освободи меня!

Для пущей уверенности он направил силу к Коннору, выхватил из его руки камень и запустил в котел. Взметнулось ослепительно-белое пламя, и он сам выкрикнул имя.

— Прикончи его!

— Он же страдает, — прошептала Тейган где-то рядом с Брэнной. — Хватит с него. Дай ему покой!

Брэнна, глотая слезы, выкрикнула имя демона и швырнула флакон с ядом.

Чернее черного, гуще дегтя. Под напором этой струи на волю вырвались душераздирающие, безысходные рыдания, низкие гортанные стоны. И вместе с ними — тысячи голосов, пронзительно кричащих на неведомых языках.

Она почувствовала его, и в следующий миг свет воспылал еще ярче, и даже котел оказался объят белым пламенем. И поляна, и небо — весь мир был охвачен белым огнем.

Она услышала, как треснул камень и стал рассыпаться на куски с таким звуком, словно какой-то великан швырял огромные деревья, и земля заходила ходуном, как штормовое море.

И она почувствовала, что демон мертв. На какой-то миг ей даже показалось, что она тоже умерла.

Она упала на колени, лишенная сил, света, дыхания.

«Будет кровь, и будет смерть, — вспомнила она. — Кровь и смерть».

Она вскочила и побежала, увидев, что Фин, неподвижный, бледный как смерть, окровавленный, лежит ничком на кучке черного пепла в том месте, где еще недавно был Кэвон и то, что его породило.

— Геката, Бригид, Морриган[1], все богини, прошу вас, явите милосердие! Не забирайте его! — Она положила его голову себе на колени. — Возьмите у меня все, заберите всю мою силу, только не забирайте его жизнь. Молю вас, не забирайте его жизнь!

Она подняла лицо к небу, все еще озаренному белым огнем, и обратила свою колдовскую силу ко всем, кто мог ее слышать.

— Заберите все, что хотите, все, что вам нужно, но только не его жизнь!

По щекам Брэнны катились теплые слезы и капали на обожженную кожу Фина.

— Сорка! — молилась она. — Мать матерей! Исправь свою ошибку. Спаси его жизнь!

— Т-ш-ш-ш... — Пальцы Фина в ее ладони шевельнулись. — Я не умер. Я здесь.

— Ты живой...

И мгновенно все в мире вновь стало на свои места, земля успокоилась, а огонь в небесах утих.

— Как ты... Неважно. Ты живой! — Она покрывала поцелуями его лицо, его волосы. — О боже, у тебя кровь, ты весь в крови! Лежи тихо. Тихонько, любовь моя. Помоги мне, — повернулась она к своей тезке из далекого прошлого. — Пожалуйста, Брэнног!

— Конечно, помогу. Вы в точности такие, как она говорила. — Брэнног встала на колени и наложила руки на рану в боку Фина, туда, где его рубаха и кожа были разодраны и обожжены. — Он вылитый мой Ойн.

— Что?

Брэнног сжала ей руку.

---

[1] Богини кельтской мифологии.

— У него лицо в точности как у моего любимого. И сердце — как у него. Как у мужчины моей жизни. Он никогда не принадлежал Кэвону, в главном — никогда. — Она посмотрела на Фина и коснулась губами его лба. — Ты принадлежишь мне, так же как и ей. Сейчас будет немного больно.

— Немного, — пробурчал Фин, стиснув зубы от пронзившей его боли.

— Смотри на меня. Смотри в меня, — ворковала над ним Брэнна.

— Не стану. Тебе это ни к чему. Это моя боль. А что остальные?

— Ими уже занимаются. Ну тебя в черту, Финбар, я же подумала, что убила тебя! Сколько же из тебя крови натекло! И рубаха до сих пор дымится. — Взмахом руки она загасила теплящийся огонь. — Боже мой, ты же обгорел до мяса! Коннор!

— Иду. — Слегка прихрамывая, тот смахнул с лица кровавый пот. — Мира с Бойлом идут на поправку, хотя... И досталось же ей! Один или два удара — прямо наповал. Тем не менее... Господи, Фин, ты только взгляни, что ты с собой сделал!

Он взял голову друга обеими руками, поднапрягся и проник в его мысли и его боль.

— О черт! — прошептал Коннор.

К ним присоединились остальные, и все равно минуты тянулись как столетия. Пока длился процесс врачевания, Коннор и Фин взмокли от пота, выбились из сил, запыхались. Сейчас оба были охвачены дрожью.

— Он поправится. — Тейган погладила Брэнну по локтю. — Вы с моей сестрой — искусные целительницы. Немного отдохнет, примет укрепляющего зелья — и все будет в порядке.

— Да, спасибо тебе. И тебе спасибо. — Она прижалась щекой к плечу брата. — Спасибо.

— Он и мой тоже!

— Он наш, — поправил Эймон. — Мы вернулись домой. Мы поучаствовали в уничтожении Кэвона. Но он сыграл в этом куда более важную роль. Так что ты наш, Финбар Бэрк, хоть ты и носишь знак Кэвона.

— Больше — нет, — взволнованно прошептала Тейган. — Кэвона заклеймила я, когда запустила в него камень. А наша мама заклеймила весь его род — и всех, кто пошел от него. А теперь я думаю, что она и свет сняли с него это проклятье. Потому что это не Кэвона метка.

— О чем это ты? — встрепенулся Фин. Он изогнулся посмотреть и увидел, что на плече, на том месте, где с восемнадцати лет он носил отметину колдуна, теперь красуется кельтский тройной узел, узор из трех переплетенных петель.

Знак трех.

И это ошеломило и потрясло его сильнее, чем пламя ядовитого зелья, сильнее, чем ослепительный белый огонь.

— Клеймо исчезло. — Фин потрогал злополучное место и не почувствовал никакой боли, никакой тьмы, никакой подспудной тяги во тьму. — Я от него освободился. Освободился!

— Ты был готов отдать жизнь. Пролить кровь, — поняла Брэнна. Глаза ее светились от радости. — Пятно исчезло благодаря твоей готовности к самопожертвованию. Ты сам снял с себя заклятие, Фин!

Она накрыла его руку своей, поверх знака трех.

— Ты сам себя спас. И, наверное, дух Сорки тебе помог. Ты спас нас всех.

— Другие тоже немножко поучаствовали, — оскорбился Коннор. Но улыбнулся Фину. — Красивый знак! Я уже подумываю, не сделать ли нам всем такую же татуировку — за компанию.

— А что, мне нравится, — объявила Мира, утирая слезы.

— Сейчас не о татушках надо думать. — Бойл подал Фину руку. — А ну-ка, поднимайся. — Он схватил друга за обе руки, поставил на землю и крепко обнял. — С возвращением!

— Как я рад, что я здесь! — воскликнул Фин. Айона подскочила и повисла у него на шее, смахивая слезы. — Господи, до чего же домой хочется! Давайте скорее заканчивать. — Он чмокнул Айону в макушку. — Надо покончить с этим и начать наконец жить.

— Так и будет. — Эймон протянул руку для крепкого рукопожатия. — Когда у меня родится сын, я назову его твоим именем, брат.

Они подожгли пепел — все тем же белым пламенем, взрыхлили землю, развеяли все, что осталось, и посыпали солью.

Потом встали посреди поляны. В тишине и покое.

— Все. Миссия исполнена. — Брэнног подошла к могиле матери. — И она теперь свободна. Я это точно знаю.

— Мы отдали дань ее самопожертвованию, исполнили свое предназначение. А теперь я чувствую, как меня тянет домой. — Эймон подал руку младшей сестренке. — Но, думаю, мы с вами еще увидимся, родные.

Коннор вынул из кармана белый камешек, полюбовался его сиянием.

— Я в это верю.

— Мы — трое, — сказала Брэнна, — так же как и вы. И как они. — Она показала на Фина, Бойла и Миру. — Мы непременно встретимся вновь. Благослови вас богиня, родные.

— И вас. — Тейган оглянулась на могилу матери. — Колокольчики. Ее любимые. Спасибо вам.

— Все закончено. — Мира оглядела поляну. — Мне хочется плясать, хотя внутри у меня все дрожит. Значит, миссия выполнена. И что теперь?

— Теперь нас ждет настоящий ирландский завтрак. Уже светает. — Коннор зевнул и показал на восток, где у края небес проступила нежно-розовая лента зари.

— Правильно, едем домой, — поддержала его Айона и рассмеялась: — Смотри не усни на ходу! И мы еще немного побудем все вместе. Просто побудем вместе.

— Мы вас догоним, — сказал Фин. — Дайте мне минуту. Всего одну минуту. — Он посмотрел на Брэнну.

— Гляди, если сильно задержитесь, я начну жарить яичницу, и она потом станет меня ругать, — устало улыбнулся Коннор. Поцеловав Мире руку, он вскочил в седло.

Айона один раз обернулась, положила руку на сердце, потом взмахнула ею в сторону Брэнны и Фина и сотворила красивую маленькую радугу.

— Какое у нее нежное сердце, — тихо промолвил Фин. — Ну вот. — Он развернул Брэнну к себе лицом. — Здесь, на этом месте, где ты впервые мне отдалась. Здесь, где все началось и где мы все-таки положили этому конец, я хочу задать тебе один вопрос.

— Разве я еще не на все вопросы ответила?

— На этот ты еще не отвечала. Брэнна, согласна ли ты строить со мной жизнь, о которой мы мечтали? Жить вместе, иметь полноценную семью и все, что с этим связано, — как мы когда-то себе рисовали?

— Да, Фин, согласна. Согласна на все, что ты назвал, и даже больше. Я согласна на любые новые мечты, которые у нас возникнут. И на любые новые обеты.

Она шагнула в его объятия.

— Я тебя люблю. Всегда любила и всегда буду любить. Я стану жить с тобой в твоем чудесном доме, и у нас будет столько детей, сколько мы захотим, и ни один из них не будет носить на себе клеймо проклятья. Я стану путешествовать с тобой по миру, и ты откроешь мне его самые интересные уголки.

— И мы будем творить чудеса.

— Сегодня и всегда.

Она поцеловала его возле домика Сорки, там, где не осталось и следа от непроходимых зарослей плюща, где цвели колокольчики и в воздухе стояла красивая маленькая радуга.

А потом они полетели. Верхом на коне, с собакой и ястребом. Навстречу завтрашнему дню.

Литературно-художественное издание

НОРА РОБЕРТС. МЕГА-ЗВЕЗДА СОВРЕМЕННОЙ ПРОЗЫ

Нора Робертс

ОРУДИЕ ВЕДЬМЫ — ЛЮБОВЬ

Ответственный редактор *О. Крылова*
Младший редактор *А. Черташ*
Художественный редактор *Д. Сазонов*
Технический редактор *О. Куликова*
Компьютерная верстка *М. Маврина*
Корректор *М. Ионова*

В коллаже на обложке использованы фотографии:
Casther, Oleg Shakirov / Shutterstock.com
Используется по лицензии от Shutterstock.com

ООО «Издательство «Эксмо»
123308, Москва, ул. Зорге, д. 1. Тел. 8 (495) 411-68-86, 8 (495) 956-39-21.
Home page: **www.eksmo.ru**   E-mail: **info@eksmo.ru**

Өндіруші: «ЭКСМО» АҚБ Баспасы, 123308, Мәскеу, Ресей, Зорге көшесі, 1 үй.
Тел. 8 (495) 411-68-86, 8 (495) 956-39-21
Home page: www.eksmo.ru   E-mail: info@eksmo.ru.
Тауар белгісі: «Эксмо»
Қазақстан Республикасында дистрибьютор және өнім бойынша
арыз-талаптарды қабылдаушының
өкілі «РДЦ-Алматы» ЖШС, Алматы қ., Домбровский көш., 3«а», литер Б, офис 1.
Тел.: 8 (727) 2 51 59 89,90,91,92, факс: 8 (727) 251 58 12 вн. 107; E-mail: RDC-Almaty@eksmo.kz
Өнімнің жарамдылық мерзімі шектелмеген.
Сертификация туралы ақпарат сайтта: www.eksmo.ru/certification

Сведения о подтверждении соответствия издания согласно
законодательству РФ о техническом регулировании можно получить
по адресу: http://eksmo.ru/certification/

Өндірген мемлекет: Ресей
Сертификация қарастырылмаған

Подписано в печать 22.05.2015. Формат 80x100¹/₃₂.
Гарнитура «Ньютон». Печать офсетная. Усл. печ. л. 19,26.
Тираж 5000 экз. Заказ О-1503.

Отпечатано в полном соответствии с качеством
предоставленного электронного оригинал-макета
в типографии филиала АО «ТАТМЕДИА»
«ПИК «Идел-Пресс».
420066, г. Казань, ул. Декабристов, 2.
E-mail: idelpress@mail.ru

ISBN 978-5-699-81241-7